Parte II	Literatura: os movimentos do século XIX

Unidade 8   **O Romantismo**   **196**

Capítulo 16   O Romantismo – a expressão da interioridade, 198
Capítulo 17   O Romantismo em Portugal, 206
Capítulo 18   O Romantismo no Brasil, 214
Capítulo 19   Alencar: expressão da cultura brasileira, 220
Capítulo 20   Joaquim Manuel de Macedo e Manuel Antônio de Almeida: o rumor das ruas, 228
Capítulo 21   Taunay e Bernardo Guimarães: ângulos do regional, 232
Capítulo 22   Gonçalves Dias: inovações na poesia, 236
Capítulo 23   Casimiro de Abreu, Álvares de Azevedo e Fagundes Varela: o individualismo extremado, 240
Capítulo 24   Castro Alves: a superação do egocentrismo, 248
Capítulo 25   Martins Pena: o teatro da época romântica, 252

Unidade 9   **O Realismo**   **262**

Capítulo 26   O Realismo – o diagnóstico da sociedade, 264
Capítulo 27   O Realismo em Portugal, 272
Capítulo 28   O Realismo no Brasil, 280

Unidade 10   **O Naturalismo**   **298**

Capítulo 29   O Naturalismo – o diálogo entre literatura e ciência, 300
Capítulo 30   O Naturalismo no Brasil, 306

Unidade 11   **O Parnasianismo**   **316**

Capítulo 31   O Parnasianismo – a "arte pela arte", 318
Capítulo 32   O Parnasianismo no Brasil, 324

Unidade 12   **O Simbolismo**   **332**

Capítulo 33   O Simbolismo – a arte *fin-de-siècle*, 33?
Capítulo 34   O Simbolismo em Portugal, 340
Capítulo 35   O Simbolismo no Brasil, 344

Parte II — Literatura: os movimentos do século XIX

UNIDADES

- **8** O Romantismo
- **9** O Realismo
- **10** O Naturalismo
- **11** O Parnasianismo
- **12** O Simbolismo

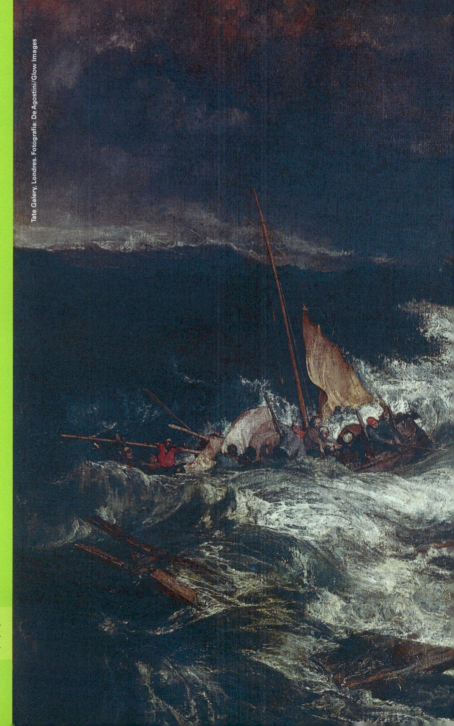

TURNER, William. *O naufrágio* (detalhe), 1805. Óleo sobre tela, 170,5 cm × 241,6 cm. Tate Gallery, Londres, Inglaterra.

Na primeira metade do século XIX europeu, características comuns nas artes deram origem ao que se chamou de movimento romântico, centrado na subjetividade. Nas obras românticas, a natureza frequentemente simbolizava estados de espírito. Nesta pintura do artista inglês William Turner (1775-1851), podemos observar a intensidade dramática com que o mar foi retratado, ressaltando a impotência humana diante da supremacia da natureza.

Na segunda metade do século XIX, surgiram outros movimentos que ora se opunham ao Romantismo, ora recuperavam suas características. O Realismo e o Naturalismo, por exemplo, valorizavam a representação do real; cenas da vida cotidiana, como as misérias sociais advindas da urbanização industrial, ganharam espaço nas artes. Já o Parnasianismo preocupava-se com a estética do texto e a autonomia da arte em relação à realidade. O Simbolismo, além de valorizar aspectos formais do texto, voltou a dar importância às emoções do indivíduo.

Você vai conhecer esses movimentos na literatura e algumas de suas principais obras.

UNIDADE

O Romantismo

Nesta unidade

- **16** O Romantismo – a expressão da interioridade
- **17** O Romantismo em Portugal
- **18** O Romantismo no Brasil
- **19** Alencar: expressão da cultura brasileira
- **20** Joaquim Manuel de Macedo e Manuel Antônio de Almeida: o rumor das ruas
- **21** Taunay e Bernardo Guimarães: ângulos do regional
- **22** Gonçalves Dias: inovações na poesia
- **23** Casimiro de Abreu, Álvares de Azevedo e Fagundes Varela: o individualismo extremado
- **24** Castro Alves: a superação do egocentrismo
- **25** Martins Pena: o teatro da época romântica

BIERSTADT, Albert. *As montanhas rochosas, pico de Lander*, 1863. Óleo sobre tela, 186,7 cm × 306,7 cm. The Metropolitan Museum of Art, Nova York, EUA.

O movimento denominado Romantismo pretendeu realizar uma ruptura com a tradição literária. Para atender a essa proposta, introduziu grande variedade de temas: o individualismo, a solidão, a exaltação do amor, o refúgio na natureza, na religião ou na morte, a valorização do passado nacional.

Este último tema, no Brasil, coincidiu com o processo de independência ocorrido ao longo do século XIX. A vinda da Família Real portuguesa para o Rio de Janeiro e a posterior formação do Império contribuíram de forma decisiva para a construção de uma identidade nacional – projeto levado adiante por intelectuais e artistas românticos brasileiros em suas produções.

Os referidos temas românticos também aparecem nos textos brasileiros, alinhando-os ao que se fazia na Europa.

A imagem abaixo – reprodução da tela do pintor prussiano Albert Bierstadt (1830-1902), que viveu muitos anos nos Estados Unidos – destaca a paisagem e o povo nativo da América. As culturas e os cenários considerados exóticos foram outros dos grandes temas românticos muito apreciados pelo público do período.

CAPÍTULO

16 O Romantismo – a expressão da interioridade

O que você vai estudar

- As transformações sociais, políticas e econômicas do século XIX.
- As características do movimento romântico e suas representações artísticas.
- O rompimento com o Neoclassicismo.

No fim do século XVIII, a burguesia era uma classe em ascensão, que pretendia mudar a estrutura social. Suas ideias de rebeldia e liberdade coincidiam com as de muitos artistas da época, que rejeitavam a expressão racional e regrada do Neoclassicismo (chamado de Arcadismo na literatura).

Neste capítulo, você começará a estudar o Romantismo, estilo de época que se estendeu até a metade do século XIX.

Sua leitura

Os dois textos a seguir são obras românticas. O primeiro é uma pintura do artista francês Eugène Delacroix (1798-1863) que retrata uma cena com cavalos, tema recorrente em sua obra e na de outros pintores românticos.

O segundo é um trecho do romance *Os sofrimentos do jovem Werther*, do escritor alemão Goethe (1749-1832). Trata-se de um romance epistolar, forma literária em que a história é contada por meio de cartas. Nele, o protagonista Werther confidencia ao melhor amigo, Wilhelm, sua dramática paixão pela bela Lotte, que, comprometida com outro homem, rejeita Werther.

Cavalos árabes lutando no estábulo

DELACROIX, Eugène. *Cavalos árabes lutando no estábulo*, 1860. Óleo sobre tela, 64,5 cm × 81 cm. Museu do Louvre, Paris, França.

Esse quadro representa uma violenta luta entre dois cavalos árabes. A observação de cavalos desse tipo, durante uma viagem ao Marrocos, permitiu a Delacroix formar grande parte de seu repertório sobre o tema.

Os sofrimentos do jovem Werther

Caro Wilhelm, encontro-me na situação daqueles infelizes que se acham possuídos por um espírito maligno. É algo que me acontece às vezes: não se trata de angústia, nem de desejo... É um tumulto interior, desconhecido, que ameaça dilacerar-me o peito, e me aperta a garganta. Ai de mim! ai de mim! Nesses momentos, vagueio por entre as horrendas cenas noturnas dessa época inimiga dos homens.

Ontem à noite, não pude ficar em casa. O degelo chegou de repente. Disseram-me que o rio havia transbordado, que todos os riachos estavam cheios e que, de Wahlheim até aqui, todo o meu querido vale ficara inundado. Eram mais de onze horas quando saí de casa. Que espetáculo assombroso ver, do rochedo, ao luar, as torrentes furiosas invadindo os campos, prados e cercados, e o grande vale formando um só mar sublevado, em meio ao rugir do vento. E quando a lua reapareceu por sobre uma nuvem negra e, diante de mim, as torrentes de águas, com reflexo terrível e magnífico, se entrechocavam, despedaçando-se, percorreu-me, então, um tremor, seguido de um desejo brutal. Ah! Com os braços abertos, debrucei-me sobre o abismo, enquanto me perdia num pensamento prazeroso: precipitar as minhas dores e os meus sofrimentos na voragem das águas, deixando-me arrastar por aquelas ondas! Oh!... E dizer que não tive coragem de levantar os pés do chão e acabar com todos os meus tormentos! Sinto que minha hora ainda não chegou! Oh, Wilhelm, com que prazer teria renunciado à minha vida de homem para romper as nuvens nesse vento tempestuoso e subverter as ondas!

Quão doloroso foi lançar os olhos para o recanto em que descansara com Lotte, sob um salgueiro, após um passeio num dia de muito calor, e ver que ali também estava inundado. Wilhelm, mal reconheci o salgueiro.

"E os seus prados", pensei, "e o campo em torno da residência de caça!... E nosso caramanchão, como deve ter sido devastado pelas águas devoradoras!"

E um raio de sol do passado brilhou em minha alma, da mesma forma como sonhar com rebanhos, pradarias, honras ou glórias deve iluminar a alma de um prisioneiro. Eu estava lá!... Não me censuro, porque tenho coragem para morrer... Teria... Agora, estou aqui sentado como uma mulher velha, que cata a sua lenha ao longo das cercas e mendiga o pão de porta em porta, a fim de atenuar e prolongar um pouco mais a sua triste e miserável vida.

GOETHE, J. Wolfgang von. *Os sofrimentos do jovem Werther*. Trad. Leonardo César Lack. São Paulo: Nova Alexandria, 1999. p. 109-110.

Vocabulário de apoio

caramanchão: abrigo coberto de vegetação

degelo: derretimento de gelo

dilacerar: despedaçar

precipitar: lançar de cima para baixo

sublevado: rebelde, revoltado

subverter: perturbar, desordenar

torrente: grande deslocamento de água

voragem: movimento rápido e circular que destrói

Sobre os textos

1. Na pintura de Delacroix, que aspectos da postura corporal dos animais e das pessoas retratadas sugerem tensão e movimento?

2. Na imagem, há uma oposição visual entre dois "blocos" de figuras: os animais em luta, à esquerda, e as pessoas, à direita.
   a) Qual grupo parece ser o mais forte? Explique.
   b) Tomando os cavalos como representação figurada da natureza, que ideia a pintura transmite sobre a relação entre natureza e ser humano?

3. *Os sofrimentos do jovem Werther* conta a história por meio de cartas. Na carta aqui reproduzida, Werther relata a seu amigo um desastre natural ocorrido na região em que mora.
   a) Que desastre é esse?
   b) Há uma sintonia entre a cena observada e o estado de espírito da personagem. O que os torna semelhantes?

4. No último parágrafo, Werther menciona um "raio de sol", imagem que se opõe à cena que vem sendo retratada. O que interrompe a reflexão anterior?

5. Os adjetivos *horrenda*, *magnífico* e *brutal*, entre outros encontrados na carta de Werther, sugerem características que se apresentam de maneira muito intensa.
   a) Localize no texto e registre no caderno outros adjetivos que transmitam a ideia de intensidade.
   b) De que forma essa intensidade de expressão pode ser relacionada à pintura de Delacroix?
   c) Qual dos adjetivos citados no enunciado você usaria para caracterizar a luta entre os cavalos? Explique.

❯ O contexto de produção

Entre o final da Idade Média e o século XVIII, inúmeras mudanças ocorreram na Europa. Na maior parte do continente, no entanto, a estrutura da sociedade conservava traços do período feudal, como os privilégios concedidos à nobreza, a classe mais próxima ao rei. A classe pobre não era atendida pela política real, e a burguesia enriquecida com o comércio raramente ocupava postos importantes no governo.

Essa estrutura, conhecida como **Antigo Regime**, começou a desmoronar com a ascensão burguesa, e o Romantismo foi o movimento artístico que representou os primeiros resultados dessa mudança.

> **Vale saber**
>
> Os direitos defendidos pelos movimentos burgueses dos séculos XVIII e XIX foram retomados pela Declaração Universal dos Direitos Humanos, promulgada em 1948.

❯ O contexto histórico

A burguesia defendia os **direitos do cidadão**, tais como a garantia de liberdade e a igualdade de todos perante a lei. Ela recusava a manutenção dos privilégios que vinham sendo dados à nobreza e ao clero há vários séculos.

As revoluções burguesas, que possibilitaram a ascensão dessa classe social, tiveram origem na Inglaterra no final do século XVII, quando o país se tornou uma monarquia constitucional. Foi a **Revolução Francesa**, todavia, ocorrida cerca de um século depois (em 1789), que se tornou o marco histórico da luta contra o regime absolutista – assim chamado por se basear no poder absoluto do rei – e contra a estrutura política e social da época.

A ascensão dos burgueses pela força das armas foi uma particularidade francesa. No restante do continente europeu, essa ascensão deveu-se, sobretudo, à própria Revolução Industrial. Com a evolução do sistema fabril, resultante de inovações tecnológicas, a burguesia acelerou seu enriquecimento e passou a dominar os Estados nacionais, que pouco a pouco instituíram políticas públicas direcionadas para atender aos interesses dessa classe.

O novo quadro econômico alterou também a vida nas classes mais pobres da sociedade. Trabalhadores provenientes do campo ou do comércio começaram a empregar-se nas fábricas. Com isso, a sociedade do século XIX passou a ter um **perfil industrial e urbano** e se dividiu em duas classes fundamentais e antagônicas: **burgueses e operários**.

DELACROIX, Eugène. *A liberdade conduzindo o povo*, 1830. Óleo sobre tela, 260 cm × 325 cm. Museu do Louvre, Paris, França.

O quadro *A liberdade conduzindo o povo*, de Delacroix, inspirado em uma revolta popular francesa ocorrida em 1830, costuma ser citado como símbolo da turbulência que levou à queda do Antigo Regime. A mulher que ergue a bandeira da França e lidera os combatentes, avançando sobre uma barricada vencida, é uma figura simbólica. O próprio título do quadro associa essa figura ao ideal de liberdade. Do lado esquerdo, destacam-se em pé um homem de cartola e casaco, o que sugere uma condição social superior, e outro com roupas mais modestas, indicando que se trata de alguém do povo. Do lado direito, está um menino. Há ainda, aos pés da figura feminina, um homem com roupas de artesão. Todo esse elenco sugere a união de vários grupos em torno de um interesse comum.

> **Ação e cidadania**
>
> Embora os princípios de "liberdade, igualdade e fraternidade", lema da Revolução Francesa, não tenham se efetivado na prática, essa revolução que nasceu de uma manifestação popular trouxe, no tempo, ganhos políticos e sociais para as classes mais desprestigiadas.
>
> Atualmente, os protestos e as manifestações populares pacíficas são um poderoso instrumento de mobilização social. Eles constituem uma maneira de a população fazer com que suas reivindicações sejam ouvidas, bem como de influenciar a opinião de pessoas que têm poder de decisão sobre o assunto reivindicado, como os políticos e o governo.

Manifestantes formam mensagem de apelo durante protesto contra a devastação da Amazônia, ocorrido na abertura do Fórum Social Mundial em Belém, no Pará, em 2009.

> O contexto cultural

O **liberalismo** foi a principal corrente de pensamento da época. Na política, defendia a capacidade do cidadão de buscar sua realização pessoal sem desrespeitar os direitos da coletividade. No plano econômico, pregava a liberdade de iniciativa e a livre concorrência, atacando os privilégios comerciais que eram concedidos à nobreza do Antigo Regime.

No prefácio do drama *Hernani*, de 1828, o escritor francês Victor Hugo (1802-1885) defende o "liberalismo literário":

> Jovens, coragem! Por muito penoso que nos queiram fazer o presente, o futuro será belo. O Romantismo, tantas vezes mal definido, não é senão, afinal, o liberalismo em literatura e é essa a sua definição verdadeira se o considerarmos sob o aspecto militante. Esta verdade já foi compreendida por quase todos os espíritos nobres, cujo número é elevado; e, em breve, visto que a tarefa está bem adiantada, o liberalismo literário não será menos popular do que o liberalismo político. A liberdade na arte, a liberdade na sociedade, é essa a dupla finalidade para a qual devem contribuir unidos todos os espíritos coerentes e lógicos [...]. Ora, depois de tantas coisas notáveis que os nossos antecessores realizaram e nós testemunhamos, transpusemos a velha ordem social; por que não deixaríamos para trás a velha ordem poética? Para um povo novo, uma nova arte. [...]

VICTOR, Hugo. Citado por: GOMES, Álvaro C.; VECHI, Carlos A. *A estética romântica*: textos doutrinários comentados. São Paulo: Atlas, 1992. p. 130.

Victor Hugo, escritor romântico francês, fotografado por Félix Nadar em 1878.

■ Margens do texto

1. Qual é o tom desse prefácio? O que esse tom sugere sobre o contexto de produção da obra prefaciada?
2. Para Victor Hugo, por que a arte precisa ser inovada?

Conforme exposto no prefácio, a expectativa de liberdade política transferiu-se para o plano da arte e estimulou a posição de rebeldia contra o sistema instituído; rebeldia essa que se tornou uma característica distintiva do Romantismo.

Um dos primeiros efeitos desse espírito inovador pôde ser visto na pintura, que ampliou os temas retratados. Enquanto a maioria das obras de períodos anteriores representava episódios religiosos ou mitológicos, as românticas escolhiam cenas de obras literárias, paisagens e episódios históricos ou heroicos, pintados de modo a despertar a imaginação. Alguns pintores se valiam de pesadelos e visões místicas e religiosas, que faziam referência ao **irracional**, ao **exótico** e ao **mórbido** (doentio, depressivo).

A pintura deixou de dar valor aos métodos adotados pelos grandes mestres do passado e retransmitidos pelos mestres acadêmicos: naquele momento, o que importava era a **expressão da individualidade**. Os românticos tinham um desenho menos exato e linear, privilegiando o movimento, a luz e a cor para obter efeitos mais expressivos. Valorizavam a **subjetividade**, isto é, os sentimentos e pensamentos pessoais que se projetam no mundo o objetivo.

Nesta pintura, a composição dos elementos provoca no espectador a sensação de que ele está dentro da cena, experimentando o drama do evento retratado: o naufrágio de um navio. É frequente, na pintura romântica, a referência à grandiosidade da paisagem em contraposição à fragilidade ou ao apequenamento do ser humano.

FRIEDRICH, Caspar David. *O mar de gelo*, 1823-1824. Óleo sobre tela, 96,7 cm × 126,9 cm. Hamburger Kunsthalle, Hamburgo, Alemanha.

> O contexto literário

A incorporação dos valores burgueses levou os românticos a produzirem uma arte menos intelectualizada, e o século XIX assistiu à **popularização da literatura**. Vejamos como isso aconteceu.

O sistema literário do Romantismo

O **novo público** não possuía formação culta, como os nobres, que eram os leitores das obras neoclássicas. Faltava a ele conhecimento de textos da tradição literária e dos temas da mitologia e da filosofia.

As novas narrativas adotaram linguagem simples, personagens com as quais o leitor pudesse se identificar e tramas baseadas em amor e aventuras. Essa estrutura mais livre do **romance**, com várias ações paralelas que provocam diferentes sensações ao longo da leitura, tornou-se a forma literária preferida desse novo público.

A aproximação com o indivíduo comum também possibilitou a **profissionalização** do artista e o fim do mecenato, ou seja, do apoio financeiro recebido de pessoas ricas. Em lugar de criar sob o comando de um mecenas, o escritor romântico, proveniente da pequena burguesia, passou a ter de agradar a um público maior e diversificado, dependendo das vendas de seus livros para sobreviver.

Embora partilhassem as ideias liberais com a burguesia, os artistas românticos rejeitavam seu materialismo excessivo e denunciavam sua hipocrisia, por entender que a burguesia se valia dos lemas de igualdade e fraternidade da Revolução Francesa mas, de modo contraditório, reforçava preconceitos sociais e impunha novas formas de dominação por meio da exploração do trabalho.

Essa incompatibilidade traduziu-se de maneiras bem diversas. Alguns artistas mais ativos politicamente, por exemplo, protestaram **contra a injustiça e a opressão**. Outros reagiram pelo viés da **fuga da realidade**: o narrador ou eu lírico buscava refúgio na natureza, na religião ou na morte.

Também fez parte da contestação romântica o **gosto pelo mórbido**, que apareceu principalmente na Alemanha e na Inglaterra. Era uma forma de se opor ao racionalismo que marcou a época clássica, assim como ao materialismo que caracterizava a época burguesa.

Na **poesia** romântica, a expressão da **individualidade** atingiu seu nível máximo com a produção de uma arte confessional, que tratava das paixões e das angústias do eu lírico, como vemos nestes versos do poeta francês Alfred de Musset (1810-1857):

> Amo e quero empalidecer; amo e quero sofrer;
> amo e por um beijo eu daria meu gênio;
> amo e quero sentir em minhas faces magras
> correr uma fonte impossível de estancar.
>
> Musset, Alfred de. Citado por: Macy, John. *História da literatura mundial*. Trad. Monteiro Lobato. 5. ed. São Paulo: Companhia Editora Nacional, 1967. p. 281.

Não havia regras, critérios de beleza preestabelecidos ou modelos a serem imitados. A criação, fruto da inspiração do autor, devia representar sua interioridade de maneira intuitiva e direta.

O autocentramento dos artistas românticos muitas vezes resultou em expressões pessimistas e melancólicas, em que se afirmava a falta de sentido da vida e o desejo de morte. Esse estado de espírito ficou conhecido como **mal do século**.

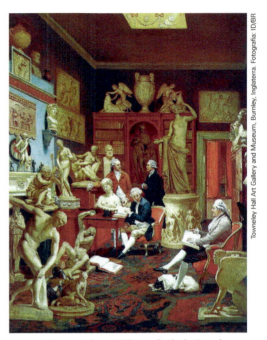

ZOFANNY, Johann. *Biblioteca de Charles Towneley em Park Street*, 1783. Óleo sobre tela, 127 cm × 99 cm. Towneley Hall Art Gallery and Museum, Burnley, Inglaterra.

A pintura neoclássica acima mostra cavalheiros de gosto refinado, em um ambiente repleto de referências clássicas. Esse grupo (representativo do público leitor do século XVIII) contrasta fortemente com a humilde leitora da imagem abaixo, expressando claramente a diferença de repertório entre os públicos do Arcadismo e do Romantismo.

JERICHAU-BAUMANN, Anna Maria. *Retrato de uma jovem lendo*, 1863. Coleção particular.

Vale saber

As mulheres formavam parte significativa do público burguês. Para alimentar sua imaginação, os romances incluíam casos amorosos e situações aventurescas, com heroínas nas quais elas pudessem se espelhar. Ainda que o Romantismo também oferecesse obras complexas e críticas, não era esse o perfil de leitura do público feminino da época; em geral, a mulher lia para se entreter e tinha à mão uma literatura voltada para o gosto médio.

O papel da tradição

O Romantismo rompeu radicalmente com o Neoclassicismo. Inspirados pelos **ideais iluministas** de racionalismo e objetividade, os neoclássicos buscavam a criação de obras harmônicas e equilibradas, de acordo com os padrões de beleza da arte grega. Enquanto prevaleceu essa atitude, outras formas de arte foram consideradas inferiores.

Ao longo do século XVIII, porém, uma lenta transformação do gosto artístico incorporou novas formas de manifestação. Na Alemanha, surgiu o ***Sturm und Drang*** (Tempestade e Ímpeto), um dos primeiros movimentos a veicular o espírito romântico. Reunindo nomes que se destacariam no cenário do Romantismo mundial, como Schiller (1759-1805) e Goethe (1749-1832), esse movimento passou a cultivar os sentimentos individuais e os valores populares. Os jovens autores entendiam que a arte não deveria se apegar a um sistema atemporal e universal, como fizeram os neoclássicos, mas explorar as **tradições locais**.

Tentando construir uma nova identidade cultural, os escritores românticos redescobriram e revalorizaram lendas e contos medievais, muitos dos quais incluíam o mistério e o terror, elementos correntes na cultura popular e opostos ao racionalismo aristocrático. O movimento de incorporação da língua, da religião, da cultura e dos costumes populares dedicou-se, frequentemente, à recuperação das tradições da pátria e do passado histórico, que levaram ao **medievalismo**, com a valorização do momento em que os Estados nacionais europeus se formaram.

Outra fonte de inspiração importante veio do filósofo suíço Jean-Jacques Rousseau (1712-1778), que valorizava a natureza em vez da sofisticação racional. Rousseau afirmava que o ser humano era originalmente puro e inocente, mas que havia sido corrompido pelo contato com a sociedade. Inspirados por essas ideias, muitos românticos se voltaram para a natureza, como uma rota de fuga da civilização. O mesmo impulso de fuga se revela na exaltação do mundo infantil, no interesse pelos indígenas e na valorização da consciência religiosa. Apesar de bastante diversos, esses aspectos são resultantes da busca pelo indivíduo em **estado natural** pensado por Rousseau.

SPITZWEG, Carl. *O leitor de breviário, a manhã*, c. 1845. Óleo sobre tela, 29 cm × 23 cm. Museu do Louvre, Paris, França.

A leitura de um livro religioso em meio à paisagem natural mostra a correspondência entre a harmonia da natureza e os ensinamentos da palavra divina. Essa correspondência está presente em diversas obras românticas.

Passaporte digital

A arte de William Blake

O inglês William Blake (1721-1827) foi um dos primeiros artistas a rejeitar os padrões do Neoclassicismo. Suas gravuras, muitas vezes produzidas para ilustrar os poemas do próprio artista, mostravam suas visões, aquilo que seu eu interior lhe revelava e não era compreendido por seus contemporâneos.

Nesta gravura, feita para seu poema "Europa, uma profecia", Blake representou o ser criador do mundo como um ancião agachado, medindo o globo com um compasso. A imagem tem uma atmosfera de pesadelo, com o criador emergindo das sombras. Veja outras pinturas de Blake no *site* <http://www.wga.hu/>. Acesso em: 4 fev. 2015.

BLAKE, William. *O ancião dos dias*, 1794. Água-forte com aquarela, 23,2 cm × 17 cm. Whitworth Art Gallery/The University of Manchester, Inglaterra.

Uma leitura

O poema "A uma taça feita de um crânio humano" foi escrito pelo poeta inglês Lord Byron (1788-1824), cuja obra influenciou muitos escritores do século XIX. Geralmente marcada pelo tom irônico, sua poesia expressa o pessimismo romântico e a rebeldia ante as regras morais da época. A tradução que você vai ler foi feita pelo poeta brasileiro Castro Alves (1847-1871), grande admirador de Byron.

Alguns aspectos do texto estão analisados nos boxes de cor laranja. No caderno, responda às questões apresentadas nos boxes numerados para concluir a análise do poema.

> O horror e o sobrenatural são referências constantes em boa parte das obras românticas.

> **2.** Observe os verbos usados pelo eu lírico para recontar sua vida. Que perfil social o romântico assume?

> A valorização do estado de embriaguez – frequente no período – revela a dificuldade do eu lírico em aceitar a ordem comum e o racionalismo.

A uma taça feita de um crânio humano

Não recues! De mim não foi-se o espírito...
Em mim verás — pobre caveira fria —
Único crânio, que ao invés dos vivos,
Só derrama alegria.

Vivi! amei! bebi qual tu: Na morte
Arrancaram da terra os ossos meus.
Não me insultes! empina-me!... que a *larva*
Tem beijos mais sombrios do que os teus.

Mais val guardar o sumo da parreira
Do que ao verme do chão ser pasto vil;
— Taça — levar dos Deuses a bebida,
Que o pasto do réptil.

Que este vaso, onde o espírito brilhava,
Vá nos outros o espírito acender.
Ai! Quando um crânio já não tem mais cérebro
... Podeis de vinho o encher!

Bebe, enquanto inda é tempo! Uma outra raça,
Quando tu e os teus fordes nos fossos,
Pode do abraço te livrar da terra,
E ébria folgando profanar teus ossos.

E por que não? Se no correr da vida
Tanto mal, tanta dor aí repousa?
É bom fugindo à podridão do lodo
Servir na morte enfim p'ra alguma coisa!...

LORD BYRON. Lines Inscribed upon a Cup formed from a Skull.
In: ALVES, Castro. *Espumas flutuantes*. Salvador: GRD, 1970. p. 9-10.

> **1.** Observe a visão de mundo sugerida nesses versos. Qual característica marcante do Romantismo eles revelam?

> Parte dos românticos expressa seu nojo do mundo e o ataca por meio de tom irônico ou agressivo e de representações mórbidas.

> **3.** A leitura de um poema em voz alta diz muito sobre o entendimento que se tem dele. Que entonação você daria para a leitura dos dois versos finais? Por quê?

Vocabulário de apoio

ébrio: bêbado
empinar: elevar, erguer
lodo: depósito de terra e matéria orgânica
profanar: violar, tratar com desrespeito
sumo da parreira: vinho
val: vale
vil: desprezível

Livro aberto

Contos fantásticos do século XIX, vários autores
Companhia das Letras, 2004.

Este livro, organizado pelo escritor italiano Italo Calvino (1923-1985), traz uma coletânea de narrativas repleta de fantasmas, horror e mistérios, entre outros temas exemplares da literatura romântica. Todas elas suscitam a mesma dúvida: teria aquela história realmente ocorrido ou tudo não passa da imaginação de uma mente perturbada?

Capa de *Contos fantásticos do século XIX*.

Capítulo 16 ■ O Romantismo – a expressão da interioridade

Ler o Romantismo

Você vai ler os três primeiros parágrafos de "A morte amorosa", famoso conto fantástico do escritor francês Théophile Gautier (1811-1872). Nele é relatada a transformação ocorrida na vida de Romuald, um sacerdote recém-ordenado, depois que ele encontra a misteriosa Clarimonde.

> Você me pergunta, irmão, se amei; sim. É uma história singular e terrível, e embora eu tenha sessenta e seis anos, mal me atrevo a remexer as cinzas dessa lembrança. Não quero lhe recusar nada, mas não faria um relato desses a uma alma menos sofrida. São fatos tão estranhos que não consigo acreditar que tenham me acontecido. Durante mais de três anos fui o joguete de uma ilusão singular e diabólica. Eu, pobre pároco de aldeia, levei em sonho todas as noites (queira Deus que seja um sonho!) uma vida de alma danada, uma vida de mundano e de Sardanapalo. Um só olhar cheio de condescendência lançado para uma mulher por pouco não causou a perda de minha alma; mas, afinal, com a ajuda de Deus e de meu santo padroeiro, consegui expulsar o espírito maligno que se apoderara de mim. Minha existência tinha se enredado nessa existência noturna totalmente diferente. De dia, eu era um padre do Senhor, casto, ocupado com as preces e as coisas santas; de noite, mal fechava os olhos, tornava-me um jovem nobre, fino conhecedor de mulheres, cães e cavalos, jogando dados, bebendo e blasfemando; e quando, no raiar da aurora, eu despertava, parecia-me que, inversamente, eu adormecia e sonhava que era padre.
>
> Dessa vida sonâmbula restaram-me lembranças de objetos e palavras contra as quais não consigo me defender, e, embora nunca tenha ido além dos muros de meu presbitério, quem me ouvisse diria que eu era um homem que provou de tudo e deu as costas para o mundo, entrou para a religião e quer terminar no seio de Deus, enterrando os dias agitados demais, e não um humilde seminarista que envelheceu numa paróquia ignorada, no fundo de um bosque e sem nenhuma relação com as coisas do século.
>
> Sim, amei como ninguém no mundo amou, com um amor insensato e furioso, tão violento que estou espantado por não ter feito meu coração explodir. Ah!, que noites! Que noites!
> [...]

GAUTIER, Théophile. A morte amorosa. In: CALVINO, Italo (Org.). *Contos fantásticos do século XIX*: o fantástico visionário e o fantástico cotidiano. São Paulo: Companhia das Letras, 2004. p. 214.

Vocabulário de apoio

blasfemar: insultar as coisas sagradas
casto: puro, que se priva dos prazeres sexuais
condescendência: atitude atenciosa, compreensiva
enredado: envolvido
joguete: pessoa que serve de brinquedo, diversão para alguém
mundano: ligado aos prazeres do mundo
pároco: padre
presbitério: residência do pároco
Sardanapalo: governador da Babilônia que viveu cercado de tesouros e festas
século: vida civil, leiga, que não pertence à igreja

Sobre os textos

1. Com o Romantismo, o público da literatura tornou-se maior e mais diversificado. Leia novamente a primeira frase do conto e explique que estratégia Gautier usou para cativar seus leitores.

2. O narrador explica que durante mais de três anos viveu uma experiência muito estranha, sendo o "joguete de uma ilusão singular e diabólica". O que lhe acontecia?

3. Em "A morte amorosa", dois mundos se contrapõem e se fundem na personagem Romuald. Explique essa afirmação.

4. A primeira vez que encontra Clarimonde, Romuald esboça um sentimento diferente do que apresentará depois. Localize no trecho e registre no caderno:
   a) uma passagem no primeiro parágrafo que revela certa atenção, ainda sem malícia, de Romuald em relação a Clarimonde.
   b) uma passagem no último parágrafo que expressa a intensidade do sentimento de Romuald.

5. O poema "A uma taça feita de um crânio humano" e o conto "A morte amorosa" relacionam-se com o Romantismo de modo semelhante. Comente elementos que têm em comum.

O que você pensa disto?

O conto acima é um bom exemplo da diversidade de temas do Romantismo. Apesar disso, é costume associar o termo *romântico* exclusivamente a histórias de amor adocicadas.
- Na sua opinião, associar o Romantismo unicamente a esse tipo de narrativa pode criar preconceito contra esse movimento literário e afastar o jovem estudante da literatura romântica? Por quê?

Cena do filme *Para sempre* (EUA e outros, 2012), estrelado por Rachel McAdams e Channing Tatum. Esse filme pertence ao gênero que costuma receber o rótulo de "romântico".

CAPÍTULO 17

O Romantismo em Portugal

O que você vai estudar

- A implantação do liberalismo em Portugal.
- Almeida Garrett.
- Alexandre Herculano.
- Camilo Castelo Branco.

A obra *Os Lusíadas* foi publicada em 1572. Acredita-se que Camões (1524-1580) tenha escrito esse célebre poema épico em Macau, antigo território português e atual região administrativa da China. A vida aventureira e desregrada do poeta tornou-se tema para muitos artistas portugueses, que associaram a inquietude de Camões ao espírito romântico e buscaram em sua obra o patriotismo que o momento histórico exigia.
Nessa imagem, o pintor procurou retratar as emoções das personagens e o mergulho de cada uma na própria interioridade: embora estejam lado a lado, parecem solitárias.

METRASS, Francisco Augusto. *Camões na gruta de Macau*, 1880. Óleo sobre tela, 163 cm × 132 cm. Museu Nacional de Arte Contemporânea – Museu do Chiado, Lisboa, Portugal.

> O contexto de produção

Nas primeiras décadas do século XIX, Portugal ainda não apresentava as condições que favoreciam a consolidação do Romantismo em outros países europeus. A Revolução Industrial e a ascensão burguesa não haviam ocorrido e persistia o apego à cultura clássica.

Após a transferência da Corte para o Brasil, em 1808, Portugal viveu **anos de turbulência** política que resultaram na Revolução do Porto, em 1820, uma vitória do **liberalismo burguês**. Em 1826, no entanto, com a morte de dom João VI, as forças conservadoras se reergueram e só foram derrotadas pelos liberais 12 anos depois, com a queda e o exílio do então rei português dom Miguel, irmão de dom Pedro I.

A partir daí Portugal abriu-se para a Europa. Livre e fortalecida, a **imprensa** informava e divulgava opiniões, o que ampliou a capacidade crítica dos leitores e contribuiu para formar cidadãos. Ao veicular textos dos principais autores portugueses e traduções de romances estrangeiros, os jornais democratizavam a cultura e ampliavam o público interessado em literatura. Publicações como a revista *Panorama*, de 1836, foram decisivas para consolidar o Romantismo em Portugal.

O contexto político retratado na literatura

A complicada implantação do liberalismo em Portugal foi registrada por muitos autores românticos; entre eles, Júlio Dinis (1839-1871). No trecho reproduzido a seguir, do romance *Os fidalgos da casa mourisca*, as personagens dom Luís e padre Januário criticam a mobilidade social e a modernização dos costumes e das instituições.

> —Todos hoje têm aspirações a subir — refletiu D. Luís com ironia. — A maré sobe.
>
> — Eu bem sei o que é que dá causa a estas tolerias. Tudo isso vem da barulhada que estes liberalões fizeram na sociedade. Tudo está remexido e ninguém se entende. O sapateiro que nos vem tomar medida de umas botas parece um visconde. Onde isso é bonito, segundo dizem, é em Lisboa. Hoje todos por lá têm excelência!
>
> Nestes sediços comentários sobre o estado do século deixaram-se ficar os dois por muito tempo, desafogando assim a sua má vontade contra as instituições modernas. [...]
>
> DINIS, Júlio. *Os fidalgos da casa mourisca*. São Paulo: Saraiva, 1972. p. 25.

Vocabulário de apoio

liberalões: aumentativo de liberais
século: vida civil, leiga, que não pertence à Igreja
sediço: ultrapassado, entediante
toleria: tolice

Note que alguns comentários produzem um efeito irônico: ao desqualificar os que enriquecem pelo trabalho honesto e valorizar a tradição, as personagens mostram-se anacrônicas, isto é, em desacordo com o tempo em que vivem. A obra de Dinis expõe, assim, as transformações sociais ocorridas em Portugal em um momento de consolidação do liberalismo.

› Tendências românticas em Portugal

Embora a consolidação do Romantismo em Portugal só viesse a ocorrer anos depois, o ano de 1825 é considerado o **marco inicial** do movimento no país. Nesse ano, foi publicado o poema "Camões", de Almeida Garrett.

Contribuições fundamentais para o êxito do Romantismo português vieram de autores liberais, como Garrett e Alexandre Herculano. Exilados durante o governo de dom Miguel, eles tiveram contato com a arte que se difundia na França e na Inglaterra. Em suas obras, destacaram-se os temas nacionalistas e históricos.

Nas décadas de 1840 e 1850, ocorreu o pleno domínio do Romantismo na literatura. Nessa época, temas como melancolia e morte eram frequentes, principalmente na poesia. Na prosa, destacou-se a extensa produção de Camilo Castelo Branco, com as narrativas urbanas.

Após 1860, as novas tendências da literatura francesa começaram a influir na literatura portuguesa. Júlio Dinis representa bem essa fase, que se encerrou com o início da literatura realista, em 1865.

Esta litografia do francês Honoré Daumier representa o embate entre liberais e conservadores. À esquerda, os liberais: dom Pedro I (de volta a Portugal, após renunciar ao governo do Brasil) apoia-se em Luís Filipe, rei francês. À direita, os conservadores: dom Miguel, apoiado por Nicolau I, czar da Rússia. A figura sugere o jogo de interesses dessas potências da época em relação à afirmação do liberalismo. A França, industrializada, representa o progresso, e a Rússia, ainda feudal na época, simboliza a tradição.

DAUMIER, Honoré. *Ksssse! Pedro... Ksssse! Ksssse! Miguel! (Estes dois covardes jamais se farão mal algum)*, c. 1833. Caricatura sobre dom Pedro I e seu irmão dom Miguel, 22,3 cm × 28,2 cm. The Metropolitan Museum of Art, Nova York, EUA.

> Almeida Garrett: o símbolo da transição

Almeida Garrett (1799-1854) é reconhecido como intelectual talentoso e combativo, principalmente por sua campanha a favor do liberalismo. Essa posição o levou ao exílio na França e na Inglaterra durante o governo de dom Miguel. Foi um período fundamental para o autor, pois permitiu seu contato com o movimento romântico, já desenvolvido naqueles países, e estimulou a composição do poema "Camões", considerado o marco inicial do Romantismo português. Sobre esse poema, Garrett comentou:

> Conheço que ele [o poema] está fora das regras; e que, se pelos princípios clássicos o quiserem julgar, não encontrarão aí senão irregularidades e defeitos. Porém declaro desde já que não olhei a regras nem a princípios, que não consultei Horácio nem Aristóteles, mas fui insensivelmente depós o coração e os sentimentos da natureza, que não pelos cálculos da arte e operações combinadas do espírito. [...]
> GARRETT, Almeida. In: MOISÉS, Massaud. *A literatura portuguesa*. 34. ed. São Paulo: Cultrix, 2006. p. 112.

Margens do texto

Quais características, apontadas por Garrett, permitem associar seu poema ao Romantismo?

"Camões" trata da composição de *Os Lusíadas* e recria a vida sentimental de seu autor. Mais que seu tema, destaca-se a intenção de romper com as convenções neoclássicas; no entanto, esta não se realiza plenamente, já que, nesse e em outros poemas produzidos na mesma época, nota-se certo artificialismo, como se o poeta calculasse o modo de expor as emoções.

Gradativamente, porém, a poesia de Garrett vai se desinibindo. Em seus últimos livros, *Flores sem fruto* e *Folhas caídas*, o eu lírico confessa abertamente e de modo mais natural experiências e angústias pessoais. Leia um poema dessa fase do autor.

Este inferno de amar

Este inferno de amar — como eu amo! —
Quem mo pôs aqui n'alma... quem foi?
Esta chama que alenta e consome,
Que é a vida — e que a vida destrói —
Como é que se veio atear,
Quando — ai quando se há de apagar?

Eu não sei, não me lembra: o passado,
A outra vida que dantes vivi
Era um sonho talvez... — foi um sonho —
Em que paz tão serena a dormi!
Oh! que doce era aquele sonhar...
Quem me veio, ai de mim! despertar?

Só me lembra que um dia formoso
Eu passei... dava o Sol tanta luz!
E os meus olhos, que vagos giravam,
Em seus olhos ardentes os pus.
Que fez ela? eu que fiz? — Não no sei;
Mas nessa hora a viver comecei...

GARRETT, Almeida. In: MOISÉS, Massaud. *A literatura portuguesa através dos textos*. 29. ed. São Paulo: Cultrix, 2004. p. 252.

Vocabulário de apoio

alentar: animar, encorajar
atear: acender
dantes: contração da preposição *de* com o advérbio *antes*
ir depós o coração: seguir o coração
mo: contração dos pronomes *me* e *o*

O eu lírico confessa a intensidade do sentimento por meio de uma linguagem bastante emotiva, que dá vazão à sua subjetividade. O ritmo dos versos aproxima-se da fluência coloquial e cria a impressão de maior sinceridade.

Apesar da tensão entre a expressão clássica e a romântica, a preocupação de Garrett com a valorização de temas populares e das raízes nacionais vincula-o às principais tendências do Romantismo. Na prosa, ele dedica grande atenção ao conteúdo histórico, à paisagem e à vida social de Portugal.

ANUNCIAÇÃO, Tomás da. *Paisagem de amora*, 1852. Óleo sobre tela, 675 cm × 885 cm. Museu Nacional de Arte Contemporânea – Museu do Chiado, Lisboa, Portugal.

Como Garrett, o pintor romântico Tomás da Anunciação (1818-1879) mostrou especial interesse pelo ambiente rural lusitano.

❯ Alexandre Herculano: a tradição das narrativas históricas

Os retratos de Alexandre Herculano (1810-1877) geralmente o mostram com uma expressão severa. E, de fato, o que mais caracterizou esse intelectual foi o rigor crítico, a erudição e a seriedade com que elaborava suas obras de historiografia, gênero que cultivou introduzindo métodos modernos e ainda inéditos em Portugal.

Os mesmos traços estão presentes em sua importante produção ficcional, que combina imaginação e fatos históricos.

Suas narrativas costumam fazer referência ao período medieval, o que explica o conteúdo vinculado à magia e à bruxaria, presentes no imaginário da época, e às lutas de cristãos contra mouros, como neste fragmento do conto "A morte do lidador".

Vocabulário de apoio
agareno: árabe
elmo: peça da armadura medieval que protegia a cabeça
frontaria: fortificação situada na fronteira
lidador: lutador, combatente
mourisca: moura
ócio: falta de ocupação
veiga: campo fértil

> Quem hoje ouvir recontar os bravos golpes que no mês de julho de 1170 se deram na veiga da frontaria de Beja notá-los-á de fábulas sonhadas; porque nós, homens corruptos e enfraquecidos por ócios e prazeres de vida afeminada, medimos por nosso ânimo e forças as forças e o ânimo dos bons cavaleiros portugueses do século XII; e todavia, esses golpes ainda soam, através das eras, nas tradições e crônicas, tanto cristãs como agarenas.
>
> Depois de deixar assinadas muitas armaduras mouriscas, o Lidador vibrara pela última vez a espada e abrira o elmo e o crânio de um cavaleiro árabe. O violento abalo que experimentou fez-lhe rebentar em torrentes o sangue da ferida que recebera das mãos de Almoleimar e, cerrando os olhos, caiu morto ao pé do Espadeiro, de Mem Moniz e de Afonso Hermigues de Baião, que com eles se ajuntara. Repousou, finalmente, Gonçalo Mendes da Maia de oitenta anos de combates!
>
> HERCULANO, Alexandre. *Lendas e narrativas*. 2. ed. Venda Nova-Amadora: Livraria Bertrand, 1970. p. 115.

■ Margens do texto
1. O narrador afirma que sua narrativa pode ser entendida como "fábulas sonhadas". Que fato contado por ele pode ser assim considerado? Por quê?
2. O narrador faz uma crítica. A quem se dirige e o que a motiva?

Nesse trecho, evidencia-se que documentos – "tradições e crônicas" – apoiam a narrativa sobre o evento histórico. Mas Herculano opta por recontar imaginativamente o passado, sem comprometer a verdade. Por isso, seus textos contêm descrições detalhadas de costumes de época e relatos de acontecimentos, que ganham caráter novelesco com a criação de tensões e com a construção de diálogos e pensamentos.

Herculano também combina o real com o fictício na construção de suas personagens heroicas. O autor idealizou conhecidas personagens da história medieval portuguesa como indivíduos fortes e valorosos, capazes de se sacrificar pela fé e por seus ideais, tornando-se modelos morais.

Da mesma forma que seus heróis, a vida pessoal do autor também foi marcada pela firmeza de caráter. Como Almeida Garrett, Herculano era defensor do liberalismo e esteve exilado na França. Sempre procurou lutar por seus ideais, o que lhe valeu uma série de confrontos, como a polêmica envolvendo a Igreja de Portugal, por tê-la criticado no documento *Eu e o clero*.

MACEDO, Manuel de. *A morte de Gonçalo Mendes da Maia, o Lidador*, c. 1900. Biblioteca Nacional, Lisboa, Portugal.

Representação do cavaleiro medieval Gonçalo Mendes da Maia, o Lidador, um dos heróis portugueses tematizados por Herculano.

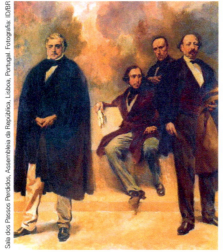

PINHEIRO, Columbano Bordalo. *Passos Manuel, Almeida Garrett, Alexandre Herculano e José Estevão de Magalhães* (detalhe), 1926. Óleo sobre tela. Assembleia da República, Lisboa, Portugal.

Alexandre Herculano (em último plano), Almeida Garrett (sentado à sua frente) e outras personalidades ilustres da época.

Camilo Castelo Branco: narrativas passionais

Camilo Castelo Branco (1825-1890) foi um escritor de enorme produção. Sua obra inclui poemas, peças teatrais, cartas, textos jornalísticos, exemplos de historiografia e crítica literária e, principalmente, novelas e romances. Essa produtividade se explica pelo fato de Camilo ter-se dedicado exclusivamente ao ofício de escritor, dele obtendo toda a sua renda.

Ao gosto da burguesia

A produção ficcional de Camilo Castelo Branco inclui temas históricos, aventuras, mistérios, sátiras e paixões. Essa variedade gerava grande interesse no público, já acostumado à tradução dos folhetins franceses e ingleses e receptivo ao Romantismo, graças à produção de Almeida Garrett e de Alexandre Herculano. A obra de Camilo corresponde à segunda etapa do movimento romântico em Portugal.

Embora fosse muito hábil no manejo narrativo de ficção histórica – nem sempre fiel a reconstituições – e de mistério, o autor tornou-se célebre especialmente por causa de suas **novelas passionais**, que alcançaram grande sucesso entre as mulheres, principais leitores do período.

Os enredos dessas novelas sempre giravam em torno do conflito entre os irrefreáveis impulsos angustiantes do coração e os tirânicos valores racionais da sociedade.

Leia a seguir uma passagem de *Amor de perdição*, a principal novela passional de Camilo Castelo Branco. A fala da personagem nesse trecho destaca o trágico desfecho do relacionamento amoroso entre Simão Botelho e Teresa de Albuquerque, enfocando o grande sofrimento da moça em razão de seu sentimento.

PINHEIRO, Rafael Bordalo. Retrato de Camilo Castelo Branco em *Álbum das Glórias*, 1882. Litografia, 30,8 cm × 19,4 cm. Coleção particular.

> — Quando em Miragaia me contaram a morte daquela senhora, pedi a uma pessoa relacionada no convento que me levasse a ouvir de alguma freira a triste história. Uma religiosa ma contou; mas eram mais os gemidos que as palavras. Soube que ela, quando descíamos na altura do Oiro, proferia em alta voz: — "Simão, adeus até à eternidade!" — E caiu nos braços duma criada. A criada gritou, e outras foram ao mirante, e a trouxeram meia morta para baixo, ou morta, melhor direi, que nenhuma palavra mais lhe ouviram. Depois, contaram-me o que ela penara em dois anos e nove meses naquele mosteiro; o amor que ela lhe tinha, e as mil mortes que ali padeceu, de cada vez que a esperança lhe morria. Que desgraçada menina, e que desgraçado moço o senhor é!
>
> CASTELO BRANCO, Camilo. *Amor de perdição*. São Paulo: Saraiva, s. d. p. 181.

Sétima arte

Um amor de perdição (Portugal, 2008)
Direção de Mário Barroso
Esse filme é uma adaptação livre do romance *Amor de perdição*, de Camilo Castelo Branco, ambientada na Lisboa dos dias atuais. A história se concentra na figura de Simão Botelho, um adolescente solitário e rebelde, que segue a própria moral. No filme, a personagem Teresa é uma espécie de aparição, um pretexto para dar vazão às manifestações de revolta de Simão.

Os atores Tomás Alves e Ana Moreira interpretam Simão e Teresa no filme *Um amor de perdição*.

Nas novelas passionais, o amor aparece como um sentimento incondicional, mas que não pode se concretizar por meio do casamento.

Essa impossibilidade é fruto de um agente externo, como a família ou a comunidade. Torna-se, no entanto, também uma pressão interna, uma vez que os apaixonados compartilham os valores desse agente, o que amplia o drama pessoal vivido por cada um. Assim, impulsionados pela paixão, eles enfrentam tanto obstáculos do meio quanto obstáculos criados por sua própria consciência.

As novelas passionais costumam trazer duas soluções: ora os amantes aceitam a moralidade burguesa e reencontram a tranquilidade indo para o campo ou se casando por conveniência com outra pessoa, ora são levados à loucura e ao suicídio, tornando-se símbolos do amor superior e trágico.

> Um romântico que destoa

As novelas passionais camilianas repetem uma fórmula: a impossibilidade de uma paixão se concretizar por preconceito ou por questões de honra e dinheiro. Os enredos, no entanto, bastante imaginativos e com estilo próprio, mostram que Camilo era um perspicaz observador da sociedade portuguesa, sobretudo da região do Porto, onde vivia. Seus textos aliavam a imaginação ao registro do momento histórico e da sociedade. Neles, era frequente a **denúncia moral** feita com ironia. É o que evidencia este outro trecho de *Amor de perdição*, em que uma freira fala do comportamento de outra:

> — Esta escrivã não é má rapariga. Só tem o defeito de se tomar da pingoleta; depois, não há quem a ature. Tem uma boa tença, mas gasta tudo em vinho, e tem ocasiões de entrar no coro a fazer *ss*, que é mesmo uma desgraça. Não tem outro defeito; é uma alma lavada, e amiga da sua amiga. É verdade que, às vezes... (aqui a prelada ergueu-se a escutar nos dormitórios, e fechou por dentro a porta) é verdade que, às vezes, quando anda azoratada, dá por paus e por pedras, e descobre os defeitos das suas amigas. A mim já ela me assacou um aleive, dizendo que eu, quando saía a ares, não ia só a ares, e andava [...] a fazer o que fazem as outras. Forte pouca vergonha! Lá que outra falasse, vá; mas ela, que tem sempre uns namorados pandilhas que bebem com ela na grade, isso lá me custa; mas, enfim, não há ninguém perfeito!... Boa rapariga é ela... se não fosse aquele maldito vício...
>
> CASTELO BRANCO, Camilo. *Amor de perdição*. São Paulo: Saraiva, s. d. p. 69.

▌Margens do texto

Ao criticar a companheira fofoqueira, a prelada acaba fazendo a mesma coisa que ela. Destaque um trecho que mostre isso.

Vocabulário de apoio

aleive: mentira, injúria
assacar: caluniar
azoratado: transtornado
dar por paus e por pedras: cometer loucuras
engonço: dobra, articulação
espanejado: que balança as roupas quando anda
fornido: abastecido
otomana: tipo de sofá
pandilha: canalha
pingoleta: pequena porção de bebida alcoólica
prelada: superiora de convento, madre
prostrado: caído sem forças
sair a ares: sair para tomar ar fresco
tença: ajuda financeira mensal destinada a religiosos

O trecho acima apresenta a contradição entre a vida casta e piedosa que se espera encontrar em um convento e o comportamento mundano das freiras, que se embebedam, têm namorados e são fofoqueiras. A ironia reforça-se, ainda, pelo fato de o convento ser o local escolhido pelo pai da protagonista para preservá-la de um relacionamento que ele julga prejudicial.

Esse momento satírico, dentro de uma narrativa passional, contrasta com o idealismo característico das obras do Romantismo e, assim, aponta para o esgotamento desse movimento. O abandono do idealismo é ainda mais acentuado nas **novelas satíricas**, como mostra o fragmento a seguir.

> [...] Se alguma vez o romancista nos dá, no primeiro capítulo, uma menina bem fornida de carnes e rosada e espanejada como as belas dos campos, é contar que, no terceiro capítulo, ali a temos prostrada numa otomana, com olheiras a revelar o cavado do rosto, com a cintura a desarticular-se dos seus engonços, com as mãos translúcidas de magreza, os braços em osso nu e os olhos apagados nas órbitas, orvalhadas de lágrimas.
>
> CASTELO BRANCO, Camilo. *Coração, cabeça e estômago*. Portugal: Publicações Europa-América, s. d. p. 102-103.

Ao ridicularizar a previsibilidade dos efeitos físicos dos sofrimentos de amor, Camilo sugere que o sentimentalismo exagerado foi uma convenção criada pela literatura romântica e praticada pelos autores filiados ao movimento. Aliás, a sátira ao Romantismo é evidente no romance *Coração, cabeça e estômago*, cujo protagonista vai do idealismo ao realismo cotidiano: no início da história, desespera-se por ser seguidamente rejeitado; no final, contenta-se com a boa mesa e a esposa dedicada, mas sem graça, e morre precocemente pelo excesso alimentar.

Embora promova a crítica, a sátira não cumpre função moralista na obra camiliana; bastante descrente, o autor não acredita que a literatura possa restaurar os valores da sociedade. Além disso, subverte o Romantismo, mas não chega a apontar, com clareza, novos rumos para a literatura.

Vale saber

Para construir sua sátira ao Romantismo, o autor se valeu da **antonímia**, recurso de linguagem que estabelece uma relação de oposição.

Sua leitura

Você lerá a seguir um fragmento do segundo capítulo de *Amor de perdição*. O trecho apresenta o casal Simão e Teresa e o início de sua paixão e de suas dificuldades.

Perdido o ano letivo, foi para Viseu Simão. O corregedor repeliu-o da sua presença com ameaças de o expulsar de casa. A mãe, mais levada do dever que do coração, intercedeu pelo filho e conseguiu sentá-lo à mesa comum.

No espaço de três meses fez-se maravilhosa mudança nos costumes de Simão. As companhias da ralé desprezou-as. Saía de casa raras vezes, ou só, ou com a irmã mais nova, sua predileta. O campo, as árvores e os sítios mais sombrios e ermos eram o seu recreio. Nas doces noites de Estio demorava-se por fora até ao repontar da alva. Aqueles que assim o viam admiravam-lhe o ar cismador e o recolhimento que o sequestrava da vida vulgar. Em casa encerrava-se no seu quarto, e saía quando o chamavam para a mesa.

D. Rita pasmava da transfiguração, e o marido, bem convencido dela, ao fim de cinco meses, consentiu que seu filho lhe dirigisse a palavra.

Simão Botelho amava. Aí está uma palavra única, explicando o que parecia absurda reforma aos dezessete anos.

Amava Simão uma sua vizinha, menina de quinze anos, rica herdeira, regularmente bonita e bem-nascida. Da janela do seu quarto é que ele a vira pela primeira vez, para amá-la sempre. Não ficara ela incólume da ferida que fizera no coração do vizinho: amou-o também, e com mais seriedade que a usual nos seus anos.

Os poetas cansam-nos a paciência a falarem do amor da mulher aos quinze anos, como paixão perigosa, única e inflexível. Alguns prosadores de romances dizem o mesmo. Enganam-se ambos. O amor aos quinze anos é uma brincadeira; é a última manifestação do amor às bonecas; é a tentativa da avezinha que ensaia o voo fora do ninho, sempre com os olhos fitos na ave-mãe, que a está de fronde próxima chamando: tanto sabe a primeira o que é amar muito, como a segunda o que é voar para longe.

Teresa de Albuquerque devia ser, porventura, uma exceção no seu amor.

O magistrado e sua família eram odiosos ao pai de Teresa, por motivos de litígios, em que Domingos Botelho lhes deu sentenças contra. Afora isso, ainda no ano anterior, dois criados de Tadeu de Albuquerque tinham sido feridos na celebrada pancadaria da fonte. É, pois, evidente que o amor de Teresa, declinando de si o dever de obtemperar e sacrificar-se ao justo azedume de seu pai, era verdadeiro e forte.

E este amor era singularmente discreto e cauteloso. Viram-se e falaram-se três meses, sem darem rebate à vizinhança e nem sequer suspeitas às duas famílias. O destino que ambos se prometiam era o mais honesto: ele ia formar-se para poder sustentá-la, se não tivessem outros recursos; ela esperava que seu velho pai falecesse para, senhora sua, lhe dar, com o coração, o seu grande patrimônio. Espanta discrição tamanha na índole de Simão Botelho, e na presumível ignorância de Teresa em coisas materiais da vida, como são um patrimônio!

Na véspera da sua ida para Coimbra, estava Simão Botelho despedindo-se da suspirosa menina, quando subitamente ela foi arrancada da janela. O alucinado moço ouviu gemidos daquela voz que, um momento antes, soluçava comovida por lágrimas de saudade. Ferveu-lhe o sangue na cabeça; contorceu-se no seu quarto como o tigre contra as grades inflexíveis da jaula. Teve tentações de se matar, na impotência de socorrê-la. As restantes horas daquela noite passou-as em raivas e projetos de vingança. Com o amanhecer esfriou-lhe o sangue e renasceu a esperança com os cálculos.

CASTELO BRANCO, Camilo. *Amor de perdição*. São Paulo: Saraiva, s. d. p. 20-22.

Vocabulário de apoio

alva: primeiro clarear da manhã
cismador: pensativo
declinar: desviar, rejeitar
ermo: deserto
estio: verão
fronde: copa de uma árvore
incólume: ilesa
litígio: ação judicial
obtemperar: ponderar, avaliar
rebate: desconfiança
repontar: amanhecer, despertar

HAYEZ, Francesco. *O beijo*, 1859. Óleo sobre tela, 112 cm × 88 cm. Pinacoteca de Brera, Milão, Itália.

O tema do amor ocupou lugar de destaque no Romantismo por representar a superioridade dos sentimentos sobre os valores materiais da sociedade burguesa.

Sobre o texto

1. A mudança radical de comportamento do protagonista, necessária para que assuma a condição de herói, é um dos temas recorrentes na ficção romântica.
   a) O que mudou no comportamento de Simão? O que motivou essa mudança?
   b) Releia com atenção o segundo parágrafo. Quais comportamentos apresentados por Simão são característicos do Romantismo?

2. Nesse romance, o papel exercido pelas famílias é fundamental.
   a) Como se caracteriza a relação de Simão com os familiares?
   b) O que justifica a rivalidade das famílias Botelho e Albuquerque?
   c) De que forma as famílias se posicionam em relação ao amor entre Simão e Teresa?

3. O narrador dessa novela classifica-se como **onisciente intruso**. Isso significa que ele conhece todos os fatos e sentimentos das personagens e faz comentários sobre as ações delas, como acontece no sexto parágrafo.
   a) O que o narrador pensa do amor de uma adolescente?
   b) Explique a comparação expressa no trecho a seguir: "tanto sabe a primeira o que é amar muito, como a segunda o que é voar para longe".
   c) O comentário do narrador sobre o amor de uma adolescente aplica-se ao caso de Teresa? Justifique sua resposta.

4. Ao longo deste capítulo, você entrou em contato com informações sobre o enredo de *Amor de perdição*. Leia a seguir mais um trecho do romance e anote no caderno o que se pode concluir sobre a história e o destino de Simão e Teresa.

> [...] Esse infeliz moço, contra quem o senhor solicita desvairadas violências, conserva a honra na altura da sua imensa desgraça. Abandonou-o o pai, deixando-o condenar à forca; e ele da sua extrema degradação nunca fez sair um grito suplicante de misericórdia. Um estranho lhe esmolou a subsistência de oito meses de cárcere, e ele aceitou a esmola, que era honra para si e para quem lhe dava. [...] Há grandeza neste homem de dezoito anos, senhor Albuquerque. Se vossa senhoria se tivesse consentido que sua filha amasse Simão Botelho Castelo Branco, teria poupado a vida ao homem sem honra que se lhe atravessou com insultos e ofensas corporais de tal afronta, que desonrado ficaria Simão se as não repelisse como homem de alma e brios. Se vossa senhoria se não tivesse oposto às honestíssimas e inocentes afeições de sua filha, a justiça não teria mandado arvorar uma forca, nem a vida de seu sobrinho teria sido imolada aos seus caprichos de mau pai. [...]
>
> CASTELO BRANCO, Camilo. *Amor de perdição*. São Paulo: Saraiva, s. d. p. 139-140.

Vocabulário de apoio

afronta: ofensa, agressão
arvorar: levantar
cárcere: prisão
degradação: destituição da dignidade
imolado: sacrificado

O que você pensa disto?

O drama narrado em *Amor de perdição* é semelhante ao que é contado em um dos textos mais conhecidos da literatura ocidental: a peça *Romeu e Julieta*, de William Shakespeare (1564-1616), que também trata de um amor impossível devido ao ódio entre duas famílias.

- Pense nos casais atuais. Eles costumam enfrentar obstáculos impostos pela família e pela sociedade? Que circunstâncias podem, hoje, impedir a realização do amor? Essas circunstâncias são iguais às de antigamente ou diferentes delas?

Claire Danes e Leonardo Di Caprio em versão cinematográfica de *Romeu e Julieta*, de William Shakespeare (EUA, 1996, direção de Baz Luhrman).

CAPÍTULO 18

O Romantismo no Brasil

O que você vai estudar

- Efeitos da Independência do Brasil.
- Tendências do Romantismo.
- O painel do país com a prosa romântica.
- As gerações da poesia romântica.
- O teatro romântico e a consolidação do público.

Rochet, Louis. Monumento a D. Pedro I, 1855-1862. Bronze, 1 500 cm. Praça Tiradentes, Rio de Janeiro. Fotografia de 2006.

Esse monumento foi o primeiro erigido em homenagem a dom Pedro I. João Mafra (1823-1908), que concebeu o projeto, pretendia mostrar o imperador e os demais participantes do movimento de Independência. Louis Rochet (1813-1878), escultor responsável pela execução da obra, introduziu figuras de indígenas para representar simbolicamente os principais rios do Brasil. Após a independência política proclamada por dom Pedro I, o Romantismo brasileiro lançou-se à construção de uma identidade nacional, e nessa construção o indígena desempenhou papel importante.

❯ O contexto de produção

O processo que resultou na **Independência do Brasil** iniciou-se em 1808, quando a Família Real portuguesa transferiu-se para o Rio de Janeiro para fugir das tropas napoleônicas que haviam invadido Portugal. Em território brasileiro, o rei dom João VI iniciou uma gestão que atendia aos **interesses da elite local** – os proprietários de terras. Com o retorno do rei a Portugal em 1821, o Brasil voltava à condição de Colônia, o que gerou insatisfação na elite. Pressionado, o príncipe regente dom Pedro I declarou a independência e começou um **regime imperial** já no ano seguinte.

Dom Pedro II, que deu continuidade a esse regime, também não efetuou uma real ruptura com a tradição colonial: manteve os latifúndios, a produção de gêneros primários para exportação e a escravidão. Apesar disso, a ampliação dos privilégios das elites rurais resultou em transformações no cenário nacional, sobretudo nas cidades. A crescente urbanização – principalmente no Rio de Janeiro, sede do poder –, aliada à necessidade de consolidar a independência, favoreceu o surgimento e o desenvolvimento do Romantismo no país.

O Romantismo brasileiro, entretanto, não serviu à expressão da burguesia, como ocorreu nos países da Europa, pois essa classe apenas começava a se formar no Brasil. Assim, o Romantismo brasileiro correspondeu à **expressão da classe rural**, formada por exportadores de produtos agrícolas que, procurando ampliar sua participação nas decisões do governo, estabeleciam-se nos **centros urbanos**.

> Uma sociabilidade inédita

Com o deslocamento de grandes proprietários de terras para as cidades, estas se modernizaram a fim de acomodá-los e também aos novos segmentos sociais – comerciantes e seus empregados, artesãos, profissionais liberais, funcionários públicos, entre outros. O desenvolvimento desse novo grupo de profissionais vinha sendo estimulado desde 1808, por causa de medidas tomadas por dom João VI, como a **abertura dos portos** para o comércio internacional, a **criação de indústrias** e a **fundação de instituições educacionais**. Essas ações também marcaram os governos de seus descendentes – dom Pedro II, por exemplo, trouxe para o Brasil **novas tecnologias**, como o telégrafo e o telefone.

A sociabilidade instaurada no período foi registrada por artistas, conforme exemplifica esta bem-humorada apresentação da rua do Ouvidor, principal rua da capital do Império.

> Que festa! quem viver em 1880 verá o que há de haver.
> Em 1880 — o centenário!...
> Preparai-vos, ó modistas, floristas, fotografistas, dentistas, quinquilharistas, confeitarias, charutarias, livrarias, perfumarias, sapatarias, rouparias, alfaiates, hotéis, espelheiros, ourivesarias, fábricas de instrumentos óticos, acústicos, cirúrgicos, elétricos e as de luvas, e as de postiços, e de fundas, de indústria, comércio e artes, e as de lamparinas, luminárias, faróis, e os focos de luz e de civilização, e vulcões de ideias que são as gazetas diárias, e os armazéns de secos e molhados representantes legítimos da filosofia materialista, e a democrata, popularíssima e abençoada *carne-seca* no princípio da rua, e no fim Notre Dame de Paris, a fada misteriosa de três entradas e saídas e com labirintos, tentações e magias no vasto seio — preparai-vos todos para a festa deslumbrante do centenário da Rua do Ouvidor!...
>
> Macedo, Joaquim Manoel de. *Memórias da rua do Ouvidor*. Brasília: Ed. da UnB, 1988. p. 41.

Esse novo ambiente do Rio de Janeiro, retratado por Joaquim Manuel de Macedo (1820-1882), criou as condições necessárias para o desenvolvimento do Romantismo. A recém-surgida **imprensa** (liberada no Brasil por dom João VI) ofereceu os meios de produção e divulgação das obras literárias. A **nova sociabilidade** forneceu o público, formado principalmente por jovens estudantes e mulheres, as quais abandonavam a exclusividade do convívio familiar e passavam a ocupar as ruas, a frequentar o comércio e os espaços de cultura e lazer.

■ Margens do texto

O narrador menciona os vários segmentos comerciais da rua do Ouvidor. Que efeito estilístico se obtém com essa longa enumeração?

Vocabulário de apoio

funda: atiradeira, estilingue
gazeta: publicação periódica, em geral sobre alguma área especializada
modista: quem confecciona roupa feminina
ourivesaria: loja de objetos feitos de ouro
postiço: acessório para maquiagem
secos e molhados: alimentos sólidos e líquidos

Vale saber

Em 1816, dom João VI contratou um grupo de artistas franceses para fundar a Academia de Belas Artes, na qual os alunos brasileiros poderiam aprender a pintar, desenhar e esculpir à moda neoclássica europeia. Jean-Baptiste Debret (1768-1848) destacou-se entre os artistas desse grupo.

As obras de Debret retratavam cenas do cotidiano no Brasil, muitas delas mostrando as diversas atividades executadas por negros escravizados.

Debret, Jean-Baptiste. *O jantar no Brasil*, 1827. Aquarela sobre papel, 21,9 cm × 15,9 cm. Museu Castro-Maya, Rio de Janeiro.

Tendências do Romantismo no Brasil

A simultaneidade entre o auge do Romantismo na Europa e a Independência do Brasil estimulou a arte local. Sintonizados com a atitude contestadora e o espírito livre do movimento, os intelectuais e artistas brasileiros elaboraram um projeto capaz de, ao mesmo tempo, alinhar a arte brasileira às produções europeias e colocá-la a serviço da nação que se formava. Nesse sentido, a **tendência nacionalista** do Romantismo foi muito aproveitada, o que permitiu à produção artística grande influência na construção de uma identidade brasileira.

O Romantismo alcançou todas as formas de manifestação artística do Brasil, com importantes obras nas artes plásticas, na música e na literatura. Nesta última, o estilo foi aplicado na poesia, no teatro e na prosa.

A poesia: três sensibilidades

A poesia brasileira do período romântico costuma ser dividida em três gerações. A primeira geração, chamada **nacionalista**, introduziu o movimento e cultivou os temas necessários à construção de um ideário nacional. Seus poemas frequentemente exaltavam a natureza ou tratavam do exílio em confissões sobre a saudade da pátria. Outro tema adotado com o fim de remeter ao glorioso passado pátrio foi o do indígena, submetido a forte idealização. A ele eram atribuídos valores como coragem, honra e generosidade, características típicas do cavaleiro medieval – herói romântico por excelência da literatura europeia. **Gonçalves Dias** é o principal poeta da primeira geração.

A segunda geração, denominada **ultrarromântica** ou **byroniana**, afastou-se do projeto nacionalista. Os poetas dessa geração expressavam idealismo e evasão. Seus assuntos mais comuns envolviam o apego à morte, a fuga para a infância ou para a natureza e a relação ambígua com a mulher, sexualizada e, ao mesmo tempo, idealizada, inatingível. As obras continham forte individualismo e um tom que ora tendia ao confessional, ora ao sarcástico. São destaques **Álvares de Azevedo**, **Casimiro de Abreu** e **Fagundes Varela**.

Já a terceira geração, chamada **condoreira**, propunha uma poesia socialmente engajada, fundada na ideia de que a arte deveria contribuir para o progresso da humanidade, cabendo ao poeta – privilegiado por sua visão superior e distanciada, como a de um condor – orientar os indivíduos comuns. Essa concepção de poesia, surgida na segunda metade do século XIX, coincidia com o início das lutas de classes na Europa e, no Brasil, com as campanhas pela abolição da escravatura e pela instauração da República. A poesia dos condoreiros era elaborada para ser declamada em público e para empolgar o ouvinte. O maior nome dessa geração é **Castro Alves**.

O teatro: consolidação do público

A atividade teatral no Brasil intensificou-se a partir do século XIX, quando a urbanização aumentou e consolidou-se o público para a dramaturgia. A construção de vários teatros possibilitou a apresentação de companhias estrangeiras no país. Ao mesmo tempo, formavam-se companhias nacionais, o que permitiu a profissionalização dos atores e ampliou a produção dos textos.

Gonçalves de Magalhães (1811-1882) inaugurou o teatro nacional com a peça *Antônio José ou o poeta e a Inquisição*, de 1838; nela, atuou João Caetano (1808-1863). Os dramaturgos de maior destaque são José de Alencar, Qorpo Santo e, principalmente, o comediógrafo Martins Pena, responsável por introduzir no país a comédia de costumes.

> ### Repertório
>
> **Um marco do Romantismo brasileiro**
>
> A revista *Niterói* foi publicada em 1836 por um grupo de intelectuais brasileiros residentes em Paris. Tinha como proposta a pesquisa sobre as necessidades culturais, científicas, políticas e econômicas do Brasil. No primeiro número, um artigo de Gonçalves de Magalhães apresentou a teoria do Romantismo e sugeriu que os autores adequassem os temas propostos pelos árcades – principalmente o indianismo – aos novos padrões estéticos, a fim de dar continuidade ao esforço de diferenciação da literatura local em relação à lusitana. Esse artigo e seu livro de poemas *Suspiros poéticos e saudades*, lançado no mesmo ano, constituem documentos essenciais para compreender o processo de transposição do Romantismo europeu às terras brasileiras.

Estátua em homenagem a João Caetano, o primeiro grande ator brasileiro e um dos principais responsáveis pela formação do teatro no país. Ele priorizou a encenação de textos de autores nacionais e estimulou a presença de atores brasileiros nas peças. Profissional autodidata, em 1833 organizou a primeira companhia dramática nacional e, em 1860, criou uma escola gratuita para atores.

PINHEIROS, Chaves. Estátua de João Caetano, 1850-1860. Bronze, tamanho natural. Praça Tiradentes, Rio de Janeiro. Fotografia de 2013.

> A prosa: amplo painel do Brasil

Os romances românticos brasileiros costumam ser classificados como indianistas, históricos, urbanos e regionalistas, conforme o tema predominante.

O **romance indianista** tinha como figura principal o indígena, considerado o autêntico representante da nacionalidade do país. Sua inocência, sua força física e seu valor moral foram idealizados pelos escritores brasileiros, na tentativa de equipará-lo aos heróis da tradição europeia. Ao mesmo tempo, esses romances registraram os costumes e a linguagem dos indígenas, tornando-se por isso documentos da cultura desses povos. Destacam-se as obras *Iracema*, *O guarani* e *Ubirajara*, de José de Alencar.

O **romance histórico** procurava reinterpretar fatos e personagens do passado brasileiro. O principal autor do gênero também é José de Alencar, destacando-se as obras *As minas de prata* e *A guerra dos mascates*.

O **romance urbano** desenvolveu temas ligados à vida nas cidades, sobretudo no Rio de Janeiro. Tratava especialmente das particularidades do cotidiano de uma burguesia atrelada à elite rural. Em algumas das obras, assuntos como casamento por interesse, dependência feminina ou ascensão social a qualquer custo propiciavam a crítica social. Entre os romances urbanos estão *A Moreninha*, de Joaquim Manuel de Macedo, *Memórias de um sargento de milícias*, de Manuel Antônio de Almeida, *Lucíola* e *Senhora*, de José de Alencar.

No **romance regionalista**, os romancistas representavam e valorizavam as diferenças étnicas, linguísticas, sociais e culturais que marcavam as várias regiões do território nacional e, com isso, construíam um rico panorama do Brasil. Essas histórias, por se passarem longe dos centros urbanos – que eram altamente influenciados pelo contato com a Europa –, mostravam as peculiaridades do povo, seus valores e sua existência determinada pelo espaço físico. São exemplos de romances regionalistas as obras *O sertanejo* e *O gaúcho*, de José de Alencar; *Inocência*, de Visconde de Taunay; e *A escrava Isaura*, de Bernardo Guimarães.

Repertório

Identificação entre leitores e personagens

Em uma passagem do livro *Como e por que sou romancista*, José de Alencar relata o entusiasmo do público pela leitura dos romances românticos. De modo geral, os leitores se viam retratados no texto e identificavam-se com as personagens:

"Uma noite, daquelas em que eu estava mais possuído do livro, lia com expressão uma das páginas mais comoventes de nossa biblioteca. As senhoras, de cabeça baixa, levavam o lenço ao rosto, e poucos momentos depois não puderam conter os soluços que rompiam-lhes o seio.

Com a voz afogada pela comoção e a vista empanada pelas lágrimas, eu também cerrando ao peito o livro aberto, disparei em pranto e respondia com palavras de consolo às lamentações de minha mãe e suas amigas."

ALENCAR, José de. *Como e por que sou romancista*. Campinas: Pontes, 1990. p. 28.

MEIRELLES, Victor. *Batalha dos Guararapes*, 1875-1879. Óleo sobre tela, 925 cm × 500 cm. Museu Nacional de Belas Artes, Rio de Janeiro.

O quadro de Victor Meirelles (1832-1903) remete à principal batalha travada pelos portugueses para expulsar os holandeses de Pernambuco, encerrando o período das invasões holandesas no Brasil no século XVII. As dimensões monumentais da pintura são uma estratégia para engrandecer a ação retratada, aspecto característico do Romantismo.

Sua leitura

Nesta seção você lerá dois textos: um poema de Gonçalves Dias (1823-1864) que se tornou célebre pelo conteúdo nacionalista e o trecho de uma cena da peça *O demônio familiar*, de José de Alencar (1829-1877).

Texto 1

Canção do exílio

Kennst du das Land, wo die Zitronen blühn,
Im dunkeln Laub die Goldorangen glühn?
Kennst du es wohl? – Dahin, dahin!
Möcht' ich ziehn.

Goethe

Minha terra tem palmeiras,
Onde canta o Sabiá;
As aves, que aqui gorjeiam,
Não gorjeiam como lá.

Nosso céu tem mais estrelas,
Nossas várzeas têm mais flores,
Nossos bosques têm mais vida,
Nossa vida mais amores.

Em cismar, sozinho, à noite,
Mais prazer encontro eu lá;
Minha terra tem palmeiras,
Onde canta o Sabiá.

Minha terra tem primores,
Que tais não encontro eu cá;
Em cismar — sozinho, à noite —
Mais prazer encontro eu lá;
Minha terra tem palmeiras,
Onde canta o Sabiá.

Não permita Deus que eu morra,
Sem que eu volte para lá;
Sem que desfrute os primores
Que não encontro por cá;
Sem qu'inda aviste as palmeiras,
Onde canta o Sabiá.

DIAS, Gonçalves. *Antologia*. São Paulo: Melhoramentos, 1966. p. 41.

Vocabulário de apoio

cismar: divagar ou pensar insistentemente
exílio: viver fora da pátria por imposição ou por livre escolha
gorjear: emitir sons melodiosos
primor: de qualidade superior, perfeito
qu'inda: contração do pronome relativo *que* com o advérbio *ainda*; que até lá
várzea: extensão de terra plana, terreno à margem de um rio ou ribeirão

Sobre o texto

1. O eu lírico lamenta estar longe da pátria. Que argumento ele utiliza para justificar sua dor?
2. O eu lírico não menciona os nomes da terra do exílio e da terra natal. Que palavras foram empregadas para distingui-las?
3. A condição psicológica no exílio também é uma forma de exaltação da terra natal. Descreva o estado emocional do eu lírico.
4. "Canção do exílio" mostra um tema facilmente identificável e vocabulário singelo. Essa simplicidade contrasta com a métrica e as rimas escolhidas pelo poeta? Explique.
5. As **epígrafes** são citações colocadas no início de textos para resumir seu sentido ou indicar uma motivação. A epígrafe de "Canção do exílio" foi extraída de um poema de Goethe e traduzida do alemão por Manuel Bandeira da seguinte maneira:

    > Conheces o país onde florescem as laranjeiras?
    > Ardem na escura fronde os frutos de ouro...
    > Conhecê-lo? Para lá para lá quisera eu ir!
    >
    > BANDEIRA, Manuel. *Gonçalves Dias*: poesia. 3. ed. Rio de Janeiro: Agir, 1964. p. 11.

    Qual é a relação entre o conteúdo dessa epígrafe e o poema de Gonçalves Dias?
6. Muitos poetas do período, influenciados por Gonçalves Dias, também compuseram poemas com o tema do exílio. Considere o momento histórico em que o texto foi escrito e dê uma explicação provável para a opção por essa temática.
7. Releia a segunda estrofe do poema. Que conhecido texto brasileiro remete a esse trecho de "Canção do exílio"?

Texto 2

ALFREDO — É raro encontrá-lo agora, Sr. Azevedo. Já não aparece nos bailes, nos teatros.

AZEVEDO — Estou-me habituando à existência monótona da família.

ALFREDO — Monótona?

AZEVEDO — Sim. Um piano que toca, duas ou três moças que falam de modas; alguns velhos que dissertam sobre a carestia dos gêneros alimentícios e a diminuição do peso do pão, eis um verdadeiro *tableau* de família no Rio de Janeiro. [...]

ALFREDO — E havia de ser um belo quadro, estou certo; mais belo sem dúvida do que uma cena de salão.

AZEVEDO — Ora, meu caro, no salão tudo é vida; enquanto que aqui, se não fosse essa menina que realmente é espirituosa, D. Carlotinha, que faríamos, senão dormir e abrir a boca?

ALFREDO — É verdade; aqui dorme-se, porém sonha-se com a felicidade; no salão vive-se, mas a vida é uma bem triste realidade. Ao invés de um piano há uma rabeca, as moças não falam de modas, mas falam de bailes; os velhos não dissertam sobre a carestia, mas ocupam-se com a política. Que diz deste quadro, Sr. Azevedo, não acha que também vale a pena de ser desenhado por um hábil artista, para a nossa "Academia de Belas-Artes"?

AZEVEDO — A nossa "Academia de Belas-Artes"? Pois temos isto aqui no Rio?

ALFREDO — Ignorava?

AZEVEDO — Uma caricatura, naturalmente... Não há arte em nosso país.

ALFREDO — A arte existe, Sr. Azevedo, o que não existe é o amor dela.

AZEVEDO — Sim, faltam os artistas.

ALFREDO — Faltam os homens que os compreendam; e sobram aqueles que só acreditam e estimam o que vem do estrangeiro.

AZEVEDO (*com desdém*) — Já foi a Paris, Sr. Alfredo?

ALFREDO — Não, senhor; desejo, e ao mesmo tempo receio ir.

AZEVEDO — Por que razão?

ALFREDO — Porque tenho medo de, na volta, desprezar o meu país, ao invés de amar nele o que há de bom e procurar corrigir o que é mau.

AZEVEDO — Pois aconselho-lhe que vá quanto antes! Vamos ver estas senhoras!

ALFREDO — Passe bem.

ALENCAR, José de. *O demônio familiar*. Campinas: Pontes, 2002. p. 63.

Vocabulário de apoio

carestia: preço elevado, acima do valor real
rabeca: tipo de violino
salão: reunião de pessoas da sociedade
tableau: do francês, "retrato, quadro vivo"

Sobre o texto

1. O diálogo que se desenrola nessa cena apresenta a contraposição de dois comportamentos. Caracterize-os.

2. Pode-se dizer que Alfredo, assim como o eu lírico do poema "Canção do exílio", é um ufanista, isto é, admira em excesso seu país? Justifique.

3. Observe as características que podem ser atribuídas a cada uma das personagens em função de suas falas.
   a) É correto afirmar que uma delas é apresentada de modo mais simpático? Por quê?
   b) O que essa caracterização das personagens pode indicar sobre as concepções políticas de José de Alencar?

O que você pensa disto?

Os autores românticos valorizaram o exotismo e a grandiosidade da natureza brasileira. Essa foi uma das formas que encontraram para firmar a identidade do país. Atualmente, a natureza ainda é o principal mote da propaganda que se faz do Brasil quando se quer incentivar a vinda de turistas estrangeiros.
- Na sua opinião, é desejável manter esse comportamento? Por quê?

Marca dos Jogos Olímpicos Rio 2016. Entre os conceitos explorados para sua concepção está o item "Natureza exuberante", conforme apresentado no *site* oficial do evento: <http://www.rio2016.org/os-jogos/olimpicos/marca>. Acesso em: 4 fev. 2015.

CAPÍTULO 19
Alencar: expressão da cultura brasileira

O que você vai estudar

- O indianismo e os heróis indígenas.
- A recriação dos episódios históricos.
- Os recortes do Brasil pelo regionalismo.
- A crítica social no romance urbano.

MEDEIROS, José Maria de. *Iracema*, 1881. Óleo sobre tela, 168,3 cm × 255 cm. Museu Nacional de Belas Artes, Rio de Janeiro.

José Maria de Medeiros (1849-1925) baseou-se no romance *Iracema*, de José de Alencar, para pintar esse quadro, um dos mais importantes do indianismo brasileiro. Na tela, a flecha que a jovem olha está enfeitada com flores de maracujá, símbolo do amor que ela sentia por Martim. A paisagem exuberante foi retratada em detalhes.

> Alencar indianista: os fundadores da nação

Após a independência política do país, o Romantismo buscou maneiras de distinguir o Brasil de Portugal e de mostrar as potencialidades da nova nação. Como resultado desse primeiro momento, o **indianismo** invadiu a cultura do século XIX e teve em José de Alencar (1829-1877) seu mais célebre romancista.

Peri, primeira personagem indígena do autor a conquistar o interesse do público, protagoniza o romance *O guarani* (1857). A narrativa gira em torno do envolvimento do goitacá Peri em uma luta entre indígenas e brancos, causada pela morte acidental de uma menina aimoré por um jovem português. Peri luta para defender a família portuguesa recém-estabelecida na terra da vingança dos Aimoré. Totalmente devotado a Cecília (Ceci), filha do fidalgo dom Antônio de Mariz, recebe deste a incumbência de garantir a sobrevivência da moça.

Iracema (1865), segundo romance indianista de Alencar, conta a história da jovem tabajara que deveria permanecer virgem a fim de cumprir seu papel de sacerdotisa. Ao se apaixonar pelo colonizador português Martim, entrega-se a ele; por isso, passa a ser considerada traidora da tribo. Sua breve vida será marcada pela tristeza, e o nascimento de seu filho, Moacir, determinará sua morte. Na tela de José Maria de Medeiros, a solidão e a melancolia de Iracema sugerem seu sacrifício para tornar possível o nascimento do povo mestiço do Brasil.

Por fim, *Ubirajara* (1874) narra as provas vividas pelo herói indígena que dá nome ao romance para liderar a união de povos inimigos em uma única nação fortalecida.

A chamada **trilogia indianista** de José de Alencar mostra, portanto, em ordem inversa à dos eventos históricos, as três etapas da relação do indígena com o colonizador: *O guarani* trata do processo de povoamento português; *Iracema*, da chegada dos primeiros brancos e da miscigenação; *Ubirajara*, da convivência entre as nações indígenas quando os brancos ainda não haviam aportado.

> ## Heróis brasileiros

José de Alencar tratou a cultura indígena como marca específica da nacionalidade e, por isso, seus representantes são **típicos heróis**. Em nenhum momento, entretanto, o herói indígena supera o branco colonizador. Ambos se equivalem em honra e coragem para que seus descendentes, frutos da miscigenação, possam justificar o orgulho patriótico.

O perfil idealizado das personagens indígenas incorpora, de um lado, os traços positivos dos **europeus** e, de outro, a grandiosa **natureza local** com a qual seu aspecto físico é comparado.

> Iracema, a virgem dos lábios de mel, que tinha os cabelos mais negros que a asa da graúna e mais longos que seu talhe de palmeira.
>
> O favo da jati não era doce como seu sorriso; nem a baunilha recendia no bosque como seu hálito perfumado.
>
> ALENCAR, José de. *Iracema*. São Paulo: Companhia Editora Nacional, 2004. p. 19.

Margens do texto
Que figura de linguagem predomina neste trecho? Que efeito o narrador obtém ao utilizá-la?

Ao destacar a beleza delicada da personagem, o autor promove uma idealização que cumpre duas funções: alinhar o indianismo aos ideais românticos e minimizar a crença, vinda desde o início da colonização, de que os indígenas constituíam uma etnia inferior e rústica. Trata-se, é evidente, de uma **abordagem etnocêntrica**, já que a valorização do povo nativo não ocorreu por suas qualidades próprias, mas sim por aquilo que os fazia parecidos com o que o europeu considerava bom e belo.

O autor contribuiu, não obstante, para atenuar o preconceito quanto à cultura nativa ao incluir, na introdução dos romances e em inúmeras notas de rodapé, informações históricas e vocabulário tupi-guarani, fruto de seus estudos sobre os diversos povos indígenas. Aliás, a incorporação de **palavras indígenas** e o trabalho com a linguagem em geral são elementos fundamentais na elaboração de seus romances.

> — Jurandir é moço; ainda conta os anos pelos dedos e não viveu bastante para saber o que os anciões da grande nação tocantim aprenderam nas guerras e nas florestas.
>
> O moço é o tapir que rompe a mata, e voa como a seta. O velho é o jabuti prudente que não se apressa.
>
> O tapir erra o caminho e não vê por onde passa. O jabuti observa tudo, e sempre chega primeiro. [...]
>
> ALENCAR, José de. *Ubirajara*. São Paulo: FTD, 1994. p. 62.

Tanto na descrição e na construção de suas personagens quanto na maneira de narrar os fatos, Alencar procura garantir, pela aproximação do universo próprio do nativo, maior credibilidade à imagem favorável que está sendo construída. Tal estratégia favorece a concretização do projeto do autor: criar heróis capazes de ser assimilados pelos brasileiros.

> ## Alencar histórico: a recriação do passado

Várias personagens dos romances indianistas realmente fizeram parte da história do Brasil e, por isso, tais obras de Alencar são também consideradas **históricas**. Essa classificação, porém, cabe melhor ao conjunto de narrativas que trataram das riquezas da terra brasileira, de sua posse definitiva e do alargamento de suas fronteiras. São romances que relatam **episódios históricos** desde o início da conquista do país. Entrelaçam-se neles enredos imaginativos e o registro de fatos, datas e locais, com o objetivo de mostrar a origem do povo brasileiro.

As minas de prata (1862) é um exemplo do gênero, que, a propósito, não alcançou grande popularidade. Em meio a duelos, conspirações, perseguições e outras peripécias, o romance retrata a saga dos desbravadores do sertão brasileiro na busca por metais preciosos. A obra traz também uma crítica à cobiça dos bandeirantes e aos atos dos religiosos da Companhia de Jesus.

Sétima arte

Avatar (EUA, 2009)
Direção de James Cameron
Colonizadores originários da Terra misturam-se ao povo que habita outro planeta, no qual há reservas de um minério valiosíssimo. Um dos colonizadores, o protagonista, estabelece uma ligação afetiva com esse povo e, mais especificamente, com uma habitante do gênero feminino. Maior bilheteria até 2009, *Avatar* esbanja tecnologia e efeitos especiais, mas seu enredo tem afinidades com o de algumas obras ficcionais do indianismo literário do século XIX, particularmente com *Iracema*, de José de Alencar. Leia o livro, veja o filme e confira.

Cena do filme *Avatar*.

Sua leitura

A seguir, você lerá o trecho de *O guarani* em que Peri explica suas ações para a família de dom Antônio de Mariz.

"Quando Ararê deitou o seu corpo sobre a terra para não tornar a erguê-lo, chamou Peri e disse: 'Filho de Ararê, teu pai vai morrer; lembra-te que tua carne é minha carne; e o teu sangue é o meu sangue. Teu corpo não deve servir ao banquete do inimigo'.

Ararê disse, e tirou suas contas de frutos que deu a seu filho: estavam cheias de veneno; tinham nelas a morte.

Quando Peri fosse prisioneiro, bastava quebrar um fruto, e ria do vencedor que não se animaria a tocar no seu corpo.

Peri viu que a senhora sofria, e olhou as suas contas; teve uma ideia; a herança de Ararê podia salvar a todos.

Se tu deixasses fazer o que queria, quando a noite viesse não acharia um inimigo vivo; os brancos e os índios não te ofenderiam mais."

Toda a família ouvia esta narração com uma surpresa extraordinária; compreendiam dela que havia em tudo isto uma arma terrível – o veneno; mas não podiam saber os meios de que o índio se servira ou pretendia servir-se para usar desse agente de destruição.

— Acaba! disse D. Antônio; por que modo contavas então destruir o inimigo?

— Peri envenenou a água que os brancos bebem, e o seu corpo, que devia servir ao banquete dos Aimorés!

Um grito de horror acolheu essas palavras ditas pelo índio em um tom simples e natural.

O plano que Peri combinara para salvar seus amigos acabava de revelar-se em toda a sua abnegação sublime e com o cortejo de cenas terríveis e monstruosas que deviam acompanhar a sua realização.

Confiado nesse veneno que os índios conheciam com o nome de curare, e cuja fabricação era um segredo de algumas tribos, Peri com a sua inteligência e dedicação descobrira um meio de vencer ele só aos inimigos, apesar do seu número e da sua força.

Sabia a violência e o efeito pronto daquela arma que seu pai lhe confiara na hora da morte; sabia que bastava uma pequena parcela desse pó sutil para destruir em algumas horas a organização a mais forte e a mais robusta. O índio resolveu pois usar deste poder que na sua mão heroica ia tornar-se um instrumento de salvação e o agente de um sacrifício tremendo feito à amizade.

Dois frutos bastaram; um serviu para envenenar a água e as bebidas dos aventureiros revoltados; e o outro acompanhou-o até o momento do suplício, em que passou de suas mãos aos seus lábios.

[...]

O que porém dava a esse plano um cunho de grandeza e de admiração, não era somente o heroísmo do sacrifício; era a beleza horrível da concepção, era o pensamento superior que ligara tantos acontecimentos, que os submetera à sua vontade, fazendo-os suceder-se naturalmente e caminhar para um desfecho necessário e infalível.

[...]

Atacando os Aimorés, a sua intenção era excitá-los à vingança; precisava mostrar-se forte, valente, destemido, para merecer que os selvagens o tratassem como um inimigo digno de seu ódio. Com a sua destreza e com a precaução que tomara tornando o seu corpo impenetrável, contava evitar a morte antes de poder realizar o seu projeto; quando mesmo caísse ferido, tinha tempo de passar o veneno aos lábios.

A sua previsão porém não o iludiu; tendo conseguido o que desejava, tendo excitado a raiva dos Aimorés, quebrou a sua arma e suplicou a vida ao inimigo; foi de todo o sacrifício o que mais lhe custou.

Mas assim era preciso; a vida de Cecília o exigia; a morte que o havia respeitado até então podia surpreendê-lo; e Peri queria ser feito prisioneiro, como foi, e contava ser.

ALENCAR, José de. *O guarani*. São Paulo: Escala Educacional, 2006. p. 258-260.

Vocabulário de apoio

abnegação: sacrifício voluntário dos próprios desejos

conta: pequena peça, feita de materiais diversos, usada como adorno em colares e pulseiras

cunho: tendência, traço, qualidade

destreza: habilidade; facilidade e rapidez de movimentos

Sobre o texto

1. Nesse fragmento, Peri conta à família Mariz o plano que elaborou para salvá-la. Explique, resumidamente, esse plano.

2. No trecho de *O guarani*, há referência ao ritual de devoração dos inimigos, sobre o qual Alencar escreveu esta nota de rodapé no romance *Ubirajara*.

   > Ninguém pode seguramente abster-se de um sentimento de horror ante essa ideia do homem devorado pelo homem. [...]
   > Mas antes de tudo cumpre investigar a causa que produziu entre algumas, não entre todas as nações indígenas, o costume da antropofagia. [...]
   > [...] Era esse ato um perfeito sacrifício, celebrado com pompa [...].
   > Parece-nos pois que a ideia da gula deve ser repelida sem hesitação. [...]
   > Também pela contraprova, havemos de excluir a ferocidade como razão do canibalismo americano. [...]
   > Não era [...] a vingança a verdadeira razão da antropofagia. [...]
   > [...] O sacrifício humano significava uma glória insigne reservada aos guerreiros ilustres ou varões egrégios quando caíam prisioneiros. Para honrá-los, os matavam no meio da festa guerreira; e comiam sua carne que devia transmitir-lhes a pujança e valor do herói inimigo.
   > ALENCAR, José de. *Ubirajara*. São Paulo: FTD, 1994. p. 47-49.

   Vocabulário de apoio
   egrégio: distinto, importante, digno de admiração
   insigne: famoso, ilustre
   pujança: grande força, domínio, grandeza
   varão: homem destemido

   a) Explique que função cumpre essa nota em um romance indianista.
   b) Em *O guarani*, não há nota sobre o ritual; este deve ser compreendido pela fala de Peri. Por meio de quais informações o leitor pode entender sua importância?

3. Em uma passagem anterior do romance, dom Mariz comenta sobre Peri.

   > — [...] Desde o primeiro dia que aqui entrou, salvando minha filha, a sua vida tem sido um só ato de abnegação e heroísmo. Crede-me, Álvaro, é um cavalheiro português no corpo de um selvagem!
   > ALENCAR, José de. *O guarani*. São Paulo: Ática, 2006. p. 45.

   a) Como as características valorizadas por dom Mariz aparecem na passagem em que Peri conta seu plano?
   b) Entre as qualidades percebidas por dom Mariz, qual é a mais importante para o próprio Peri? Explique.
   c) No trecho em que Peri explica suas ações, o narrador indicou também outras qualidades desse herói. Identifique-as e comente-as.
   d) Mesmo valorizando o povo nativo do Brasil, o indianismo revelou uma visão ética e moral apegada à sociedade europeia. Justifique como essa visão se revela na fala de dom Antônio de Mariz e nos atos de Peri.

4. Na ilustração ao lado, o desenhista italiano Angelo Agostini (1843-1910) representou o Brasil por meio de um indígena. Compare a simbologia dessa imagem com a de *O guarani*.

AGOSTINI, Angelo. *Índio cansado representando o império*, s. d.

Ação e cidadania

Indianismo e identidade nacional

No Romantismo, a construção de uma identidade nacional afinada com a visão do indígena era uma herança inventada. Os nativos não haviam participado de maneira relevante da formação do povo brasileiro, e suas influências linguísticas e culturais eram poucas diante do modelo europeu. As convenções românticas que marcaram boa parte do indianismo deixaram de lado as condições reais de vida dos indígenas, bem como o desaparecimento violento de muitas etnias.

Em 1967, foi criada a Fundação Nacional do Índio (Funai), um órgão do governo federal voltado para a defesa dos direitos indígenas. A Funai promove políticas de desenvolvimento sustentável das populações indígenas, de conservação do meio ambiente e de vigilância das terras indígenas, entre outras ações.

Sede da Funai em Brasília (DF). Fotografia de 2010.

Alencar regional: recortes do Brasil

O **regionalismo** de Alencar corresponde a um desdobramento de seu indianismo, pois nas obras consideradas regionalistas o autor criou, também, mitos de origem do país. Elegeu **figuras masculinas** de áreas distantes dos centros mais desenvolvidos, onde a **autêntica brasilidade** estaria preservada pelo pouco contato com os europeus, compondo um quadro social bem abrangente do Brasil, ao colocar em cena sertanejos, gaúchos, fluminenses e paulistas interioranos.

Nesse tipo de romance, além de retratar a fauna e a flora da região, Alencar revela, com grande poder criativo, particularidades culturais da **sociedade rural**. É o que se percebe neste trecho de *O sertanejo* (1875), no qual Arnaldo explica para sua mãe por que não acatará as ordens do capitão-mor, principal autoridade da região.

> — Não cometi nenhum crime para carecer de perdão, mãe.
> Justa denunciou no semblante a estranheza que lhe causavam as palavras do filho:
> — Pois não desobedeceste ao senhor capitão-mor, Arnaldo?
> — Para desobedecer-lhe era preciso que ele tivesse o poder de ordenar-me que fosse um vil; mas esse poder, ele não o possui, nem alguém neste mundo. O senhor capitão-mor exigiu de mim que lhe entregasse Jó, e eu recusei.
> — Mas filho, o senhor capitão-mor não é o dono da Oiticica? Não é ele quem manda em todo este sertão? Abaixo de El-rei que está lá na sua corte, todos devemos servi-lo e obedecer-lhe.
> — Pergunte aos pássaros que andam nos ares, e às feras que vivem nas matas, se conhecem algum senhor além de Deus? Eu sou como eles, mãe.
> — Tu és meu filho, Arnaldo. Lembra-te do que foi para teu pai esta casa onde nasceste, e do que ainda é hoje para tua mãe.
> — Os benefícios, eu os pagarei sendo preciso com a vida; mas essa vida que me deu, mãe, se eu a vivesse sem honra, meu pai lá do céu me retiraria sua bênção.
>
> ALENCAR, José de. *O sertanejo*. São Paulo: Ática, 1975. p. 80-81.

Margens do texto

1. Que traços são utilizados para definir o perfil de Arnaldo, o protagonista?
2. Aponte as semelhanças e os contrastes entre Arnaldo, de *O sertanejo*, e Peri, de *O guarani*.

Vocabulário de apoio

El-rei: o imperador do Brasil (à época, dom Pedro II)
Oiticica: no romance, uma rica fazenda de criação de gado
semblante: rosto, fisionomia
vil: desprezível, indigno

O fragmento mostra valores e costumes do universo interiorano. Por meio dele, sabe-se do poder quase irrestrito do capitão-mor, que assume a função do Estado na região, determinando regras, exigindo seu cumprimento e punindo os desobedientes. Sabe-se, igualmente, que a família do protagonista recebeu benefícios desse proprietário e, por isso, sente-se em dívida permanente. Esses elementos refletem as relações entre proprietários e empregados no sertão à época.

É nesse universo peculiar que surge Arnaldo, o herói idealizado em quem se une a tradição europeia do indivíduo honrado com os traços particulares do sertanejo do Brasil. Assim como no romance indianista, os elementos do cenário nativo – a liberdade dos pássaros e das feras – são incluídos na composição da personagem para criar o mito. As virtudes do indivíduo interiorano são destacadas e muitas vezes confrontadas com as características do morador da cidade, vil ou insignificante. É uma forma de Alencar criticar o progresso, quando este altera os valores e a aparência das regiões.

A tela de Pedro Weingärtner (1853-1929) retrata uma cena de costumes em que estão representados carreteiros gaúchos em momento de descanso. O pintor, atento aos detalhes, usou formas e cores bem definidas para obter a precisão da cena. Sua obra ganha, por isso, traços de um "realismo documental", semelhante ao que se vê em alguns romances regionalistas da época.

WEINGÄRTNER, Pedro. *Pousada de carreteiros*, 1914. Óleo sobre tela, 37 cm × 73 cm. Pinacoteca Aplub, Porto Alegre.

Alencar urbano: análise de costumes

Nos **romances urbanos**, a **figura feminina** emerge e recebe caracterização psicológica repleta de sutilezas e ambiguidades. Por isso, é comum a alusão aos perfis de mulheres construídos por José de Alencar.

Em suas principais obras do ciclo urbano, *Lucíola* (1862), *Diva* (1864) e *Senhora* (1875), o autor trata de mulheres de personalidade forte, responsáveis por sua própria vida; incomuns, portanto, para a sociedade da época. Em *Senhora*, a protagonista Aurélia, subitamente enriquecida por uma herança do avô, "compra" o homem que ama, oferecendo-lhe um dote em dinheiro. Este a abandonara, quando ela era pobre, por uma moça rica, mas depois, necessitado, aceita o contrato de casamento. Nesta passagem, logo após o casamento, ela humilha Fernando Seixas por ter aceitado sua proposta.

> — A riqueza que Deus me concedeu chegou tarde; nem ao menos permitiu-me o prazer da ilusão, que têm as mulheres enganadas. Quando a recebi, já conhecia o mundo e suas misérias; já sabia que a moça rica é um arranjo e não uma esposa; pois bem, disse eu, essa riqueza servirá para dar-me a única satisfação que ainda posso ter neste mundo. Mostrar a esse homem que não me soube compreender, que mulher o amava, e que alma perdeu. Entretanto ainda eu afagava uma esperança. Se ele recusa nobremente a proposta aviltante, eu irei lançar-me a seus pés. Suplicar-lhe-ei que aceite a minha riqueza, que a dissipe se quiser; mas consinta-me que eu o ame. Essa última consolação, o senhor a arrebatou. Que me restava? Outrora atava-se o cadáver ao homicida, para expiação da culpa; o senhor matou-me o coração, era justo que o prendesse ao despojo de sua vítima. Mas não desespere, o suplício não pode ser longo: este constante martírio a que estamos condenados acabará por extinguir-me o último alento; o senhor ficará livre e rico.
>
> ALENCAR, José de. *Senhora*. São Paulo: Scipione, 1994. p. 87.

Margens do texto

1. Qual aspecto da vida social do século XIX se destaca no trecho ao lado?
2. Qual seria a "ilusão" das "mulheres enganadas", a que se refere Aurélia?

Vocabulário de apoio

alento: respiração, fôlego
aviltante: humilhante, desonroso
consentir: permitir
despojo: algo que se toma de um inimigo; bens capturados
dissipar: gastar rapidamente, fazer sumir
expiação: castigo que se cumpre para compensar uma culpa

O desejo de vingança dá vigor e autoridade a Aurélia. Suas concepções românticas, entretanto, dão origem a sua mágoa, pois ela acredita no amor único e verdadeiro. Aurélia não é uma "feminista", nem deseja abrir mão do destino da mulher, que era se casar. O centro da trama está no desequilíbrio amoroso produzido pelo dinheiro na vida conjugal. Neste e em outros romances urbanos de José de Alencar, orgulho, inveja e amor ferido revelam a crítica do autor aos valores burgueses.

Tal tendência poderia ter levado o romance urbano de Alencar em direção ao Realismo, uma tendência literária que se consolidaria posteriormente. Seus enredos e as convicções de suas personagens, no entanto, permaneceram românticos. Na sequência dos acontecimentos, o narrador reconstrói a dignidade do herói e mantém a idealização romântica: Fernando se reabilita, e Aurélia pode amá-lo como herói honrado que ele passa a ser.

Em síntese, mesmo movidos pela idealização romântica, os romances de Alencar registram de forma crítica os valores da época. Além disso, cumprem um papel de crônicas de costumes do Rio de Janeiro imperial ao descrever a vida burguesa na Corte.

 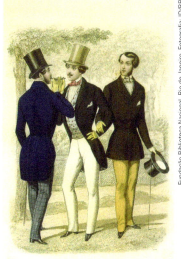

Ilustrações do *Novo Correio das Modas: jornal do mundo elegante consagrado às famílias brasileiras*. Moda e prosa ficcional faziam parte do conteúdo da publicação dirigida ao público feminino do Rio de Janeiro oitocentista. O periódico circulou entre 1852 e 1854.

Sua leitura

O fragmento a seguir foi extraído de *Lucíola* e narra o momento em que Paulo, recém-chegado do Recife, conhece Lúcia, a protagonista, descrita como uma famosa cortesã do Rio de Janeiro.

A lua vinha assomando pelo cimo das montanhas fronteiras; descobri nessa ocasião, a alguns passos de mim, uma linda moça, que parara um instante para contemplar no horizonte as nuvens brancas esgarçadas sobre o céu azul e estrelado. Admirei-lhe do primeiro olhar um talhe esbelto e de suprema elegância. O vestido que o moldava era cinzento com orlas de veludo castanho e dava esquisito realce a um desses rostos suaves, puros e diáfanos, que parecem vão desfazer-se ao menor sopro, como os tênues vapores da alvorada. Ressumbrava na sua muda contemplação doce melancolia e não sei que laivos de tão ingênua castidade, que o meu olhar repousou calmo e sereno na mimosa aparição.

— Já vi esta moça! disse comigo. Mas onde?...

Ela pouco demorou-se na sua graciosa imobilidade e continuou lentamente o passeio interrompido. Meu companheiro cumprimentou-a com um gesto familiar; eu, com respeitosa cortesia, que me foi retribuída por uma imperceptível inclinação da fronte.

— Quem é esta senhora? perguntei a Sá.

A resposta foi o sorriso inexprimível, mistura de sarcasmo, de bonomia e fatuidade, que desperta nos elegantes da corte a ignorância de um amigo, profano na difícil ciência das banalidades sociais.

— Não é uma senhora, Paulo! É uma mulher bonita. Queres conhecê-la?...

Compreendi e corei de minha simplicidade provinciana, que confundira a máscara hipócrita do vício com o modesto recato da inocência. Só então notei que aquela moça estava só, e que a ausência de um pai, de um marido, ou de um irmão, devia-me ter feito suspeitar a verdade.

Depois de algumas voltas descobrimos ao longe a ondulação do seu vestido, e fomos encontrá-la, retirada a um canto, distribuindo algumas pequenas moedas de prata à multidão de pobres que a cercava. Voltou-se confusa ouvindo Sá pronunciar o seu nome:

— Lúcia!

— Não há modos de livrar-se uma pessoa desta gente! São de uma impertinência! disse ela mostrando os pobres e esquivando-se aos seus agradecimentos.

Feita a apresentação no tom desdenhoso e altivo com que um moço distinto se dirige a essas sultanas do ouro, e trocadas algumas palavras triviais, meu amigo perguntou-lhe:

— Vieste só?
— Em corpo e alma.
— E não tens companhia para a volta?

Ela fez um gesto negativo.

— Neste caso ofereço-te a minha, ou antes a nossa.
— Em qualquer outra ocasião aceitaria com muito prazer; hoje não posso.
— Já vejo que não foste franca!
— Não acredita?... Se eu viesse por passeio!
— E qual é o outro motivo que te pode trazer à festa da Glória?
— A senhora veio talvez por devoção? disse eu.
— A Lúcia devota!... Bem se vê que a não conheces.
— Um dia no ano não é muito! respondeu ela sorrindo.
— É sempre alguma coisa, repliquei.

Sá insistiu:
— Deixa-te disso; vem conosco.
— O senhor sabe que não é preciso rogar-me quando se trata de me divertir. Amanhã, qualquer dia, estou pronta. Esta noite, não!
— Decididamente há alguém que te espera.
— Ora! Faço mistério disto?
— Não é teu costume decerto.
— Portanto tenho o direito de ser acreditada. As aparências enganam tantas vezes! Não é verdade? disse voltando-se para mim com um sorriso.

Não me lembro o que lhe respondi; alguma palavra que nada exprimia, dessas que se pronunciam às vezes para ter o ar de dizer alguma coisa.

Quanto a Lúcia, fazendo-nos um ligeiro aceno com o leque, aproveitou uma aberta da multidão e penetrou no interior da igreja, em risco de ser esmagada pelo povo.

ALENCAR, José de. *Lucíola*. São Paulo: Ática, 1995. p. 13-16.

Vocabulário de apoio

aberta: passagem
altivo: ilustre
assomar: surgir
bonomia: bondade
cimo: topo
contemplar: observar
desdenhoso: indiferente
diáfano: delicado
esbelto: elegante
fatuidade: vaidade
fronte: cabeça
laivo: sinal
orla: acabamento
profano: não iniciado em certos conhecimentos
provinciano: que não pertence à capital
ressumbrar: revelar
talhe: forma física

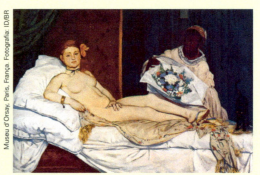

O quadro *Olympia*, de Édouard Manet, que retrata uma cortesã nua, causou escândalo ao ser exibido no Salão Oficial de 1863.

MANET, Édouard. *Olympia*, 1863. Óleo sobre tela, 103,5 cm × 190 cm. Museu d'Orsay, Paris, França.

Sobre o texto

1. No trecho, o narrador-personagem é apresentado à protagonista da história.
   a) Que impressão inicial a moça causa em Paulo?
   b) O diálogo que Paulo e seu amigo têm com ela confirma essa impressão? Por quê?

2. No final do mesmo capítulo, o narrador, que na verdade está escrevendo uma longa carta, comenta com a senhora que a vai receber:

   > Nunca lhe sucedeu, passeando em nossos campos, admirar alguma das brilhantes parasitas que pendem dos ramos das árvores, abrindo ao sol a rubra corola? E quando ao colher a linda flor, em vez da suave fragrância que esperava, sentiu o cheiro repulsivo de torpe inseto que nela dormiu, não a atirou com desprezo para longe de si?

   Por meio de uma metáfora, Paulo compara Lúcia a uma das "brilhantes parasitas", referindo-se, no caso, a certos tipos de flores que tiram seu sustento de uma planta hospedeira. Por que Paulo faz essa associação?

3. O primeiro parágrafo do fragmento (página 226) mostra um aspecto estilístico típico das narrativas de Alencar. Qual?

4. As narrativas urbanas apresentam as convenções sociais do período.
   a) Que convenção, mencionada pelo narrador, é importante para compreendermos a condição diferenciada da vida de Lúcia?
   b) O que a presença de Lúcia em uma festa popular sugere sobre a sociedade do período? Justifique.

5. O doutor Sá e Paulo são homens com diferentes conhecimentos dos comportamentos sociais da Corte. Compare-os e justifique essa diferença.

Vocabulário de apoio

corola: parte da flor formada por pétalas
torpe: repugnante

Repertório

Entre *As asas de um anjo* e *Lucíola*

O Romantismo precisava criar também a arte teatral no Brasil para a solidez de nossa identidade – como diziam os intelectuais da época. E José de Alencar foi um fértil criador de dramas e comédias. Uma de suas peças gerou grande alarde: *As asas de um anjo* (1857) foi suspensa logo ao início das representações. Julgada pelos censores do Rio de Janeiro como "ofensiva à moral pública", por tratar da vida de uma mulher que se tornara cortesã no Rio de Janeiro, causou grande repercussão em nossos jornais. *Lucíola*, publicado em 1862, novamente trataria desse assunto. Com enredo bastante similar ao da peça, o romance, publicado sob pseudônimo, não enfrentou restrições, e os leitores não se indignaram, tomando-o como exemplo didático de moralização da sociedade.

PINHEIRO, Rafael Bordalo. Retrato de dom Pedro II em *Álbum das glórias*, 1880. Litografia, 30,8 cm × 19,4 cm. Coleção particular.

Dom Pedro II polemizou com Alencar em jornais a respeito da literatura e das artes no país.

O que você pensa disto?

Como vimos, em seus romances urbanos, José de Alencar critica explicitamente a sociedade movida por interesses financeiros. Nos romances indianistas e regionalistas, embora indireta, a crítica é feita pela construção de heróis exemplares, opostos aos indivíduos que viviam os vícios da corte. Alencar registrou, de várias formas, o mal-estar com certos valores sociais, como o casamento por interesse, a convivência com as cortesãs ou mesmo a subserviência financeira a um senhor regional.

- Tente se lembrar de manifestações culturais de nossa época no cinema, na música, nas artes plásticas, etc., que também critiquem a excessiva valorização da aparência e do dinheiro. Opine sobre a importância e o alcance dessas críticas.

Nesta obra, o artista plástico Andy Warhol questiona os valores da sociedade capitalista e o modo de vida estadunidense.

WARHOL, Andy. *Dollar Sign*, 1981. *Silk-screen* e acrílica sobre tela, 229 cm × 178 cm. Coleção particular.

CAPÍTULO 20
Joaquim Manuel de Macedo e Manuel Antônio de Almeida: o rumor das ruas

O que você vai estudar

- O início do romance no Brasil.
- Joaquim Manuel de Macedo: a crônica de costumes.
- Manuel Antônio de Almeida: a introdução da malandragem.

FERREZ, Marc. *Ilha de Paquetá*, 1890. Fotografia. Coleção Gilberto Ferrez/Instituto Moreira Salles, São Paulo.

Paisagem da ilha de Paquetá, na baía de Guanabara (RJ), fotografada por Marc Ferrez (1843-1923), autor de importantes registros fotográficos do século XIX. Embora não seja mencionada nominalmente na obra, sabe-se que essa ilha é o cenário do romance *A Moreninha*, de Joaquim Manuel de Macedo.

Neste capítulo, serão estudados dois escritores que, com José de Alencar, compõem o principal grupo de autores românticos preocupados em retratar o **cenário urbano** brasileiro: Joaquim Manuel de Macedo e Manuel Antônio de Almeida.

❯ Joaquim Manuel de Macedo: o nascimento do romance brasileiro

Joaquim Manuel de Macedo (1820-1882) pode ser considerado o primeiro romancista brasileiro. Em 1844, mesmo ano em que se formou em Medicina, lançou *A Moreninha*. Ele escreveria mais 17 romances, todos seguindo a mesma fórmula bem-sucedida da obra de estreia: narrativas leves, envolventes, cheias de diálogos e com final surpreendente.

Os romances desse autor apresentam protagonistas **moralmente virtuosos**, que se caracterizam pela pureza afetiva e têm no casamento o objetivo redentor de sua vida, alcançado somente após um longo período de conflitos e sofrimentos. Esse sentimentalismo exacerbado, tipicamente romântico, divide espaço com a **crônica dos costumes** da sociedade burguesa, embora não chegue a ressaltar as contradições e os conflitos desse meio social.

A Moreninha destaca-se porque, além de ser a primeira obra de Joaquim Manuel de Macedo, foi também a sua mais célebre. Ela narra os desdobramentos de uma aposta entre um grupo de estudantes de Medicina em viagem à ilha onde mora a avó de um deles, de nome Filipe. Tudo acontece porque um dos jovens, Augusto, afirma ser incapaz de amar apenas uma mulher, e os demais afirmam que ele voltará apaixonado da viagem, o que o obrigaria a escrever um romance sobre o acontecimento.

Augusto perde a aposta, pois se apaixona pela irmã de Filipe, Carolina, a Moreninha. Todavia, a paixão passa por complicações, uma vez que o rapaz havia jurado seu amor a alguém que conhecera aos 13 anos. O conflito só tem solução ao final da narrativa, quando o rapaz faz uma surpreendente descoberta.

Sua leitura

Você vai ler um trecho de *A Moreninha* que ilustra o modo como o narrador descreve os costumes da época.

Capítulo 16 – O sarau

Um sarau é o bocado mais delicioso que temos, de telhado abaixo. Em um sarau todo o mundo tem que fazer. O diplomata ajusta, com um copo de *champagne* na mão, os mais intrincados negócios; todos murmuram e não há quem deixe de ser murmurado. O velho lembra-se dos minuetes e das cantigas do seu tempo, e o moço goza todos os regalos da sua época; as moças são no sarau como as estrelas no céu; estão no seu elemento: aqui uma, cantando suave cavatina, eleva-se vaidosa nas asas dos aplausos, por entre os quais surde, às vezes, um bravíssimo inopinado, que solta de lá da sala do jogo o parceiro que acaba de ganhar sua partida no *écarté*, mesmo na ocasião em que a moça se espicha completamente, desafinando um sustenido; daí a pouco vão outras, pelos braços de seus pares, se deslizando pela sala e marchando em seu passeio, mais a compasso que qualquer de nossos batalhões da Guarda Nacional, ao mesmo tempo que conversam sempre sobre objetos inocentes que movem olhaduras e risadinhas apreciáveis. [...] Finalmente, no sarau não é essencial ter cabeça nem boca, porque, para alguns é regra, durante ele, pensar pelos pés e falar pelos olhos.

E o mais é que nós estamos num sarau. Inúmeros batéis conduziram da corte para a ilha de... senhoras e senhores, recomendáveis por caráter e qualidades; alegre, numerosa e escolhida sociedade enche a grande casa, que brilha e mostra em toda a parte borbulhar o prazer e o bom gosto.

Entre todas essas elegantes e agradáveis moças, que com aturado empenho se esforçam por ver qual delas vence em graças, encantos e donaires, certo que sobrepuja a travessa Moreninha, princesa daquela festa.

Hábil menina é ela! Nunca seu amor-próprio presidiu com tanto estudo seu toucador e, contudo, dir-se-ia que o gênio da simplicidade a penteara e vestira. Enquanto as outras moças haviam esgotado a paciência de seus cabeleireiros, posto em tributo toda a habilidade das modistas da Rua do Ouvidor e coberto seus colos com as mais ricas e preciosas joias, D. Carolina dividiu seus cabelos em duas tranças, que deixou cair pelas costas: não quis adornar o pescoço com seu adereço de brilhantes nem com seu lindo colar de esmeraldas; vestiu um finíssimo, mas simples vestido de garça, que até pecava contra a moda reinante, por não ser sobejamente comprido. E vindo assim aparecer na sala, arrebatou todas as vistas e atenções.

Porém, se um atento observador a estudasse, descobriria que ela adrede se mostrava assim, para ostentar as longas e ondeadas madeixas negras, em belo contraste com a alvura de seu vestido branco, para mostrar, todo nu, o elevado colo de alabastro, que tanto a formoseia, e que seu pecado contra a moda reinante não era senão um meio sutil de que se aproveitara para deixar ver o pezinho mais bem-feito e mais pequeno que se pode imaginar. [...]

Neste momento a orquestra assinalou o começo do sarau. [...] Os velhos lembraram-se do passado, os moços aproveitaram o presente, ninguém cuidou do futuro. Os solteiros fizeram por lembrar-se do casamento, os casados trabalharam por esquecer-se dele. Os homens jogaram, falaram em política e requestaram as moças; as senhoras ouviram finezas, trataram de modas e criticaram desapiedadamente umas às outras. [...]

<small>Macedo, Joaquim Manuel de. *A Moreninha*. 7. ed. São Paulo: FTD, 1998. p. 107-108, 110.</small>

<small>Alexandre Teles/ID/BR</small>

Vocabulário de apoio

adrede: de propósito

batel: pequena embarcação

cavatina: melodia cantada por solista

colo de alabastro: pescoço claro como o alabastro (pedra)

desapiedadamente: sem piedade

donaire: garbo, graça, distinção

écarté: jogo de cartas

garça: tipo de tecido muito fino

inopinado: surpreendente

minuete: composição musical

murmurar: criticar em voz baixa

requestar: cortejar

sobejamente: demasiado; mais que o necessário

sobrepujar: sobressair

surdir: emergir

toucador: cômoda, penteadeira

Sobre o texto

1. De acordo com o texto, o que é um sarau? Você já conhecia essa palavra?

2. A que classe social pertencem os convidados? Justifique com uma passagem do texto.

3. O narrador critica ou elogia as situações descritas no sarau? Justifique.

4. Com base na resposta anterior, comente o seguinte trecho: "Um sarau é o bocado mais delicioso que temos, de telhado abaixo. Em um sarau todo o mundo tem que fazer. [...] todos murmuram e não há quem deixe de ser murmurado".

5. Em relação à caracterização da personagem Carolina, qual aspecto da estética romântica pode ser identificado? Justifique com trechos do texto.

> Manuel Antônio de Almeida: a malandragem em cena

Órfão e de origem humilde, Manuel Antônio de Almeida (1831-1861) teve de trabalhar desde cedo para sobreviver. Formou-se em Medicina, mas dedicou-se quase sempre ao jornalismo, ora como revisor, ora como redator do *Correio Mercantil*. Foi nesse jornal que publicou, na forma de folhetim, seu único romance, *Memórias de um sargento de milícias*, entre 1852 e 1853. A obra foi suficiente para consagrá-lo.

Embora seja contemporâneo de Joaquim Manuel de Macedo e dê continuidade ao romance urbano iniciado por este, Manuel Antônio de Almeida apresenta mais diferenças do que semelhanças com o autor de *A Moreninha* e a maioria dos escritores da época. Sua linguagem tem um **tom coloquial**, mais próximo da linguagem jornalística, bem diferente do rebuscamento e da abundância de metáforas adotados no romance urbano.

Além disso, não há na obra de Manuel Antônio de Almeida idealização nem do protagonista nem da figura feminina. Outra novidade a destacar é que nas *Memórias* o espaço retratado é o do **indivíduo comum**, da classe média baixa do centro urbano, em contraste com o ambiente da burguesia abastada, como acontece, por exemplo, em *A Moreninha*.

Diferentemente dos narradores tipicamente românticos que criticam e elogiam de maneira exagerada a realidade sobre a qual falam, Manuel Antônio de Almeida apresenta em sua obra uma observação satírica e irônica das relações de interesse entre personagens. Algumas destas nem sequer têm nome; sua designação restringe-se ao papel social que desempenham: o barbeiro, a parteira, etc. Em uma passagem de *Memórias*, o narrador chega a ironizar o termo *romântico*: "mas o homem era romântico, como se diz hoje, e babão como se dizia naquele tempo".

Ao contrário do virtuoso herói romântico, Leonardo, protagonista da obra, é um **malandro** – Almeida foi um dos primeiros escritores a introduzir na literatura brasileira essa figura simbólica que posteriormente se tornaria tão forte no imaginário nacional. O malandro é aquele que, sem se dedicar a um trabalho convencional, e também sem ser necessariamente um criminoso, equilibra-se entre essas duas esferas, driblando as adversidades da vida a fim de sobreviver. Leonardo é um anti-herói moderno, mais próximo de uma pessoa comum, constituída de virtudes e defeitos.

Repertório

A tradição dos pícaros

Alguns estudiosos da obra de Manuel Antônio de Almeida associam o protagonista, Leonardo, ao **pícaro**, tipo de personagem antigo na literatura que ganha expressão nas novelas espanholas do século XVI, particularmente em *A vida de Lazarillo de Tormes* (1554), de autor anônimo. O pícaro é caracterizado como alguém que age movido pelas circunstâncias da vida, transitando entre moral e amoralidade; sobrevive usando meios ilícitos, mas mantém sua ingenuidade. A perspectiva do narrador da novela picaresca é realista e satírica. O crítico Antonio Candido, no entanto, questiona essa identificação de Leonardo com um pícaro. Entre outros aspectos, faltaria o abandono, as dificuldades de sustento e o estado de servilismo que determinam o destino do pícaro, já que a personagem de Almeida sempre contou com o apoio das pessoas próximas. Como malandro, ele agiria em nome dos próprios interesses, sem considerações morais.

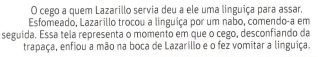

O cego a quem Lazarillo servia deu a ele uma linguiça para assar. Esfomeado, Lazarillo trocou a linguiça por um nabo, comendo-a em seguida. Essa tela representa o momento em que o cego, desconfiando da trapaça, enfiou a mão na boca de Lazarillo e o fez vomitar a linguiça.

Goya, Francisco de. *El Lazarillo de Tormes*, 1819. Óleo sobre tela, 80 cm × 65 cm. Coleção particular.

Sua leitura

A seguir, você vai ler um trecho de *Memórias de um sargento de milícias* que trata da adolescência de Leonardo, o protagonista.

A custa de muitos trabalhos, de muitas fadigas, e sobretudo de muita paciência, conseguiu o compadre que o menino frequentasse a escola durante dois anos e que aprendesse a ler muito mal e escrever ainda pior. Em todo esse tempo não se passou um só dia em que ele não levasse uma remessa maior ou menor de bolos; e, apesar da fama que gozava o seu pedagogo de muito cruel e injusto, é preciso confessar que poucas vezes o fora para com ele: o menino tinha a bossa da desenvoltura, e isso, junto com as vontades que lhe fazia o padrinho, dava em resultado a mais refinada má-criação que se pode imaginar. Achava ele um prazer suavíssimo em desobedecer a tudo quanto se lhe ordenava; se se queria que estivesse sério, desatava a rir como um perdido com o maior gosto do mundo; se se queria que estivesse quieto, parece que uma mola oculta o impelia e fazia com que desse uma ideia pouco mais ou menos aproximada do moto-contínuo. Nunca uma pasta, um tinteiro, uma lousa lhe durou mais de 15 dias: era tido na escola pelo mais refinado velhaco; vendia aos colegas tudo que podia ter algum valor, fosse seu ou alheio, contanto que lhe caísse nas mãos: um lápis, uma pena, um registro, tudo lhe fazia conta; o dinheiro que apurava empregava sempre do pior modo que podia. Logo no fim dos primeiros cinco dias de escola declarou ao padrinho que já sabia as ruas e não precisava mais de que ele o acompanhasse; no primeiro dia em que o padrinho anuiu a que ele fosse sozinho fez uma tremenda gazeta; tomou depois gosto a esse hábito, e em pouco tempo adquiriu entre os companheiros o apelido de gazeta-mor da escola, o que também queria dizer apanha-bolos-mor. Um dos principais pontos em que ele passava alegremente as manhãs e tardes em que fugia à escola era a igreja da Sé. O leitor compreende bem que isso não era de modo algum inclinação religiosa; na Sé à missa, e mesmo fora disso, reunia-se gente, sobretudo mulheres de mantilha, de quem tomara particular zanguinha por causa da semelhança com a madrinha, e é isso o que ele queria, porque, internando-se na multidão dos que entravam e saíam, passava despercebido e tinha segurança de que o não achariam com facilidade se o procurassem.

ALMEIDA, Manuel Antônio de. *Memórias de um sargento de milícias*. São Paulo: Moderna, 1993. p. 48-49.

Vocabulário de apoio

alheio: de outra pessoa
anuir: deixar, concordar, permitir
apurar: juntar, reunir
bolo: castigo físico
bossa: vocação, talento
desenvoltura: desembaraço, valentia, habilidade
fadiga: cansaço
gazeta: "matar aula", deixar de ir à escola para vadiar
mantilha: véu feminino
moto-contínuo: máquina fictícia que reutilizaria indefinidamente a energia gerada por seu próprio movimento
pena: peça metálica usada para escrever
registro: livro de anotações
velhaco: esperto, trapaceiro, enganador

Sobre o texto

1. Descreva o perfil de Leonardo, conforme traçado no trecho.
2. Compare esse perfil com a figura do protagonista típico das obras românticas.
3. Destaque do texto uma passagem que comprove que a malandragem já se insinuava na personagem Leonardo quando ele era ainda jovem. Justifique sua escolha.
4. No texto, qual é o significado das expressões *bossa da desenvoltura* e *apanha-bolos-mor*? Explique por que essas expressões contrastam com a linguagem típica do romance urbano.

O que você pensa disto?

O sarau, como o descrito por Joaquim Manuel de Macedo na página 229, era uma festa comum na sociedade burguesa do século XIX, com música, dança e literatura. Versos eram declamados ao público, o que contribuía para a divulgação da obra dos autores da época. Depois de caírem em considerável desuso, os saraus recentemente voltaram a acontecer com regularidade em várias cidades brasileiras. E, no século XXI, não são mais exclusividade das classes favorecidas. O sarau da Cooperifa (Cooperativa Cultural da Periferia), por exemplo, começou em 2001 na cidade de Taboão da Serra, na Grande São Paulo, e tornou-se um ritual semanal na vida de muitas pessoas, grande parte delas moradora da periferia e com pouco contato anterior com a literatura.

Sarau da Cooperifa, comandado por Sergio Vaz, em São Paulo (SP). Fotografia de 2012.

- Em uma época com tantos recursos tecnológicos de entretenimento, qual seria, na sua opinião, o atrativo de promover encontros para declamar ou cantar versos em público?

CAPÍTULO 21

Taunay e Bernardo Guimarães: ângulos do regional

O que você vai estudar

- O regionalismo romântico.
- Visconde de Taunay: *Inocência*.
- Bernardo Guimarães: *O seminarista* e *A escrava Isaura*.

ALMEIDA JÚNIOR. *O violeiro*, 1899. Óleo sobre tela, 141 cm × 172 cm. Pinacoteca do Estado de São Paulo, São Paulo.

O pintor Almeida Júnior (1850-1899), em momento um pouco posterior ao Romantismo, dedicou uma parte de sua obra a personagens regionais, como esses habitantes do interior de São Paulo.

❯ Taunay: observação atenta

Os representantes da tendência regionalista do Romantismo entendiam que a imagem de um Brasil autêntico deveria retratar um espaço que não tivesse recebido influência da cultura europeia, marcante nos centros urbanos. Por isso, elegeram o **interior** e o **sertão** como cenários para representar esse Brasil ingênuo e original.

Alfredo D'Escragnolle Taunay, ou Visconde de Taunay (1843-1899), apesar de ter apenas uma obra de maior peso (*Inocência*, publicada em 1872), é considerado o melhor realizador da **prosa regionalista romântica**. Engenheiro, militar, pintor e político, era um atento observador, menos influenciado pela fantasia e pelo idealismo do Romantismo.

O enredo de *Inocência* tem como ambientação o interior ao sul de Mato Grosso, onde vivem Pereira e sua filha Inocência – prometida em casamento para Manecão Doca (um vaqueiro truculento), mas apaixonada por Cirino (um jovem boticário, ou seja, farmacêutico).

A descrição objetiva da paisagem e dos valores morais da sociedade local coexiste com características típicas do estilo romântico, como o amor impossível entre Inocência e Cirino; o conflito do bem contra o mal apresentado de maneira esquemática; e o perfil idealizado da personagem principal (cabocla sertaneja com características típicas de heroína romântica: pele alva e fragilidade física).

Quanto à linguagem, em *Inocência* o estilo culto do narrador, de formação urbana, alterna-se com o registro da língua oral sertaneja, nas falas das personagens locais.

Vale saber

A prosa romântica se alinha ao projeto nacionalista de construir uma identidade para o Brasil por meio da representação da vida interiorana e sertaneja.

Sua leitura

Você vai ler o trecho do romance *Inocência* em que a protagonista e Cirino confessam o amor que sentem um pelo outro. A primeira fala é de Cirino.

Capítulo XVIII – Idílio

— Porque eu amo... amo-a, e sofro como um louco... como um perdido.

— Ué, exclamou ela, pois amor é sofrimento?

— Amor é sofrimento, quando a gente não sabe se a paixão é aceita, quando se não vê quem se adora; amor é céu, quando se está como eu agora estou.

— E quando a gente está longe, perguntou ela, que é que se sente?...

— Sente-se uma dor, cá dentro, que parece que se vai morrer... Tudo causa desgosto: só se pensa na pessoa a quem se quer, a todas as horas do dia e da noite no sono, na reza, quando se pede a Nossa Senhora, sempre ela, ela, ela!... o bem amado... e...

— Oh! interrompeu a sertaneja com singeleza, então eu amo...

— Você? indagou Cirino sofregamente.

— Se é como... mecê diz...

— É... é... eu lhe juro!...

— Então... eu amo, confirmou Inocência.

— E a quem?... Diga: a quem?

Houve uma pausa, e a custo retrucou ela ladeando a questão:

— A quem me ama.

— Ah! exclamou o jovem, então é a mim... é a mim, com certeza, porque ninguém neste mundo, ninguém, ouviu? é capaz de amá-la como eu... Nem seu pai... nem sua mãe, se viva fosse... Deixe falar seu coração... Se quer ver-me fora deste mundo... diga que não sou eu, diga!...

— E como ia mecê morrer? atalhou ela com receio.

— Não falta pau para me enforcar, nem água para me afogar.

— Deus nos livre! não fale nisso... Mas, por que é que mecê gosta tanto de mim? Mecê não é meu parente, nem primo, longe que seja, nem conhecido sequer... Eu *lhe* vi apenas pouco tempo... e tanto se agradou de mim?

— E com você... não sucede o mesmo? perguntou Cirino.

— Comigo?

— Sim, com você... Por que é que está acordada a estas horas? Por que é que não pode dormir?... que a cama lhe parece um braseiro, como a mim também parece?... Por que pensa em alguém a todo o instante? Entretanto, esse alguém não é primo seu, longe que seja, nem conhecido sequer?...

— É verdade, confessou Inocência com doce candura.

[...]

E, apesar de alguma resistência, fraca embora, mas conscienciosa, que lhe foi oposta, conseguiu que a formosa rapariga se recostasse ao peitoril da janela.

— Amar, observou ela, deve ser coisa bem feia.

— Por quê?

— Porque estou aqui e sinto tanto fogo no rosto!... Cá dentro me diz um palpite que é pecado mortal que faço...

— Você tão pura! contestou Cirino.

— Se alguém viesse agora e nos visse, eu morria de vergonha. Sr. Cirino, deixe-me... vá-se embora!... o Sr. me atirou algum quebranto... aquela sua mezinha tinha alguma erva para *mim* tomar... e me virar o juízo...

— Não, atalhou o mancebo com força, eu lhe juro! Pela alma de minha mãe... o remédio não tinha nada!

— Então por que fiquei... *ansim*, que me não conheço mais?... Se papai aparecesse... não tinha o direito de me matar?...

Foi-se-lhe a voz tornando cada vez mais baixa e sumiu-se num golfão de lágrimas.

Atirou-se Cirino de joelhos diante dela. [...]

TAUNAY, Visconde de. *Inocência*. 28. ed. São Paulo: Ática, 1999. p. 95-97.

Mariana Coan/ID/BR

Vocabulário de apoio

atalhar: interromper
candura: pureza, inocência
consciencioso: que tem consciência do que deve ser feito
golfão: jorro, jato
idílio: namoro, romance
indagar: perguntar
ladear: contornar
mancebo: moço
mecê: redução de *vossa mercê* (o mesmo que *você*)
mezinha: medicamento caseiro
quebranto: espécie de feitiço, mau-olhado
singeleza: simplicidade
sofregamente: com ansiedade

Sobre o texto

1. Qual é a ideia de amor que se percebe nas falas de Cirino?
2. Descreva Inocência com base em suas falas e nas informações dadas pelo narrador.
3. Ao grafar as palavras *lhe*, *mim* e *ansim* em itálico, o que o narrador parece mostrar ao leitor?
4. Cirino é boticário, o que permite supor que ele tem mais educação formal do que Inocência. Além da linguagem, o que mais evidencia essa diferença?

Vale saber

A expressão *vossa mercê* deu origem às formas *mecê* (usada por Inocência) e *você* (usada por Cirino). O pronome *você* é muito empregado atualmente no português brasileiro.

› Bernardo Guimarães: desafio aos tabus

Bernardo Guimarães (1825-1884) estreou na poesia, mas, como Taunay, consagrou-se como romancista. A simplicidade de suas tramas as aproxima de "causos" da literatura oral ou, ainda, da dinâmica narrativa dos folhetins, o que contribuiu enormemente para o sucesso de sua obra.

Bernardo Guimarães dedicou-se a retratar a vida interiorana de Minas Gerais e Goiás, com seus regionalismos culturais e linguísticos, sem, no entanto, abandonar a linguagem convencional e repleta de adjetivos, típica de um cidadão letrado da cidade.

Vocabulário de apoio

balsâmico: aromático, perfumado
eflúvio: exalação, perfume
farfalhar: produzir sons rápidos
garboso: elegante
tope: topo
viração: vento suave, brisa

> Era por uma linda e calmosa tarde de outubro. [...] A viração saturada de balsâmicos eflúvios se espreguiçava ao longo das ribanceiras acordando apenas frouxos rumores pela copa dos arvoredos, e fazendo farfalhar de leve o tope dos coqueiros, que miravam-se garbosos nas lúcidas e tranquilas águas da ribeira.
> GUIMARÃES, Bernardo. *A escrava Isaura*. São Paulo: FTD, 2011. p. 11.

■ **Margens do texto**

A linguagem usada pelo narrador contrasta com o cenário descrito no trecho. Explique essa afirmação.

Da numerosa obra de Bernardo Guimarães, apenas dois romances são destacados pela crítica: *O seminarista* (1872) e *A escrava Isaura* (1875). *O ermitão de Muquém* (1870), lançado dois anos antes de *O gaúcho*, de José de Alencar, é historicamente o primeiro romance regionalista romântico.

› *O seminarista*: um amor impossível

O seminarista narra a história de amor entre Margarida e Eugênio. Mandado para um seminário pela família, que intercepta a correspondência do casal, Eugênio acredita ter sido esquecido pela amada e se ordena padre. Tragicamente, a primeira missa rezada por ele em sua cidade natal é a do velório de Margarida, fato que o enlouquece.

A obra retrata a sociedade interiorana – especialmente a força da Igreja sobre seus costumes – e aborda o delicado tema do celibato clerical (proibição de relações conjugais aos religiosos). Predominam, no entanto, os lugares-comuns românticos, como o amor impossível entre heróis virtuosos, embora frágeis, e o sentimentalismo exacerbado, num texto carregado de adjetivos.

Vocabulário de apoio

deslumbrar: ofuscar por excesso de luz ou brilho
nuança: o mesmo que nuance, tonalidade
tez: pele

› *A escrava Isaura*: o triunfo do bem

Romance mais conhecido de Bernardo Guimarães, *A escrava Isaura* trata de outro tema delicado para a época: a escravidão. O caráter abolicionista do livro, no entanto, precisa ser visto com reservas, uma vez que a escrava em questão é uma mulher branca, culta e refinada, aos moldes das heroínas românticas:

> A tez é como o marfim do teclado, alva que não deslumbra, embaçada por uma nuança delicada, que não saberíeis dizer se é leve palidez ou cor-de-rosa desmaiada.
> GUIMARÃES, Bernardo. *A escrava Isaura*. São Paulo: FTD, 2011. p. 13-14.

Em outra passagem, diz Malvina, senhora de Isaura:

> És formosa, e tens uma cor tão linda, que ninguém dirá que gira em tuas veias uma só gota de sangue africano.
> GUIMARÃES, Bernardo. *A escrava Isaura*. São Paulo: FTD, 2011. p. 15.

Assim, de origem negra, mas, segundo o narrador, "de cor clara e delicada como de qualquer branca", Isaura é perseguida por Leôncio, seu perverso e obstinado senhor. Também aqui a temática social é marcada pelos lugares-comuns do Romantismo: o conflito entre Isaura e Leôncio é a expressão de um embate entre bem e mal, justiça e injustiça, pureza e vício, resultando na vitória das personagens de bom coração.

Bianca Rinaldi como a protagonista de *A escrava Isaura* (Rede Record, 2004-2005), telenovela inspirada no romance homônimo de Bernardo Guimarães.

Sua leitura

Você vai ler um trecho do romance *A escrava Isaura*. Trata-se do momento em que Leôncio, proprietário de Isaura e por ela apaixonado, chega à casa onde a escrava está escondida com Álvaro, seu amado. O narrador comenta inicialmente a situação.

Capítulo XVIII

Deplorável contingência, a que somos arrastados em consequência de uma instituição absurda e desumana!

O devasso, o libertino, o algoz, apresenta-se altivo e arrogante, tendo a seu favor a lei, e a autoridade, o direito e a força, lança a garra sobre a presa, que é objeto de sua cobiça ou de seu ódio, e pode fruí-la ou esmagá-la a seu talante, enquanto o homem de nobre coração, de impulsos generosos, inerme perante a lei, aí fica suplantado, tolhido, manietado, sem poder estender o braço em socorro da inocente e nobre vítima, que deseja proteger. Assim, por uma estranha aberração, vemos a lei armando o vício, e decepando os braços à virtude.

Estava pois Álvaro em presença de Leôncio como o condenado em presença do algoz. A mão da fatalidade o socalcava com todo o seu peso esmagador, sem lhe deixar livre o mínimo movimento.

Vinha Leôncio ardendo em fúrias de raiva e de ciúme, e prevalecendo-se de sua vantajosa posição, aproveitou a ocasião para vingar-se de seu rival, não com a nobreza de cavalheiro, mas procurando humilhá-lo à força de impropérios.

— Sei que há muito tempo [...] V. Sa. retém essa escrava em seu poder contra toda a justiça, iludindo as autoridades com falsas alegações, que nunca poderá provar. Porém agora venho eu mesmo reclamá-la e burlar os seus planos, e artifícios.

— Artifícios não, senhor. Protegi e protejo francamente uma escrava contra as violências de um senhor, que quer tornar-se seu algoz; eis aí tudo.

— Ah!... agora é que sei que qualquer aí pode subtrair um escravo ao domínio de seu senhor a pretexto de protegê-lo, e que cada qual tem o direito de velar sobre o modo por que são tratados os escravos alheios.

— V. Sa. está de disposição a escarnecer, e eu declaro-lhe que nenhuma vontade tenho de escarnecer, nem de ser escarnecido. Confesso-lhe que desejo muito a liberdade dessa escrava, tanto quanto desejo a minha felicidade, e estou disposto a fazer todos os sacrifícios possíveis para consegui-la. Já lhe ofereci dinheiro, e ainda ofereço. Dou-lhe o que pedir... dou-lhe uma fortuna por essa escrava. Abra preço...

— Não há dinheiro que a pague; nem todo o ouro do mundo, porque não quero vendê-la.

— Mas isso é um capricho bárbaro, uma perversidade...

— Seja capricho da qualidade que V. Sa. quiser; porventura não posso ter eu os meus caprichos, contanto que não ofenda direitos de ninguém?... porventura V. Sa. não tem também o seu capricho de querê-la para si?... mas o seu capricho ofende os meus direitos, e eis aí o que não posso tolerar.

GUIMARÃES, Bernardo. *A escrava Isaura*. São Paulo: FTD, 2011. p. 159-161.

Vocabulário de apoio

aberração: anormalidade, absurdo
algoz: carrasco, indivíduo cruel
a seu talante: conforme bem entender
burlar: enganar, estragar
contingência: casualidade, fato imprevisível
decepar: cortar
devasso: depravado, obsceno
escarnecer: zombar, ridicularizar
fruir: desfrutar
impropério: insulto
inerme: indefeso
libertino: que leva uma vida voltada para os prazeres carnais
manietado: subjugado, dominado
socalcar: pisar, achatar
suplantado: submetido, derrotado
velar: vigiar

Sobre o texto

1. Pode-se afirmar que o narrador assume uma posição de neutralidade em relação às personagens Álvaro e Leôncio? Justifique sua resposta.
2. Segundo as leis da época, qual personagem está com a razão? Por quê?
3. No enredo do romance, Álvaro critica a escravidão. No trecho transcrito, seu comportamento é coerente com essa crítica? Justifique sua resposta.

O que você pensa disto?

Neste capítulo, você conheceu um escritor romântico que retratava as falas de personagens regionais com uma postura de superioridade, destacando as variedades linguísticas contidas nessas falas. Atualmente, algumas redes de televisão de alcance nacional, com sede no Sudeste, veiculam com frequência programas com personagens de outras regiões.

- Observe os gêneros de programas em que tais personagens aparecem. Os atores que as representam nasceram na própria região ou são atores do Sudeste "com sotaque"? Há cuidado na forma como as personagens são representadas ou os atores recaem em estereótipos?

CAPÍTULO 22

Gonçalves Dias: inovações na poesia

O que você vai estudar

- O indianismo na poesia.
- A poesia amorosa.
- O trabalho com o ritmo e com as imagens.

AMOEDO, Rodolfo. *Marabá*, 1882. Óleo sobre tela, 151,5 cm × 200,5 cm. Museu Nacional de Belas Artes, Rio de Janeiro.

O poema "Marabá", de Gonçalves Dias, inspirou esse quadro. O pintor retrata a indígena mestiça com aparência europeia, como pode ser percebido por sua cor, pelos traços da face e pelo formato do corpo. A tristeza da moça se expressa por meio de seu isolamento na paisagem natural e do semblante reflexivo.

❯ O canto indígena

Gonçalves Dias (1823-1864), como José de Alencar, construiu **personagens indígenas** conforme as convenções românticas. Em seus poemas, a ênfase não recai sobre a personalidade do herói e seus feitos, mas sobre seus **valores** e **sentimentos**. Apesar do exagero de certos traços de bravura, a representação do indígena e de sua cultura é verossímil. Isso contribuiu para a aceitação, pelo leitor da época, do nativo como modelo para o orgulho pátrio.

Ao permitir que o indígena se expresse nos poemas ou que assuma o papel de eu lírico, o poeta explicita a sensibilidade desse indivíduo. Assim, neste trecho de "Marabá", que quer dizer "mestiça", é a indígena que se lamenta por ser desprezada pelos homens da tribo:

Vocabulário de apoio

anajá: palmeira típica do Brasil
anilado: que tem cor de anil; azulado
anojado: enojado, com nojo
feitura: obra, criação
fulgente: brilhante
garço: esverdeado
luzente: brilhante
retinto: de cor muito escura
Tupá: o mesmo que Tupã, divindade indígena suprema das etnias de língua tupi
vaga: onda

Eu vivo sozinha; ninguém me procura!
Acaso feitura
Não sou de Tupá?
Se algum dentre os homens de mim não se
　　　　　　　　　　　　　　　　[esconde
— "Tu és", me responde,
"Tu és Marabá!"

Meus olhos são garços, são cor das safiras,
Têm luz das estrelas, têm meigo brilhar;

Imitam as nuvens de um céu anilado,
As cores imitam das vagas do mar!

Se algum dos guerreiros não foge a meus
　　　　　　　　　　　　　　　　[passos:
— "Teus olhos são garços",
Responde anojado, "mas és Marabá:
"Quero antes uns olhos bem pretos, luzentes,
"Uns olhos fulgentes,
"Bem pretos, retintos, não cor d'anajá!"

DIAS, Gonçalves. *Poesia*. 8. ed. Rio de Janeiro: Agir, 1977. p. 54.

No poema, Gonçalves Dias usou o eu lírico feminino e uniu dois dos principais temas de sua poética: a **frustração amorosa** e o **indianismo**. Dois ideais de beleza se contrapõem: de um lado, o ideal europeu (a moça tem olhos esverdeados); de outro, o ideal indígena (o rapaz prefere olhos bem negros, como é típico de seu povo).

› Lírica contida

Gonçalves Dias é reconhecido como um grande **poeta lírico**. Suas composições são marcadas pela **melancolia** e pela **saudade**, como se nota no fragmento abaixo de "Ainda uma vez, adeus!", poema que trata do reencontro inesperado de namorados após anos de separação.

Mas que tens? Não me conheces?
De mim afastas teu rosto?
Pois tanto pôde o desgosto
Transformar o rosto meu?
Sei a aflição quanto pode,
Sei quanto ela desfigura,
E eu não vivi na ventura...
Olha-me bem, que sou eu!

Nenhuma voz me diriges! ...
Julgas-te acaso ofendida?
Deste-me amor, e a vida
Que ma darias – bem sei;
Mas lembrem-te aqueles feros
Corações que se meteram
Entre nós; e se venceram,
Mal sabes quanto lutei!

DIAS, Gonçalves. *Poesia*. 8. ed. Rio de Janeiro: Agir, 1977. p. 61.

■ Margens do texto

1. Com quem fala o eu lírico nesse poema?
2. Os fatos que motivaram a ruptura do relacionamento estavam claros para ambos? Explique.

O poeta produz uma poesia mais equilibrada e, nesse sentido, mais **clássica**. Assim, mesmo quando seu tema é a desilusão amorosa, o êxtase religioso ou a morte, seus poemas raramente expressam um sentimentalismo espontâneo e exagerado. Em seu lugar, buscam a palavra precisa e a imaginação contida, características que revelam a influência de autores portugueses, como Almeida Garrett e Alexandre Herculano, ambos com formação neoclássica.

› Inovação e técnica

O **domínio da língua portuguesa** e a **capacidade técnica** destacam Gonçalves Dias dentre os poetas nacionais. Observe estes fragmentos. O primeiro, a seguir, extraído de "O canto do Piaga", traz o alerta de um sacerdote indígena que prevê a chegada dos brancos.

Ó Guerreiros da Taba sagrada,
Ó Guerreiros da Tribo Tupi,
Falam Deuses nos cantos do Piaga,
Ó Guerreiros, meus cantos ouvi.

Esta noite – era a lua já morta –
Anhangá me vedava sonhar;
Eis na horrível caverna, que habito,
Rouca voz começou-me a chamar.

DIAS, Gonçalves. *Poesia*. 8. ed. Rio de Janeiro: Agir, 1977. p. 45.

Vocabulário de apoio

fero: violento, cruel
ma: contração dos pronomes *me* e *a*
ventura: fortuna, felicidade

Vocabulário de apoio

anhangá: gênio do mal, na cultura indígena
piaga: sacerdote indígena
taba: aldeia indígena
vedar: impedir

Nessas duas estrofes, todos os versos possuem nove sílabas poéticas. Além disso, os acentos tônicos recaem sempre na terceira, na sexta e na nona sílabas, criando um ritmo bem cadenciado. Como o poema trata de uma premonição do sacerdote da tribo, o ritmo repetitivo diferencia a fala deste do discurso comum, atribuindo a suas palavras um valor mágico, religioso.

Este segundo trecho, extraído da obra *Sextilhas de Frei Antão*, retoma um conteúdo medieval:

Bom tempo foy o d'outr'ora
Quando o reyno era christão,
Quando nas guerras de mouros
Era o rey nosso pendão,
Quando as donas consumião
Seos teres em devação.
[...]

DIAS, Gonçalves. *Poesia*. 8. ed. Rio de Janeiro: Agir, 1977. p. 195.

Vocabulário de apoio

devação: devoção, veneração
mouro: indivíduo originário do Norte da África que seguia a religião islâmica
pendão: bandeira, guia
ter: bem, posse

A impressão de que se trata de uma obra medieval surge da forma arcaica como as palavras estão grafadas e das referências históricas: luta de cristãos e mouros; presença do rei. O poema trata da saudade dos tempos antigos, aos quais retrocede pela própria forma de escrita.

Note-se que, tanto em um trecho quanto em outro, a linguagem ajusta-se ao conteúdo. O ritmo cadenciado do primeiro expressa o solene alerta feito pelo eu lírico. Já a linguagem do segundo remete ao quadro histórico tratado. Gonçalves Dias testou estruturas e ritmos diversos, sempre procurando associá-los aos fatos narrados ou aos estados psicológicos que pretendia expressar.

Sua leitura

Leia a seguir dois textos de Gonçalves Dias. O texto 1 é um fragmento do poema dramático "I-Juca Pirama". Nele, um pai recrimina o filho por implorar pela liberdade diante da morte, ato indigno para a cultura indígena. O rapaz, no entanto, não queria deixar desamparado o pai cego e fraco. O texto 2, "Olhos verdes", é um exemplar da lírica amorosa de Gonçalves Dias.

Texto 1

I-Juca Pirama – Parte VIII

Tu choraste em presença da morte?
Na presença de estranhos choraste?
Não descende o cobarde do forte;
Pois choraste, meu filho não és!
Possas tu, descendente maldito
De uma tribo de nobres guerreiros,
Implorando cruéis forasteiros,
Seres presa de vis Aimorés.

Possas tu, isolado na terra,
Sem arrimo e sem pátria vagando,
Rejeitado da morte na guerra,
Rejeitado dos homens na paz,
Ser das gentes o espectro execrado;
Não encontres amor nas mulheres,
Teus amigos, se amigos tiveres,
Tenham alma inconstante e falaz!

Não encontres doçura no dia,
Nem as cores da aurora te ameiguem,
E entre as larvas da noite sombria
Nunca possas descanso gozar:
Não encontres um tronco, uma pedra,
Posta ao sol, posta às chuvas e aos ventos,
Padecendo os maiores tormentos,
Onde possas a fronte pousar.

Que a teus passos a relva se torre;
Murchem prados, a flor desfaleça,
E o regato que límpido corre,
Mais te acenda o vesano furor;
Suas águas depressa se tornem,
Ao contacto dos lábios sedentos,
Lago impuro de vermes nojentos,
Donde fujas com asco e terror!

Sempre o céu, como um teto incendido,
Creste e punja teus membros malditos
E oceano de pó denegrido
Seja a terra ao ignavo tupi!
Miserável, faminto, sedento,
Manitôs lhe não falem nos sonhos,
E do horror os espectros medonhos
Traga sempre o cobarde após si.

Um amigo não tenhas piedoso
Que o teu corpo na terra embalsame,
Pondo em vaso d'argila cuidoso
Arco e frecha e tacape a teus pés!
Sê maldito, e sozinho na terra;
Pois que a tanta vileza chegaste,
Que em presença da morte choraste,
Tu, cobarde, meu filho não és.

DIAS, Gonçalves. *Poesia*. 8. ed. Rio de Janeiro: Agir, 1977. p. 40-42.

Vocabulário de apoio

arrimo: apoio
crestar: queimar
desfalecer: enfraquecer, morrer
espectro: fantasma
execrado: odiado
falaz: traiçoeiro
furor: fúria extrema
ignavo: covarde
incendido: ardente
manitô: divindade indígena
pungir: ferir
tacape: um tipo de arma indígena
vesano: louco
vil: desprezível
vileza: indignidade

Mariana Coan/ID/BR

Sobre o texto

1. Nesse fragmento, o pai, envergonhado, lança sobre o filho uma terrível maldição.
   a) Transcreva os versos da primeira estrofe que explicitam a diferença entre pai e filho.
   b) Segundo a tradição indígena, por que o pai sente vergonha do filho?
   c) Considerando essa tradição, explique como deve ser entendido o verso "Na presença de estranhos choraste?".

2. O pai evoca infortúnios a serem vividos pelo filho. Explique, com outras palavras, quais são os castigos mencionados ao longo do poema.

3. O trabalho com o ritmo é fundamental para a criação de uma atmosfera psicológica condizente com a cena.
   a) Divida os versos em sílabas poéticas e indique a posição de suas sílabas tônicas.
   b) Qual é o efeito produzido por esse ritmo?

4. Com base na leitura desse fragmento de "I-Juca Pirama", explique o comentário do crítico Antonio Candido, transcrito a seguir, acerca do indianismo de Gonçalves Dias.

> Como poeta, [...] ele procura nos comunicar uma visão geral do índio, por meio de cenas ou feitos ligados à vida de um índio qualquer, cuja identidade é puramente convencional e apenas funciona como padrão. [...]
>
> CANDIDO, Antonio. *Formação da literatura brasileira*. 8. ed. Belo Horizonte: Itatiaia, 1997. v. 2. p. 73.

Texto 2

Olhos verdes

Eles verdes são:
E têm por usança,
Na cor esperança,
E nas obras não.
Camões, *Rimas*

São uns olhos verdes, verdes,
Uns olhos de verde-mar,
Quando o tempo vai bonança;
Uns olhos cor de esperança,
Uns olhos por que morri;
    Que ai de mi!
Nem já sei qual fiquei sendo
    Depois que os vi!

Como duas esmeraldas,
Iguais na forma e na cor,
Têm luz mais branda e mais forte,
Diz uma – vida, outra – morte;
Uma – loucura, outra – amor.
    Mas ai de mi!
Nem já sei qual fiquei sendo
    Depois que os vi!

São verdes da cor do prado,
Exprimem qualquer paixão,
Tão facilmente se inflamam,
Tão meigamente derramam
Fogo e luz do coração;
    Mas ai de mi!
Nem já sei qual fiquei sendo
    Depois que os vi!

São uns olhos verdes, verdes,
Que podem também brilhar;
Não são de um verde embaçado,
Mas verdes da cor do prado,
Mas verdes da cor do mar.
    Mas ai de mi!
Nem já sei qual fiquei sendo
    Depois que os vi!

Como se lê num espelho,
Pude ler nos olhos seus!
Os olhos mostram a alma,
Que as ondas postas em calma
Também refletem os céus;
    Mas ai de mi!
Nem já sei qual fiquei sendo
    Depois que os vi!

Dizei vós, ó meus amigos,
Se vos perguntam por mi,
Que eu vivo só da lembrança
De uns olhos cor de esperança,
De uns olhos verdes que vi!
    Que ai de mi!
Nem já sei qual fiquei sendo
    Depois que os vi!

Dizei vós: Triste do bardo!
Deixou-se de amor finar!
Viu uns olhos verdes, verdes,
Uns olhos da cor do mar:
Eram verdes sem esp'rança,
Davam amor sem amar!
Dizei-o vós, meus amigos,
    Que ai de mi!
Não pertenço mais à vida
    Depois que os vi!

Dias, Gonçalves. *Poesia*. 8. ed. Rio de Janeiro: Agir, 1977. p. 49-51.

Sobre o texto

1. Nesse poema, os "olhos verdes" podem ser vistos como uma metonímia da amada. Que efeito eles exercem sobre o eu lírico? Explique.
2. Qual é a concepção de amor apresentada no poema?
3. Em "Olhos verdes", a epígrafe (fragmento que pode servir de mote para o poeta) é de um texto de Camões.
    a) Explique, com suas palavras, o que diz o fragmento camoniano.
    b) Transcreva no caderno os versos da última estrofe que retomam diretamente a epígrafe.
4. A lírica de Gonçalves Dias retoma a tradição das cantigas de amor medievais. Que características da estrutura da cantiga de amor estão presentes no poema?
5. O poeta romântico costuma ser identificado por um espírito rebelde, criativo e inovador. Nota-se, no entanto, que Gonçalves Dias apresenta influências de alguns autores de formação neoclássica. Há incoerência nesse comportamento? Por quê?

Vocabulário de apoio

bardo: poeta
bonança: tempo calmo, com mar tranquilo
finar: morrer

Lembre-se

Metonímia é uma figura de linguagem em que uma parte, isolada do todo a que pertence, é capaz de representá-lo simbólica e inteiramente.

O que você pensa disto?

Vimos, no poema "I-Juca Pirama", a decepção de um pai em relação ao filho. Na cultura indígena, os jovens deveriam manter a honra da família e perpetuar a fama de bravos guerreiros de seus ancestrais.

- Existe essa expectativa em nossa sociedade? Os pais esperam que os filhos deem continuidade às suas tradições e aos seus valores?

Apresentação de *taiko* no Rio de Janeiro (RJ), com tambores típicos japoneses, em homenagem às vítimas de terremoto no Japão. A tradição do *taiko* é preservada há várias gerações. Fotografia de 2011.

CAPÍTULO 23

Casimiro de Abreu, Álvares de Azevedo e Fagundes Varela: o individualismo extremado

O que você vai estudar

- A segunda geração romântica: o ultrarromantismo.
- Casimiro de Abreu: recordação de vivências pessoais.
- Álvares de Azevedo: da convenção à transgressão.
- Fagundes Varela: vida problemática e temas sociais.

FRIEDRICH, Caspar David. *Lua nascendo sobre o mar*, 1822. Óleo sobre tela, 55 cm × 71 cm. Antiga Galeria Nacional, Berlim, Alemanha.

Nessa tela, três pessoas observam o entardecer. O momento de transição do dia para a noite representa uma nova experiência pessoal e social. Friedrich (1774-1840) convida o espectador a fruir do mesmo ponto de vista das personagens, absortas pela imensidão do Universo. O ato de sentir o mundo é uma constante na poesia romântica da segunda geração, carregada de subjetividade.

Este capítulo aborda a segunda geração romântica, também chamada **ultrarromântica** ou **byroniana**. Os poetas dessa geração cultivaram o **mal do século**, sentimento de tédio e desilusão que os levava ao desejo de morte, assim como à fuga para a infância e para a natureza. A representação da mulher era ambígua, associando sexualização e idealização. O individualismo extremado tendia ora ao confessionalismo, ora ao sarcasmo.

> Casimiro de Abreu: ingenuidade e memória

Casimiro de Abreu (1839-1860) é um dos poetas mais populares do Romantismo em língua portuguesa. A linguagem fácil e a qualidade musical de sua obra são as principais causas disso.

Leia um trecho do poema "Amor e medo", um dos mais conhecidos do escritor.

> [...]
> Oh! não me chames coração de gelo!
> Bem vês: traí-me no fatal segredo.
> Se de ti fujo é que te adoro e muito,
> És bela – eu moço; tens amor, eu – medo!...
> [...]
>
> ABREU, Casimiro de. *Poesia*. 4. ed. Rio de Janeiro: Agir, 1974. p. 65.

Carregado de erotismo, o poema trata o amor como um fato, e não como uma expectativa: a amada provoca o eu lírico, queixando-se de sua frieza; este, entretanto, confessa seu temor. A contradição entre desejo e medo sintetiza uma das questões mais relevantes para a geração ultrarromântica: o eu lírico ama intensamente, mas teme perder o controle e, assim, perverter a essência angelical da amada.

A complexidade alcançada nesse texto, entretanto, não se estende ao conjunto da produção de Casimiro de Abreu. Nela, diferentemente da obra dos demais ultrarromânticos, predominam amores mais palpáveis e uma melancolia muito mais sutil.

Também estão muito presentes em sua obra tanto o universo público da elite brasileira (os bailes, por exemplo) quanto as situações vividas na intimidade do lar. Mesmo ao tratar do tema "saudade da pátria", Casimiro de Abreu condicionou seu nacionalismo à recordação da infância e do convívio familiar. Abordou da mesma forma a natureza do país: para retratá-la, tomou como referência as paisagens dos lugares em que vivera.

Sua leitura

A fuga para a infância é um dos temas recorrentes do Romantismo. Leia, a seguir, a primeira parte do poema "No lar", de Casimiro de Abreu.

No lar

Terra da minha pátria, abre-me o seio
Na morte – ao menos ....
Garrett

I

Longe da pátria, sob um céu diverso
Onde o sol como aqui tanto não arde,
Chorei saudades do meu lar querido
– Ave sem ninho que suspira à tarde. –

No mar – de noite – solitário e triste
Fitando os lumes que no céu tremiam,
Ávido e louco nos meus sonhos d'alma
Folguei nos campos que meus olhos viam.

Era pátria e família e vida e tudo,
Glória, amores, mocidade e crença,
E, todo em choros, vim beijar as praias
Por que chorara nessa longa ausência.

Eis-me na pátria, no país das flores,
– O filho pródigo a seus lares volve,
E concertando as suas vestes rotas,
O seu passado com prazer revolve! –

Eis meu lar, minha casa, meus amores,
A terra onde nasci, meu teto amigo,
A gruta, a sombra, a solidão, o rio
Onde o amor me nasceu – cresceu comigo.

Os mesmos campos que eu deixei criança,
Árvores novas... tanta flor no prado!...
Oh! como és linda, minha terra d'alma,
– Noiva enfeitada para o seu noivado! –

Foi aqui, foi ali, além... mais longe,
Que eu sentei-me a chorar no fim do dia;
– Lá vejo o atalho que vai dar na várzea...
Lá o barranco por onde eu subia!...

Acho agora mais seca a cachoeira
Onde banhei-me no infantil cansaço...
– Como está velho o laranjal tamanho
Onde eu caçava o sanhaçu a laço!...

Como eu me lembro dos meus dias puros!
Nada m'esquece!... e esquecer quem há-de?...
– Cada pedra que eu palpo, ou tronco, ou folha,
Fala-me ainda dessa doce idade!

Eu me remoço recordando a infância,
E tanto a vida me palpita agora
Que eu dera oh! Deus! a mocidade inteira
Por um só dia do viver d'outrora!

E a casa?... as salas, estes móveis... tudo,
O crucifixo pendurado ao muro...
O quarto do oratório... a sala grande
Onde eu temia penetrar no escuro!...

E ali... naquele canto... o berço amado!
E minha mana, tão gentil, dormindo!
E mamãe a contar-me histórias lindas
Quando eu chorava e a beijava rindo!

Oh! primavera! oh! minha mãe querida!
Oh! mana! – anjinho que eu amei com ânsia –
Vinde ver-me, em soluços – de joelhos –
Beijando em choros este pó da infância!

ABREU, Casimiro de. *Poesia*. 4. ed. Rio de Janeiro: Agir, 1974. p. 30-32.

Veridiana Scarpelli/ID/BR

Vocabulário de apoio

ávido: ansioso, impaciente
concertar: pôr em ordem, harmonizar
filho pródigo: em parábola da Bíblia cristã, jovem que retorna arrependido à casa do pai após desperdiçar todos os seus bens
fitar: olhar fixamente
folgar: descansar
laço: armadilha para apanhar caça
lume: luz, brilho
palpar: apalpar, tocar
remoçar: tornar mais moço, rejuvenescer
roto: esfarrapado, rasgado
sanhaçu: pássaro com plumagem azulada ou esverdeada
volver: voltar, regressar

Sobre o texto

1. Como pode ser entendida a metáfora que encerra a primeira estrofe?

2. Nas quatro primeiras estrofes, o eu lírico ocupa dois espaços diferentes. Identifique-os e caracterize o estado de espírito do eu lírico relacionado a cada um deles.

3. Diante da paisagem de sua pátria, o eu lírico nota algumas mudanças.
   a) Transcreva dois versos em que isso se evidencia.
   b) Explique o que a percepção dessas mudanças sugere.

4. Quando Casimiro de Abreu publicou "No lar", o poema "Canção do exílio", que você leu na página 218, já era conhecido. Releia o poema de Gonçalves Dias e compare-o a "No lar".
   a) Os dois poemas referem-se ao mesmo tipo de paisagem? Justifique.
   b) O que diferencia o tipo de recordação dos dois exilados?

› Álvares de Azevedo: "medalha de duas faces"

Álvares de Azevedo (1831-1852) escreveu seu único livro de poemas – *Lira dos vinte anos* – quando cursava a Academia de Direito de São Paulo. A **dualidade entre idealismo e realismo** manifesta-se na organização do livro, descrito pelo autor como uma "medalha de duas faces".

A obra é composta de duas partes principais. A primeira, mais longa, contém temas mais comumente associados a Álvares de Azevedo: a atração pela morte (desdobrada em morbidez, tédio, pessimismo e autodestruição) e o erotismo reprimido pela culpa, ambos tratados de forma séria e exageradamente sentimental. Na segunda, poemas mais leves e irônicos, baseados na realidade e com humor, contrastam-se com os temas e o tom da primeira parte. Há uma terceira parte, complementar à primeira, inserida em edição posterior.

Apesar de ter cultivado o ultrarromantismo até o desgaste, algumas vezes recorrendo a fórmulas prontas, Álvares de Azevedo também se mostra consciente e crítico sobre essa tendência. Leia o que o poeta diz no prefácio da segunda parte de *Lira dos vinte anos*.

> Cuidado, leitor, ao voltar esta página! [...]
>
> A razão é simples. É que a unidade deste livro funda-se numa binomia. Duas almas que moram nas cavernas de um cérebro pouco mais ou menos de poeta escreveram este livro, verdadeira medalha de duas faces.
>
> Demais, perdoem-me os poetas do tempo, isto aqui é um tema, senão mais novo, menos esgotado ao menos que o sentimentalismo tão *fashionable* desde Werther e René.
>
> Por um espírito de contradição, quando os homens se veem inundados de páginas amorosas, preferem um conto de Boccaccio, uma caricatura de Rabelais, uma cena de Falstaff no *Henrique IV* de Shakespeare, um provérbio fantástico daquele *polisson* Alfredo de Musset, a todas as ternuras elegíacas dessa poesia de arremedo que anda na moda [...].
>
> AZEVEDO, Álvares de. *Lira dos vinte anos*. Porto Alegre: L&PM, 1998. p. 119.

Ciente de sua contradição, o poeta defende a necessidade de renovar a literatura. Note seu tom agressivo quando afirma haver uma "poesia de arremedo" dos autores sentimentais, como Goethe e Chateaubriand – autores de *Os sofrimentos do jovem Werther* e *René*, respectivamente. Como contraponto à maçante leitura dos ultrarromânticos, Álvares de Azevedo retoma uma poesia inspirada nas narrativas satíricas de Boccaccio, na ironia de Rabelais, nas cenas cômicas de Shakespeare e no humor cáustico de Alfredo de Musset. Para isso, aplica na segunda parte da *Lira dos vinte anos* o sarcasmo e o realismo no tratamento de seus temas.

Embora contenha uma queixa pessoal, o poema foge dos padrões da poesia pessimista e melancólica. Além de reverter os chavões românticos, o eu lírico substitui o tom melancólico pelo jocoso.

› Teatro: imaginação e denúncia social

A experiência de Álvares de Azevedo como dramaturgo deu-se com a escrita de *Macário*. O texto é teatral, mas se presta mais à leitura do que à encenação no palco porque não apresenta rubricas (instruções para a encenação).

■ Margens do texto

Pense na organização de *Lira dos vinte anos* e na posição ocupada por esse prefácio. Que efeito o alerta inicial causa no leitor? Por que sua inserção é coerente?

Vocabulário de apoio

arremedo: imitação malfeita
binomia: dualidade
elegíaco: lamentoso
fashionable: na moda (em inglês)
polisson: malicioso (em francês)

Vale saber

Lord Byron

Byron (1788-1824) foi um escritor britânico que exerceu grande influência sobre os jovens artistas e intelectuais do século XIX.

Desperdiçando dinheiro e atirando-se sem hesitar ao prazer e ao perigo, ele viveu concretamente o desregramento. Escandalizou a sociedade com seus envolvimentos amorosos e participou de vários movimentos revolucionários, até morrer na luta pela independência da Grécia.

Essas experiências pessoais intensas marcaram sua obra com rebeldia, pessimismo, irreverência e satanismo.

A peça é composta de dois episódios. No primeiro, o jovem Macário, em viagem para realizar seus estudos, encontra um estranho – que descobre ser Satã. Este o leva até São Paulo e lhe mostra os habitantes da cidade. O episódio termina quando Macário acorda em uma pensão e conclui ter sonhado com a viagem, mas logo nota marcas de pés de cabra no chão.

No segundo episódio, Macário e outros estudantes estão na Europa e mostram-se desiludidos na busca pelo amor puro. Penseroso, um dos estudantes mais melancólicos, comete suicídio. Antes disso, tem uma discussão com Macário acerca da produção artística brasileira. No desfecho, Satã leva Macário até uma taverna, onde o jovem ouvirá estranhas narrativas.

Nessa peça teatral, o ambiente, o assunto, o tom e as personagens (voltadas para os prazeres proibidos e vivendo na marginalidade) revelam a grande influência do ultrarromantismo de Byron e dos escritores da literatura de horror. Apesar do aspecto fantástico, contudo, a realidade impõe-se pela escolha do cenário: São Paulo, seus habitantes e costumes, mencionados geralmente sob uma perspectiva crítica.

O texto 1 é o poema "Soneto", em que é possível observar algumas das características mais frequentes da primeira e da terceira parte de *Lira dos vinte anos*.

O texto 2 é uma passagem extraída da primeira parte de *Macário*, em que Satã apresenta a cidade de São Paulo ao protagonista.

Sua leitura

Leia, atentamente, cada um dos textos de Álvares de Azevedo e responda às questões.

Texto 1

Soneto

Pálida à luz da lâmpada sombria,
Sobre o leito de flores reclinada,
Como a lua por noite embalsamada,
Entre as nuvens do amor ela dormia!

Era a virgem do mar, na escuma fria
Pela maré das águas embalada!
Era um anjo entre nuvens d'alvorada
Que em sonhos se banhava e se esquecia!

Era mais bela! o seio palpitando
Negros olhos as pálpebras abrindo
Formas nuas no leito resvalando

Não te rias de mim, meu anjo lindo!
Por ti – as noites eu velei chorando,
Por ti – nos sonhos morrerei sorrindo!

AZEVEDO, Álvares de. *Lira dos vinte anos*. Porto Alegre: L&PM, 1998. p. 64.

Vocabulário de apoio

embalsamar: impregnar de aromas
escuma: espuma
resvalar: deslizar, tocar levemente
velar: passar [a noite] acordado

Sobre o texto

1. A forma como a amada é apresentada em determinados cenários do poema contribui para sua caracterização.
   a) Imagine a cena descrita na primeira estrofe. Que adjetivos você usaria para qualificar a moça nesse cenário? Justifique.
   b) Nessa estrofe, a ênfase em uma cor também contribui para a caracterização da amada. Identifique que cor é essa, que termos a sugerem e a que sentidos ela se associa.

2. A atmosfera do poema sofre uma alteração no primeiro terceto. O que muda?

243

Texto 2

MACÁRIO

Mas, como dizias, as mulheres...

SATÃ

Debaixo do pano luzidio da mantilha, entre a renda do véu, com suas faces cor-de-rosa, olhos e cabelos pretos (e que olhos e que longos cabelos!) são bonitas. Demais, são beatas como uma bisavó; e sabem a arte moderna de entremear uma Ave-Maria com um namoro; e soltando uma conta do rosário lançar uma olhadela.

MACÁRIO

Oh! a mantilha acetinada! os olhares de Andaluza! e a tez fresca como uma rosa! os olhos negros, muito negros, entre o véu de seda dos cílios. Apertá-las ao seio com seus ais, seus suspiros, suas orações entrecortadas de soluços! Beijar-lhes o seio palpitante e a cruz que se agita no seu colo! Apertar-lhes a cintura, e sufocar-lhes nos lábios uma oração! Deve ser delicioso!

SATÃ

Tá! tá! tá! – Que ladainha! parece que já estás enamorado, meu Dom Quixote, antes de ver as Dulcineias.

MACÁRIO

Que boa terra! É o Paraíso de Mafoma!

SATÃ

Mas as moças poucas vezes têm bons dentes. A cidade colocada na montanha, envolta de várzeas relvosas tem ladeiras íngremes e ruas péssimas.

É raro o minuto em que não se esbarra a gente com um burro ou com um padre. Um médico que ali viveu e morreu deixou escrito numa obra inédita, que para sua desgraça o mundo não há de ler, que a virgindade era uma ilusão. E contudo, não há em parte alguma mulheres que tenham sido mais vezes virgens que ali.

MACÁRIO

Tem-se-me contado muito bonitas histórias. Dizem na minha terra que aí, à noite, as moças procuram os mancebos, que lhes batem à porta, e na rua os puxam pelo capote. Deve ser delicioso! Quanto a mim, quadra-me essa vida excelentemente, nem mais nem menos que um Sultão escolherei entre essas belezas vagabundas a mais bela. Aplicarei contudo o ecletismo no amor. Hoje uma, amanhã outra: experimentarei todas as taças. A mais doce embriaguez é a que resulta da mistura dos vinhos.

SATÃ

A única que tu ganharás será nojenta. Aquelas mulheres são repulsivas. O rosto é macio, os olhos lânguidos, o seio morno... Mas o corpo é imundo. Têm uma lepra que ocultam num sorriso. Bufarinheiras de infâmia dão em troco do gozo o veneno da sífilis. Antes amar uma lazarenta!

AZEVEDO, Álvares de. *Macário, Noite na taverna*. São Paulo: Globo, 2007. p. 42-43.

Sobre o texto

1. Satã distingue dois tipos de mulheres que moram em São Paulo.
   a) Caracterize cada tipo.
   b) O que é comum a ambas?

2. Releia as falas de Macário.
   a) Que tema se repete em todas elas e o que essa repetição sugere?
   b) A segunda fala de Macário aproxima a sexualidade e o sagrado. Que efeito essa aproximação produz?
   c) É correto dizer que Satã apoia Macário em suas intenções? Justifique.

3. Observe o chiste (gracejo) produzido por esta frase: "É raro o minuto em que não se esbarra a gente com um burro ou com um padre". Explique de que modo a frase pode ser interpretada e como o efeito de chiste foi produzido.

Vocabulário de apoio

acetinado: macio e brilhante

andaluz: habitante da Andaluzia, sul da Espanha

beata: mulher muito dedicada à religião católica

bufarinheiro: vendedor ambulante de quinquilharias

capote: capa

conta: pequena peça esférica que compõe o rosário

Dulcineia: musa imaginária da personagem Dom Quixote

ecletismo: capacidade de variar

entremear: intercalar

ladainha: falação, lenga-lenga

lazarento: aquele que tem lepra

lepra: nome popular da hanseníase, doença infecciosa

luzidio: lustroso

Mafoma: Maomé

mancebo: moço

mantilha: véu feminino

quadrar: encaixar, combinar

relvoso: coberto de relva

rosário: instrumento do catolicismo para oração composto de três terços

sífilis: doença sexualmente transmissível

> ### *Noite na taverna*: byronismo brasileiro

Na obra em prosa *Noite na taverna*, mais do que em seus poemas, Álvares de Azevedo filia-se à escola de Byron.

A narrativa busca despertar espanto no leitor. Um clima de vício e de descontrole, com assassinatos, incesto, canibalismo, necrofilia e loucura, que são praticados em ambientes corrompidos e povoados por figuras fantasmagóricas. O amor romântico permanece como referência indireta – está, por exemplo, na menção à beleza e à pureza da defunta –, mas se associa ao prazer desmedido e à morte, além de aparecer como justificativa das ações criminosas.

A obra é composta de sete capítulos. No primeiro, um narrador em terceira pessoa apresenta o cenário (uma taverna) e as personagens (jovens embriagados dispostos a contar histórias sanguinolentas).

Esse narrador aparece pouco nos capítulos seguintes; apenas introduz diálogos, pontua o estado psicológico das personagens ou acrescenta dados relativos ao tempo e ao espaço. Assim, a voz narrativa é transferida para as outras personagens: cada um dos jovens narra lembranças do passado, com conteúdo macabro e chocante, revelando personalidades ensandecidas.

Noite na taverna é considerado o melhor exemplo do **horror na literatura brasileira** e, independentemente dos exageros, desperta o interesse dos leitores pela força imaginativa e pela apropriação dos modelos da arte europeia. É possível perceber isso no fragmento a seguir, narrado pela personagem Bertram.

Bertram amava Ângela, mas teve de partir para a Dinamarca. Quando voltou para a Espanha, encontrou-a casada e com um filho. Mas o amor de ambos permanecia intenso. Um dia, o marido traído descobriu tudo, levando Ângela a cometer uma transgressão.

Leia o trecho pertencente ao terceiro capítulo de *Noite na taverna*.

Era alta noite: eu esperava ver passar nas cortinas brancas a sombra do anjo. Quando passei, uma voz chamou-me. Entrei – Ângela com os pés nus, o vestido solto, o cabelo desgrenhado e os olhos ardentes tomou-me pela mão... Senti-lhe a mão úmida... Era escura a escada que subimos: passei a minha mão molhada pela dela por meus lábios. – Tinha saibo de sangue.

— Sangue, Ângela! De quem é esse sangue?

A espanhola sacudiu seus longos cabelos negros e riu-se.

Entramos numa sala. Ela foi buscar uma luz, e deixou-me no escuro.

Procurei, tateando, um lugar para assentar-me: toquei numa mesa. Mas ao passar-lhe a mão senti-a banhada de umidade; além senti uma cabeça fria como neve e molhada de um líquido espesso e meio coagulado. Era sangue...

Quando Ângela veio com a luz, eu vi... Era horrível. O marido estava degolado.

Era uma estátua de gesso lavada em sangue... Sobre o peito do assassinado estava uma criança de bruços. Ela ergueu-a pelos cabelos... Estava morta também: o sangue que corria das veias rotas de seu peito se misturava com o do pai!

— Vês, Bertram, esse era o meu presente: agora será, negro embora, um sonho do meu passado. Sou tua e tua só. Foi por ti que tive força bastante para tanto crime... Vem, tudo está pronto, fujamos. A nós o futuro!

AZEVEDO, Álvares de. *Noite na taverna*. 2. ed. São Paulo: Nova Alexandria, 1997. p. 28-30.

> **Repertório**
>
> ### O gótico e a literatura de horror
>
> O termo *gótico*, na literatura, dá nome a uma vertente da prosa ficcional surgida na Inglaterra no final do século XVIII. Voltada a eliminar as fronteiras entre real e imaginário, a literatura gótica cria um universo demonizado e misterioso. Depois, essa vertente incorporou outros motivos – vícios, violência, sexualidade transgressora e loucura – e mudou o foco para a experiência do terror diante do desconhecido, classificando-se como "literatura de horror".
>
>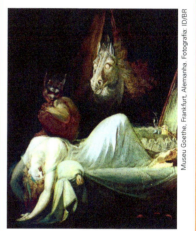
>
> FUSELI, Henry. *O pesadelo*, c. 1781. Óleo sobre tela, 101,6 cm × 127 cm. Museu Goethe, Frankfurt, Alemanha.
>
> Nessa tela, a figura de uma mulher dormindo e as imagens que ela vê em seu pesadelo são observadas simultaneamente, expressando a fusão entre realidade e imaginação.

Vocabulário de apoio

desgrenhado: não penteado
roto: que se rompeu; esburacado
saibo: sabor, em geral desagradável

❯ Fagundes Varela: poeta maldito

Fagundes Varela (1841-1875) viveu concretamente a experiência do "poeta maldito": artista socialmente deslocado, que procura em vão elevar a alma pela poesia e expandir a sensibilidade de seus contemporâneos. Essa condição explica inúmeros **conflitos** traduzidos em sua poética, entre eles a oposição entre o campo e a cidade, vista nas estrofes finais do poema a seguir.

A roça

[...]
Voto horror às grandezas do mundo,
Mar coberto de horríveis parcéis,
Vejo as pompas e galas da vida
De um cendal de poeira através.

[...]
Mas um gênio impiedoso me arrasta,
Me arremessa do vulgo ao vaivém,
E eu soluço nas ondas olhando
Minhas serras queridas além!

VARELA, Fagundes. *Poemas de Fagundes Varela*. São Paulo: Cultrix, 1982. p. 92-93.

Vocabulário de apoio

cendal: cortina
parcel: recife
vulgo: povo

O eu lírico sofre por estar dividido entre os prazeres urbanos, considerados deploráveis por ele, e o espaço natural, que o tranquiliza. Frequentemente, ao recorrer à fuga para a natureza acolhedora, espelho do divino, Varela mostrou sua incompatibilidade com a vida em sociedade.

Em alguns poemas, no entanto, o conflito interior é substituído por passagens mais realistas. O poema "Mimosa", por exemplo, aproxima-se da temática do amor efetivamente concretizado, oposto ao amor idealizado da segunda geração romântica. O poeta também manifestou preocupação com a temática social em poemas voltados às campanhas abolicionista e republicana.

A tendência ao realismo, contudo, não predomina no conjunto dos textos, sendo superada pela **poesia egocêntrica**, marcada pela forte melancolia e pelo desejo de morte. Mesmo poemas críticos, que denunciam as hipocrisias do trato social, como "A roça", têm um viés subjetivo, isto é, apontam para o **eu**.

A trajetória pessoal de excentricidades, errância e alcoolismo contribuiu para reforçar a sensação de mal-estar transmitida em seus poemas. De todas as experiências dolorosas transformadas em material de poesia, a mais significativa parece ter sido a do falecimento, ainda bebê, do primeiro filho do escritor. Para ele, Varela compôs este poema.

Cântico do calvário

Eras na vida a pomba predileta
Que sobre um mar de angústias conduzia
O ramo da esperança. – Eras a estrela
Que entre as névoas do inverno cintilava
Apontando o caminho ao pegureiro.
Eras a messe de um dourado estio.
Eras o idílio de um amor sublime.

Eras a glória, – a inspiração, – a pátria,
O porvir de teu pai! – Ah! no entanto,
Pomba, – varou-te a flecha do destino!
Astro, – engoliu-te o temporal do norte!
Teto – caíste! – Crença, já não vives!
[...]

VARELA, Fagundes. *Poemas de Fagundes Varela*. São Paulo: Cultrix, 1982. p. 67-68.

■ Margens do texto

Considerando as metáforas empregadas no poema, explique o valor da criança para o eu lírico.

Vocabulário de apoio

estio: verão
idílio: ilusão; poema curto
messe: colheita
pegureiro: pastor
porvir: futuro
varar: penetrar, atravessar

Essa canção fúnebre é construída pelo acúmulo de imagens poéticas criadas com o intuito de evidenciar um eu interior despedaçado. O poema se estende por 168 versos e se encerra com certa positividade: a certeza do voo do filho para junto de Deus devolve ao eu lírico a vontade de viver para resgatar a própria alma.

Fone de ouvido

Robert Schumann

O compositor alemão Robert Schumann (1810-1856) foi um dos artistas que melhor representou o espírito romântico. Suas composições trazem tanto o aspecto idílico quanto o satânico e pessimista. Uma das grandes fontes de inspiração de Schumann foram os autores da literatura romântica, como Byron, cujo poema dramático *Manfred* foi tema de uma peça musical do compositor.

Litografia representando Robert Schumann.

Sua leitura

O poema "Noturno" tem traços marcantes do ultrarromantismo de Fagundes Varela. Leia-o e responda às questões.

Noturno

Minh'alma é como um deserto
Por onde o romeiro incerto
Procura uma sombra em vão;
É como a ilha maldita
Que sobre as vagas palpita
Queimada por um vulcão!

Minh'alma é como a serpente
Que se torce ébria e demente
De vivas chamas no meio;
É como a doida que dança
Sem mesmo guardar lembrança
Do cancro que rói-lhe o seio!

Minh'alma é como o rochedo
Donde o abutre e o corvo tredo
Motejam dos vendavais;
Coberto de atros matizes,
Lavrado das cicatrizes
Do raio, nos temporais!

Nem uma luz de esperança,
Nem um sopro de bonança
Na fronte sinto passar!
Os invernos me despiram,
E as ilusões que fugiram
Nunca mais hão de voltar!

Tombam as selvas frondosas,
Cantam as aves mimosas
As nênias da viuvez;
Tudo, tudo, vai finando,
Mas eu pergunto chorando:
Quando será minha vez?

No véu etéreo, os planetas,
No casulo as borboletas
Gozam da calma final;
Porém meus olhos cansados
São, a mirar, condenados
Dos seres o funeral!

Quero morrer! Este mundo
Com seu sarcasmo profundo
Manchou-me de lodo e fel!
Minha esperança esvaiu-se,
Meu talento consumiu-se
Dos martírios ao tropel!

Quero morrer! Não é crime
O fardo que me comprime,
Dos ombros, lançá-lo ao chão;
Do pó desprender-me rindo
E as asas brancas abrindo
Perder-me pela amplidão!

Vem, oh! Morte! A turba imunda
Em sua ilusão profunda
Te odeia, te calunia,
Pobre noiva tão formosa
Que nos espera amorosa
No termo da romaria!

Virgens, anjos e crianças
Coroadas de esperanças
Dobram a fronte a teus pés!
Os vivos vão repousando!
E tu me deixas chorando!
Quando virá minha vez?

Minh'alma é como um deserto
Por onde o romeiro incerto
Procura uma sombra em vão;
É como a ilha maldita
Que sobre as vagas palpita
Queimada por um vulcão!

VARELA, Fagundes. *Melhores poemas*. São Paulo: Global, 2005. p. 71-74.

Vocabulário de apoio

atro: sombrio
cancro: câncer
ébrio: embriagado; extasiado
esvair: evaporar, desaparecer
etéreo: sublime, divino
fel: amargor, rancor
finar: morrer
frondoso: denso, com muitas folhas e ramos
lavrado: esculpido
matiz: gradação de uma ou mais cores
motejar: zombar
nênia: canto fúnebre
romeiro: andarilho
termo: término, fim
tredo: traiçoeiro
tropel: movimento desordenado
turba: multidão
vaga: onda

Sobre o texto

1. Nas três estrofes iniciais de "Noturno", o eu lírico descreve seu estado de espírito.
   a) O que as imagens usadas na descrição sugerem quanto a esse estado?
   b) Identifique a figura de linguagem empregada na construção dessas imagens e o efeito obtido por esse recurso estilístico.

2. "Noturno" tematiza a incompatibilidade entre o sujeito e o mundo.
   a) Qual é, segundo o eu lírico, o efeito do mundo sobre ele?
   b) Como o tratamento dado ao tema da morte contribui para afirmar essa incompatibilidade?

3. Identifique, na oitava e na nona estrofes, os termos usados pelo eu lírico para se referir à vida. O que essa associação revela sobre a visão de mundo dele?

O que você pensa disto?

Em *Macário*, de Álvares de Azevedo, a personagem Satã destaca alguns aspectos negativos de São Paulo. Recorde o que você sabe sobre essa ou outra grande cidade. Valem tanto experiências como morador quanto informações obtidas em uma viagem, ou por meio de notícias.

- Que aspectos "infernais" um "Satã" de hoje poderia apontar nas grandes cidades? Comente-os.

Congestionamento em São Paulo (SP). Fotografia de 2012.

CAPÍTULO 24

Castro Alves: a superação do egocentrismo

O que você vai estudar

- Poesia social: emocionalismo e grandiosidade.
- Poesia amorosa: contato físico dos amantes.

DEBRET, Jean-Baptiste. *Loja de rapé*, 1823. Aquarela sobre papel.

Nessa aquarela, pintada por Debret (1768-1848), veem-se escravos urbanos presos por correntes e gargalheiras, semelhantes a coleiras de ferro. Na literatura romântica, o indígena herói e livre prestou-se à idealização ficcional. Já o negro, ligado ao trabalho e à submissão, ficou longe da pena dos escritores, apenas obtendo alguma atenção nas últimas décadas do século XIX.

> O canto dos aflitos

Castro Alves (1847-1871) é considerado o maior nome da **poesia social romântica**, também conhecida como **poesia condoreira**. Escreveu em uma época de transformações sociais, quando o Império mostrava sinais de decadência e já havia campanhas que atraíam a juventude acadêmica para a causa republicana e abolicionista.

O poeta tratou das questões nacionais com uma **postura crítica**, distante do nacionalismo ufanista, como demonstra este fragmento de poema.

Vocabulário de apoio

cativo: homem escravizado
discorde: incompatível; desafinado
retinir: produzir som metálico
soberbo: grandioso
vil: miserável

Ao romper d'alva

[...]
Oh! Deus! não ouves d'entre a imensa orquestra
Que a natureza virgem manda em festa
  Soberba, senhoril

Um grito que soluça, aflito, vivo,
O retinir dos ferros do cativo,
  Um som discorde e vil?
[...]

ALVES, Castro. *Os escravos*. São Paulo: Martins, 1972. p. 19-20.

O texto dá à natureza um tratamento diferente do concedido pelos primeiros românticos, pois a crítica à escravidão é feita justamente pelo confronto entre os sons próprios da natureza festiva e os sons associados à condição servil do negro (gritos e ruídos de ferros). Um poema como esse revelava um lado nada glorioso do país que, até então, havia sido ignorado pelo movimento romântico.

Entre os temas sociais abordados por Castro Alves, o mais importante foi a **denúncia da escravidão**, que lhe valeu o epíteto (a qualificação) de "Poeta dos Escravos". O autor fez do negro seu protagonista e mudou a orientação do Romantismo: em vez de mostrar o escritor voltado para si mesmo, mostrou-o atento ao mundo e combatendo suas injustiças.

> Poesia social: comover para persuadir

Influenciado pelo poeta francês Victor Hugo, Castro Alves escreveu uma poesia que pretendia sensibilizar o leitor para a questão do trabalho escravo, preferindo persuadir com base na **emoção** a convencer pela argumentação. Seus poemas retratam a natureza humana do negro escravizado, realidade até então ignorada.

A linguagem utilizada por Castro Alves tem um tom grandioso e emocional, adequado à declamação persuasiva e envolvente em espaços públicos – em geral, os poemas eram apresentados em locais como praças e teatros. Experimente ler em voz alta as estrofes do poema reproduzido abaixo.

> **Margens do texto**
>
> Castro Alves costuma se valer de inversões para construir seus versos. Coloque os versos sétimo e oitavo na ordem direta e explique a comparação ali presente.

Vozes d'África

Deus! ó Deus! onde estás que não respondes?
Em que mundo, em qu'estrela tu t'escondes
   Embuçado nos céus?
Há dois mil anos te mandei meu grito,
Que embalde desde então corre o infinito...
   Onde estás, Senhor Deus?...

Qual Prometeu tu me amarraste um dia
Do deserto na rubra penedia
   — Infinito: galé!...
Por abutre – me deste o sol candente,
E a terra de Suez – foi a corrente
   Que me ligaste ao pé...
[...]

ALVES, Castro. *Poesia*. 5. ed. Rio de Janeiro: Agir, 1977. p. 87-88.

Vocabulário de apoio

candente: ardente; quente como brasa
embalde: em vão, inutilmente
embuçado: oculto
galé: um tipo de embarcação; indivíduo condenado a remar nessa embarcação
penedia: rocha grande
Prometeu: na mitologia grega, semideus que roubou o fogo dos deuses para levá-lo aos humanos e, como castigo, foi acorrentado a um rochedo onde todos os dias um abutre devorava seu fígado, que se regenerava diariamente
rubro: vermelho intenso
terra de Suez: região do canal de Suez, no Norte da África

O poema pede do leitor um tom vibrante para dar voz ao continente africano, que reclama a reparação da injustiça e o fim dos crimes contra seu povo. As metáforas e comparações, acompanhadas do apelo inicial dirigido a Deus, tornam o texto sonoramente impactante. O abundante emprego de **figuras de linguagem** é uma das marcas da poesia social de Castro Alves.

> Poesia amorosa: superação das convenções

Em certos poemas, Castro Alves ainda se alinhava com a segunda geração do Romantismo. Há neles traços da morbidez byroniana, da sensualidade reprimida e da melancolia características dessa geração. Não é esse, porém, o tom da maioria dos poemas do escritor, que subvertem as convenções da conduta amorosa romântica.

Boa-noite

Boa-noite, Maria! Eu vou-me embora.
A lua nas janelas bate em cheio.
Boa-noite, Maria! É tarde... é tarde...
Não me apertes assim contra teu seio.

Boa-noite!... E tu dizes — Boa-noite.
Mas não digas assim por entre beijos...
Mas não mo digas descobrindo o peito
– Mar de amor onde vagam meus desejos.
[...]

ALVES, Castro. *Poesia*. 5. ed. Rio de Janeiro: Agir, 1977. p. 39.

Em "Boa-noite", apresenta-se uma mulher sensual e ativa: Maria recusa a partida do eu lírico e procura reverter sua decisão, seduzindo-o com seu corpo e seus beijos, o que revela uma mulher consciente de seus desejos. Em contrapartida, embora a intenção do eu lírico de se afastar tenha semelhança com os modelos do ultrarromantismo, ele não é motivado pelo medo – o poema, considerado integralmente, sugere que a partida vai ocorrer tarde da noite, após o encontro amoroso.

Castro Alves substituiu a figura da virgem idealizada pela **mulher concreta**, corpórea. Essa transformação revela a superação do amor adolescente, que marcava os ultrarromânticos com suas confissões de medo e culpa, e a aceitação do envolvimento amoroso como experiência de prazer.

> **Livro aberto**
>
> *Navios negreiros*, de Castro Alves e Heinrich Heine
> Edições SM, 2009
>
> Quinze anos antes de Castro Alves escrever um de seus poemas mais conhecidos, "Navio negreiro" (1869), o escritor romântico alemão Heinrich Heine publicara um poema com o mesmo nome. Os dois textos foram compilados na obra *Navios negreiros*, com ilustrações de Maurício Negro, permitindo uma comparação interessante entre os tratamentos bastante diversos dados por dois escritores românticos a um mesmo tema histórico.

Capa do livro *Navios negreiros*.

Sua leitura

"Navio negreiro" é o poema mais famoso de Castro Alves. Quando foi composto, em 1868, o tráfico de escravizados já estava proibido no país; contudo, a escravidão e seus efeitos persistiam. Para denunciar a condição desumana dos escravizados, o poeta expôs o drama dos negros em sua travessia da África para o Brasil. Leia, a seguir, uma das seis partes que compõem o poema.

IV

Era um sonho dantesco... O tombadilho
Que das luzernas avermelha o brilho,
Em sangue a se banhar.
Tinir de ferros... estalar do açoite...
Legiões de homens negros como a noite,
Horrendos a dançar...

Negras mulheres, suspendendo às tetas
Magras crianças, cujas bocas pretas
Rega o sangue das mães:
Outras, moças... mas nuas, espantadas,
No turbilhão de espectros arrastadas,
Em ânsia e mágoa vãs.

E ri-se a orquestra, irônica, estridente...
E da ronda fantástica a serpente
Faz doudas espirais...
Se o velho arqueja... se no chão resvala,
Ouvem-se gritos... o chicote estala.
E voam mais e mais...

Presa nos elos de uma só cadeia,
A multidão faminta cambaleia,
E chora e dança ali!
....
Um de raiva delira, outro enlouquece...
Outro, que de martírios embrutece,
Cantando, geme e ri!

No entanto o capitão manda a manobra
E após, fitando o céu que se desdobra
Tão puro sobre o mar,
Diz do fumo entre os densos nevoeiros:
"Vibrai rijo o chicote, marinheiros!
Fazei-os mais dançar!..."

E ri-se a orquestra irônica, estridente...
E da roda fantástica a serpente
Faz doudas espirais...
Qual n'um sonho dantesco as sombras voam!...
Gritos, ais, maldições, preces ressoam!
E ri-se Satanás!...

ALVES, Castro. *Poesia*. 5. ed. Rio de Janeiro: Agir, 1977. p. 78-79.

Vocabulário de apoio

açoite: chicote
arquejar: respirar com dificuldade
dantesco: relativo ao escritor italiano Dante Alighieri (1265-1321); diabólico, pavoroso
doudo: o mesmo que doido
espectro: fantasma
fumo: fumaça
luzerna: lampião
ressoar: ecoar, repercutir
resvalar: escorregar, cair
rijo: rígido
tombadilho: estrutura que fica na parte posterior de uma embarcação
vã: inútil

Repertório

Condições de transporte nos navios negreiros

Os donos dos navios negreiros ganhavam de acordo com a quantidade de pessoas transportadas. Por isso, faziam de tudo para transportar o maior número possível de cativos a cada viagem. Não havia preocupação alguma com o que se pudesse chamar de "conforto". No início, os negros eram transportados nos porões dos navios. Do século XVII em diante passaram a ser construídos navios maiores, de três andares. No andar inferior da embarcação, ficavam os moleques, os rapazes e os adultos homens; no andar intermediário, as mulheres; e, no superior, as grávidas e as crianças menores. Os prisioneiros viajavam sentados em filas paralelas, de uma extremidade à outra de cada andar, com a cabeça apoiada sobre o corpo de quem estava à sua frente. A superlotação, somada às péssimas condições de higiene, levava à morte um grande número de passageiros a cada viagem.

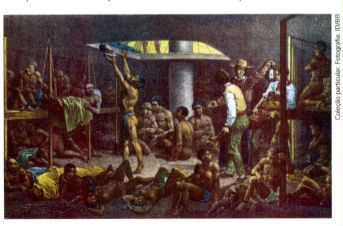

Os traficantes de escravos nos porões do navio (à direita) encarregavam-se de evitar disputa pela escassa alimentação.

RUGENDAS, Johann Moritz. *Navio negreiro*, c. 1830. Litografia, 15,4 cm × 25,5 cm. Coleção particular.

Sobre o texto

1. No primeiro verso, o eu lírico compara o navio negreiro a um "sonho dantesco". Com essa expressão, faz referência às terríveis cenas descritas pelo escritor italiano Dante Alighieri, em "O inferno", parte da obra *A divina comédia*. O aspecto "infernal" da cena é sugerido por referências a uma "dança" e a uma "orquestra".

    a) Como o grupo de marinheiros é relacionado à metáfora da "dança" e da "orquestra"?

    b) O público leitor da época era constituído em sua maioria por membros da elite econômica proprietária de escravizados. Entre suas diversões culturais, estavam os espetáculos de dança e as óperas representadas por companhias estrangeiras que vinham atuar no Brasil, devidamente acompanhadas por uma orquestra. Considerando tal informação, que efeito as metáforas da dança e da orquestra empregadas pelo eu lírico poderiam ter sobre esse público?

2. Identifique no poema os subgrupos que formam o conjunto de pessoas escravizadas e explique por que o eu lírico os selecionou.

3. O eu lírico faz largo uso das figuras de linguagem para enfatizar ideias e criar efeitos.

    a) Identifique as expressões da primeira estrofe que, assim como *sonho dantesco*, são exemplos de hipérbole. Explique que efeito criam no poema.

    b) Na penúltima estrofe, há uma antítese que contrapõe o céu puro sobre o mar e a figura do capitão cercado de fumaça. Explique o efeito expressivo dessa antítese.

4. Leia algumas estrofes de "Adeus, meu canto", poema em que o eu lírico defende uma concepção de poesia.

Vale saber

No século XIX, Castro Alves atribuiu à sua poesia uma missão social e, para isso, tratou de assuntos dessa esfera. No século XX, os tropicalistas (que produziriam sua arte durante o regime militar brasileiro) defenderiam a ideia de que a experiência estética poderia ser um **instrumento social** revolucionário.

Adeus, meu canto

Adeus, meu canto! É a hora da partida...
O oceano do povo s'encapela.
Filho da tempestade, irmão do raio,
Lança teu grito ao vento da procela. [...]

A cada berço levarás a crença.
A cada campa levarás o pranto.
Nos berços nus, nas sepulturas rasas,
– Irmão do pobre – viverás, meu canto.

E pendido através de dois abismos,
Com os pés na terra e a fronte no infinito,
Traze a bênção de Deus ao cativeiro,
Levanta a Deus do cativeiro o grito!

[...]

ALVES, Castro. *Poesia*. 5. ed. Rio de Janeiro: Agir, 1977. p. 64-66.

Vocabulário de apoio

campa: túmulo, sepultura
encapelar-se: agitar-se
fronte: cabeça
pender: estar pendurado, suspenso
procela: tempestade, tormenta

a) O escritor Victor Hugo foi uma importante influência para Castro Alves. Retome o prefácio de *Hernani* estudado no capítulo 16 (página 201). Compare-o com "Adeus, meu canto" e aponte semelhanças entre as convicções de seus autores.

b) "Adeus, meu canto" anuncia que a denúncia social é uma importante função da poesia. De que modo "Navio negreiro" realiza tal função?

c) A imagem de "grito" desse poema tem o mesmo significado de "gritos" do outro poema?

O que você pensa disto?

Atualmente, há no Brasil vários museus que se propõem a pesquisar, conservar e exibir elementos relacionados à cultura negra. Mais do que expor objetos, esses museus visam rediscutir a história do Brasil a fim de evidenciar a contribuição da cultura africana para a formação de nossa sociedade e cultura.

- Além da fundação de museus dedicados à cultura negra, que outras ações seriam necessárias para que essa cultura fosse devidamente valorizada?

Interior do Museu Afro-brasileiro, no Terreiro de Jesus, Salvador (BA), cidade em que cerca de 80% da população é negra. Fotografia de 2009.

CAPÍTULO 25
Martins Pena: o teatro da época romântica

O que você vai estudar

- A produção teatral do século XIX.
- O início da comédia de costumes.

Para encerrar esta unidade, você vai conhecer o papel do teatro no cenário do Romantismo brasileiro.

Fachada do teatro João Caetano (à época, teatro São Pedro de Alcântara), em meados de 1905. Localizado na praça Tiradentes, no centro do Rio de Janeiro, esse é o mais antigo teatro da capital fluminense. Fundado em 1813, abrigou boa parte das peças mais importantes que estiveram em cartaz durante o século XIX.

› O surgimento do teatro brasileiro

Em 1838, foi encenada pela primeira vez a tragédia *Antônio José* ou *O poeta e a Inquisição*, de Gonçalves de Magalhães (1811-1882). De acordo com o próprio autor, foi "a primeira tragédia escrita por um brasileiro" e, até então, a "única de assunto nacional".

Apoiado pelo ator e agitador cultural João Caetano (1808-1863), Gonçalves de Magalhães lançou as bases para uma produção teatral que se consolidaria nas mãos do carioca Luís Carlos Martins Pena (1815-1848), dando início à dramaturgia brasileira. Muitos escritores românticos posteriores escreveram peças teatrais; entre eles, José de Alencar, Joaquim Manuel de Macedo, Castro Alves, Casimiro de Abreu, Gonçalves Dias e Qorpo Santo.

As diferenças de estrutura entre as peças de Gonçalves de Magalhães e de Martins Pena são marcantes. Enquanto o primeiro ainda seguiu o modelo da tragédia clássica, estabelecido pelo filósofo grego Aristóteles, Martins Pena incorporou mudanças introduzidas pelo Romantismo.

Segundo o modelo do teatro clássico, uma tragédia deveria conter cinco atos, as falas das personagens teriam versos ritmados e regulares e, ainda, seu protagonista deveria ser sempre um herói (sujeito capaz de "ações de caráter elevado", como apontado por Aristóteles). No entanto, Martins Pena substituiu a tragédia clássica pelo drama burguês, sem essa restrição aos cinco atos; também adotou o texto em prosa e transformou o ser humano comum em protagonista de suas tramas.

Martins Pena e a comédia de costumes

Como o teatro de Gonçalves de Magalhães ainda apresenta características marcadamente clássicas, Martins Pena pode ser considerado o **primeiro dramaturgo romântico** do Brasil.

A incorporação da prosa como estilo, a representação inédita de um Brasil urbano e da sociedade burguesa no teatro e o uso do humor na crítica aos costumes fizeram de Martins Pena um dramaturgo muito popular em seu tempo. Suas peças se tornaram um **sucesso de público e crítica**. Por isso, o escritor também costuma ser considerado o verdadeiro inventor do teatro brasileiro.

Martins Pena produziu intensamente: de 1833 a 1847 escreveu quase 30 peças teatrais. Sua obra, constituída em sua maior parte por comédias, satiriza a sociedade do século XIX. A desigualdade entre ricos e pobres, os casamentos por interesse, a corrupção da máquina pública, a exploração religiosa, o contrabando de mão de obra escravizada: todos esses temas são alvo da sátira social de Martins Pena.

Mesmo sem se aprofundar na caracterização psicológica de suas personagens ou nas questões sociais que suas peças abordam, o dramaturgo conseguiu traçar um amplo painel da sociedade urbana carioca e brasileira do século XIX, época marcada pelo desenvolvimento do capitalismo e pela ascensão da burguesia, tornando explícito o poder do capital como intermediador das relações sociais.

Uma das fórmulas utilizadas com sucesso por Martins Pena foi o **humor** gerado pelo contraste entre personagens que representam o tipo interiorano – o "roceiro", o "caipira" – e personagens com hábitos sociais do centro urbano. Tradições e costumes populares são representados nas obras, assim como a linguagem do sertanejo, cuja caricatura é exagerada pelo autor para despertar o riso na plateia da cidade.

Em relação à estrutura formal do texto, a utilização da prosa na construção dos diálogos confere às comédias de Martins Pena um **dinamismo** até então desconhecido da plateia, acostumada às encenações declamadas, ritmadas pelo verso metrificado e regular. A construção do humor muitas vezes se dá pela sucessão veloz de expressões e comentários irônicos atravessando os discursos, como podemos ver no trecho de *Os dous ou O inglês maquinista*, em que a inocente Mariquinha conversa com a esperta Cecília a respeito de amores e namorados:

> MARIQUINHA — Com efeito! E amavas a todos?
> CECÍLIA — Pois então?
> MARIQUINHA — Tens belo coração de estalagem!
> CECÍLIA — Ora, isto não é nada!
> MARIQUINHA — Não é nada?
> CECÍLIA — Não. Agora tenho mais namorados que nunca; tenho dous militares, um empregado do Tesouro, o cavalo rabão...
> MARIQUINHA — Cavalo rabão?
> CECÍLIA — Sim, um que anda num cavalo rabão.
> MARIQUINHA — Ah!
> CECÍLIA — Tenho mais outros dous que eu não conheço.
> MARIQUINHA — Pois também namoras a quem não conheces?
> CECÍLIA — Pra namorar não é preciso conhecer. [...]

PENA, Martins. Os dous ou O inglês maquinista. In: *Teatro de Martins Pena*: comédias. Rio de Janeiro: Instituto Nacional do Livro, 1956. p. 107.

Em resumo, a simplicidade da linguagem e a dinâmica dos diálogos, somadas à crítica de costumes, à sátira e ao humor, dão o tom das comédias de Martins Pena. Algumas das principais comédias que escreveu são *O noviço*, *Os dous ou O inglês maquinista* e *O Judas em sábado de aleluia*.

Repertório

O teatro de vanguarda de Qorpo Santo

Qorpo Santo é o pseudônimo com que o gaúcho José Joaquim de Campos Leão (1829-1883) assinava suas obras. O nome incomum corresponde a uma produção teatral igualmente estranha para os moldes da época. Ainda que as peças de Qorpo Santo, como *As relações naturais*, deem, de certa forma, sequência à comédia de costumes iniciada por Martins Pena, elas desafiam quem tenta classificá-las. Certas características inovadoras, como a quebra da linearidade e o intenso uso do *nonsense* (situações e falas ilógicas, absurdas), levaram Qorpo Santo a ser considerado um antecipador do vanguardista Teatro do Absurdo, cujas peças, surgidas logo após a Segunda Guerra Mundial, apresentavam situações incomuns. Talvez por ser tão diferente do que havia em sua época, no entanto, o dramaturgo gaúcho morreu sem ter seu talento reconhecido. Publicadas em 1866, suas peças demoraram um século para ser encenadas.

Vocabulário de apoio

dous: forma arcaica do numeral *dois*
estalagem: hospedaria; no texto, refere-se ao fato de a personagem estar sempre aberta a receber (amar) alguém
Tesouro: órgão do governo que administra os recursos financeiros do país

Margens do texto

O diálogo entre as duas personagens apresenta um tema incomum no Romantismo. Que tema é esse?

Sua leitura

Você vai ler agora um trecho extraído do primeiro ato da peça *O noviço*, de Martins Pena. Nesse trecho, Carlos, após fugir do seminário, encontra-se secretamente com sua prima Emília.

Cena VII

Carlos, com hábito de noviço, entra assustado e fecha a porta.
[...]
EMÍLIA — Meu Deus, o que tens, por que estás tão assustado? O que foi?
CARLOS — Onde está minha tia, e o teu padrasto?
EMÍLIA — Lá em cima. Mas o que tens?
CARLOS — Fugi do convento, e aí vêm eles atrás de mim.
EMÍLIA — Fugiste? E por que motivo?
CARLOS — Por que motivo? Pois faltam motivos para se fugir de um convento? O último foi o jejum em que vivo há sete dias... Vê como tenho esta barriga, vai a sumir-se. Desde sexta-feira passada eu não mastigo pedaço que valha a pena.
EMÍLIA — Coitado!
CARLOS — Hoje, já não podendo, questionei com o D. Abade. Palavras puxam palavras; dize tu, direi eu, e por fim de contas arrumei-lhe uma cabeçada, que o atirei por esses ares.
EMÍLIA — O que fizeste, louco?
CARLOS — E que culpa tenho eu, se tenho a cabeça esquentada? Para que querem violentar minhas inclinações? Não nasci para frade, não tenho jeito nenhum para estar horas inteiras no coro a rezar com os braços encruzados. Não me vai o gosto para aí... Não posso jejuar; tenho, pelo menos três vezes ao dia, uma fome de todos os diabos. Militar é que eu quisera ser; para aí chama-me a inclinação. Bordoadas, espadeiradas, rusgas é que me regalam; esse é o meu gênio. Gosto de teatro, e de lá ninguém vai ao teatro, à exceção de Frei Maurício, que frequenta a plateia de casaca e cabeleira para esconder a coroa.
EMÍLIA — Pobre Carlos, como terás passado estes seis meses de noviciado!
CARLOS — Seis meses de martírio! Não que a vida de frade seja má; boa é ela para quem a sabe gozar e que para ela nasceu; mas eu, priminha, eu que tenho para a tal vidinha negação completa, não posso!
EMÍLIA — E os nossos parentes, quando nos obrigam a seguir uma carreira para a qual não temos inclinação alguma, dizem que o tempo acostumar-nos-á.
CARLOS — O tempo acostumar! Eis aí por que vemos entre nós tantos absurdos e disparates. Este tem jeito para sapateiro: pois vá estudar medicina... Excelente médico! Aquele tem inclinação para cômico: pois, não senhor, será político... [...] Aqueloutro chama-lhe toda a propensão para a ladroeira; manda o bom senso que se corrija o sujeitinho, mas isso não se faz; seja tesoureiro de repartição fiscal, e lá se vão os cofres da nação à garra... [...].
EMÍLIA — Tens muita razão; assim é.
CARLOS — Este nasceu para poeta ou escritor, com uma imaginação fogosa e independente, capaz de grandes coisas, mas não pode seguir sua inclinação, porque poetas e escritores morrem de miséria no Brasil... E assim o obriga a necessidade a ser o mais somenos amanuense em uma repartição pública e a copiar cinco horas por dia os mais soníferos papéis. O que acontece? Em breve matam-lhe a inteligência e fazem do homem pensante máquina estúpida, e assim se gasta uma vida? É preciso, é já tempo que alguém olhe para isso, e alguém que possa.
EMÍLIA — Quem pode nem sempre sabe o que se passa entre nós, para poder remediar; é preciso falar.
CARLOS — O respeito e a modéstia prendem muitas línguas, mas lá vem um dia que a voz da razão se faz ouvir, e tanto mais forte quanto mais comprimida.
[...]
EMÍLIA — Mas que queres tu que se faça?
CARLOS — Que não se constranja ninguém, que se estudem os homens e que haja uma bem entendida e esclarecida proteção, e que, sobretudo, se despreze o patronato, que assenta o jumento nas bancas das academias e amarra o homem de talento à manjedoura. Eu, que quisera viver com uma espada à cinta e à frente do meu batalhão, conduzi-lo ao inimigo através da metralha, bradando:

Fioravante Almeida e Camila Bevilacqua, da companhia teatral paulista Aves de Arribação, em montagem da peça *O noviço*, apresentada em 2007.

Vocabulário de apoio

amanuense: funcionário de escritório
coroa: calvície circular no alto da cabeça de padres
espadeirada: golpe com espada
fogoso: impetuoso, vigoroso
hábito: vestes próprias de sacerdotes
inclinação: vocação natural para algo
manjedoura: recipiente onde se coloca comida para os animais em estábulos
noviciado: estágio inicial pelo qual passa quem deseja entrar para o sacerdócio
patronato: apoio moral ou material dado por alguém
regalar: satisfazer
remediar: corrigir
rusga: desentendimento, pequena briga
somenos: inferior

"Marcha... (*Manobrando pela sala, entusiasmado:*) Camaradas, coragem, calar baionetas! Marchem, marchem! Firmeza, avança! O inimigo fraqueia... (*Seguindo Emília, que recua, espantada:*) Avancem!"

EMÍLIA — Primo, primo, que é isso? Fique quieto!

CARLOS (*Entusiasmado*) — "Avancem, bravos companheiros, viva a Pátria! Viva!" – e voltar vitorioso, coberto de sangue e poeira... Em vez desta vida de agitação e glória, hei de ser frade, revestir-me de paciência e humildade, encomendar defuntos... (*Cantando:*) *Requiescat in pace... a porta inferi! amém...* O que seguirá disto? O ser eu péssimo frade, descrédito do convento e vergonha do hábito que visto. Falta-me a paciência.

EMÍLIA — Paciência, Carlos, preciso eu também ter, e muita. Minha mãe declarou-me positivamente que eu hei de ser freira.

CARLOS — Tu, freira? Também te perseguem?

EMÍLIA — E meu padrasto ameaça-me.

CARLOS — Emília, aos cinco anos estava eu órfão, e tua mãe, minha tia, foi nomeada por meu pai sua testamenteira e minha tutora. Contigo cresci nesta casa e à amizade de criança seguiu-se inclinação mais forte... Eu te amei, Emília, e tu também me amaste.

EMÍLIA — Carlos!

CARLOS — Vivíamos felizes esperando que um dia nos uniríamos. Nesses planos estávamos quando apareceu este homem, não sei donde, e que soube a tal ponto iludir tua mãe, que a fez esquecer-se de seus filhos que tanto amava, de seus interesses e contrair segundas núpcias.

EMÍLIA — Desde então nossa vida tem sido tormentosa...

PENA, Martins. *O noviço*. São Paulo: Paulus, 2004. p. 17-19.

Vocabulário de apoio

a porta inferi: "a porta do inferno", em latim

requiescat in pace: "descanse em paz", em latim (citação de trecho de oração do catolicismo)

testamenteiro: pessoa encarregada de fazer cumprir as cláusulas de um testamento

tutor: pessoa encarregada de substituir os pais na educação de um filho

Sobre o texto

1. Identifique o tema central desse trecho e explique em quais subtemas ele se desdobra.

2. A personagem Carlos cita alguns casos de desvio da inclinação pessoal por pressão social. Para cada vocação que menciona, ele contrapõe uma profissão que não apresenta relação com essa vocação, gerando efeitos humorísticos.
   a) Copie o quadro ao lado no caderno e complete-o com os exemplos citados por Carlos. (Se precisar, crie novas linhas.)
   b) Cite algum exemplo do texto que, em sua opinião, se aplicaria à época atual. Justifique sua resposta.

vocação	profissão
sapateiro	médico
cômico	

3. Duas das principais características inauguradas no teatro pelo Romantismo estão presentes em *O noviço*: a sátira aos hábitos e costumes e o uso do texto em prosa, em oposição às peças versificadas. Com base no trecho lido, associe uma característica à outra: em que o texto em prosa contribui para reforçar o efeito da sátira de costumes?

O que você pensa disto?

Por meio da sátira social, Martins Pena criticava os hábitos e costumes da sociedade de sua época. A sátira é uma técnica literária que ridiculariza os vícios e as imperfeições de indivíduos, grupos, classes sociais ou instituições. A crítica presente nela não é feita de forma direta. Cabe ao leitor ou espectador perceber a ironia ou o sarcasmo com que as situações são apresentadas, o que implica uma análise do comportamento humano.

- Hoje em dia, a sátira social continua sendo usada como forma de crítica. Cite exemplos de meios de comunicação, de programas e de gêneros textuais que fazem uso da sátira. Atualmente, que tipos de hábitos e costumes da sociedade tendem a ser alvo da sátira social? Ela ainda é uma forma de crítica eficiente?

Uma das formações do *Custe o que custar* (CQC), programa de TV conhecido pela irreverência de sua equipe. Foto de 2013.

Ferramenta de leitura

O individualismo e a massificação

A ideologia política de esquerda contida em *História social da arte e da literatura* causou polêmica na década de 1950, época em que foi lançado o original em inglês.

Você viu nesta unidade que o Romantismo floresceu no século XIX, época de importantes mudanças na história do mundo ocidental. A queda do Antigo Regime alterou as relações socioeconômicas, contribuindo para a consolidação do capitalismo, processo liderado pela burguesia e iniciado no século XVIII. Foi nesse contexto de mudanças que o temperamento romântico encontrou espaço propício para sua expressão e expansão.

Você lerá abaixo trechos de um texto do historiador e crítico literário húngaro Arnold Hauser (1892-1978). O texto, que integra sua mais célebre obra, *História social da arte e da literatura* (1950), analisa a relação entre o capitalismo e o contexto artístico e literário do período em que ocorreu o Romantismo.

> [...] A economia moderna começa com a introdução do princípio de *laissez-faire*, enquanto a ideia de liberdade individual logra estabelecer-se pela primeira vez como a ideologia desse liberalismo econômico. [...]
> HAUSER, Arnold. *História social da arte e da literatura*. São Paulo: Martins Fontes, 1998. p. 556.

Hauser, nesse trecho, aborda o liberalismo econômico, um marco da sociedade moderna. O liberalismo econômico tinha como pressuposto a não intervenção do Estado na economia, o que permitia a livre concorrência e a autorregulação dos preços pelo mercado. Uma mercadoria escassa que tivesse muita procura teria seu valor de mercado automaticamente aumentado, enquanto outra que existisse em abundância teria um valor menor.

> O distanciamento do autor em relação a seus personagens, seu enfoque estritamente intelectual do mundo, o comedimento em seu relacionamento com o leitor, numa palavra, a sua circunspecção classicista-aristocrática chega ao fim quando o liberalismo econômico começa a estabelecer-se. Os princípios da livre concorrência e da livre iniciativa têm um paralelo no desejo do autor de expressar seus sentimentos subjetivos, de transmitir a influência de sua própria personalidade e de converter o leitor em testemunha direta de um conflito íntimo envolvendo espírito e consciência.
> HAUSER, Arnold. *História social da arte e da literatura*. São Paulo: Martins Fontes, 1998. p. 556-557.

Vocabulário de apoio

à redea larga: à vontade, sem muito controle
circunspecção: prudência, cautela
comedimento: moderação
ideologia: conjunto de ideias políticas, morais e sociais que reflete os interesses de um grupo (no caso, a classe dominante)
lograr: conseguir, alcançar
laissez-faire: expressão francesa que significa "deixe fazer"

O trecho acima mostra como o liberalismo econômico contagiou e transformou os autores românticos e a forma como eles transferiram essa sensação de liberdade para a literatura. Enquanto no Classicismo o narrador, porta-voz da nobreza, anulava sua identidade, privilegiando a objetividade na narrativa, no Romantismo o narrador buscava exatamente o oposto. O narrador romântico expressa sua subjetividade, ou seja, apresenta sua personalidade para o leitor. Aproximando-o de suas angústias e conflitos, mostra-se como um "eu" que pode compartilhar as suas ideias e vivências sentimentais particulares.

> Esse individualismo, no entanto, não é simplesmente a tradução do liberalismo econômico para a esfera literária, mas também um protesto contra a mecanização, o nivelamento por baixo e a despersonalização da vida relacionados com uma economia deixada à rédea larga.
> HAUSER, Arnold. *História social da arte e da literatura*. São Paulo: Martins Fontes, 1998. p. 557.

Como se vê, a expressão dos sentimentos do indivíduo também revela uma oposição à padronização e à mecanização das relações sociais, geradas pelo capitalismo. Numa sociedade regida por valores liberais e burgueses, tudo tende a ser visto e tratado como mercadoria, processo conhecido como reificação.

Os românticos utilizaram a expressão subjetiva, isto é, a expressão do "eu", para combater a reificação de certos valores – por exemplo, a transformação do amor, do casamento, em uma mercadoria guiada por interesses financeiros.

O texto que você lerá a seguir trata desse assunto. Ele faz parte do primeiro capítulo do romance *Senhora*, de José de Alencar, uma das mais importantes obras do Romantismo brasileiro.

O preço

Na sala, cercada de adoradores, no meio das esplêndidas reverberações de sua beleza, Aurélia bem longe de inebriar-se da adoração produzida por sua formosura, e do culto que lhe rendiam, ao contrário parecia unicamente possuída de indignação por essa turba vil e abjeta.

Não era um triunfo que ela julgasse digno de si, a torpe humilhação dessa gente ante sua riqueza. Era um desafio, que lançava ao mundo; orgulhosa de esmagá-lo sob a planta, como a um réptil venenoso. [...]

As revoltas mais impetuosas de Aurélia eram justamente contra a riqueza que lhe servia de trono, e sem a qual nunca por certo, apesar de suas prendas, receberia como rainha desdenhosa a vassalagem que lhe rendiam.

Por isso mesmo considerava ela o ouro um vil metal que rebaixava os homens; e no íntimo sentia-se profundamente humilhada pensando que para toda essa gente que a cercava, ela, a sua pessoa, não merecia uma só das bajulações que tributavam a cada um de seus mil contos de réis. [...]

Convencida de que todos os seus inúmeros apaixonados, sem exceção de um, a pretendiam unicamente pela riqueza, Aurélia reagia contra essa afronta, aplicando a esses indivíduos o mesmo estalão.

Assim costumava ela indicar o merecimento relativo de cada um dos pretendentes, dando-lhes certo valor monetário. Em linguagem financeira, Aurélia cotava os seus adoradores pelo preço que razoavelmente poderiam obter no mercado matrimonial.

ALENCAR, José de. *Senhora*. São Paulo: Scipione, 1994. p. 6.

Vocabulário de apoio

abjeto: desprezível, baixo
cotar: avaliar, fixar preço
desdenhoso: que demonstra desprezo ou indiferença
estalão: padrão, medida
inebriar-se: arrebatar-se, deliciar-se
planta: sola do pé
prenda: qualidade, habilidade
reverberação: repercussão
torpe: obscena, vil
tributar: dar como tributo, homenagem
turba: multidão
vassalagem: homenagem, submissão

Aurélia Camargo, personagem interpretada por Christine Fernandes na novela televisiva *Essas mulheres*, exibida pela rede Record em 2005. A adaptação, de autoria de Marcílio Moraes e Rosane Lima, mesclou na mesma narrativa as personagens e os conflitos de três romances de Alencar: *Senhora*, *Diva* e *Lucíola*.

Sobre o texto

1. Releia: "parecia unicamente possuída de indignação por essa turba vil e abjeta". Qual é o conflito, presente nesse trecho, entre Aurélia e a sociedade?

2. O narrador de *Senhora* mergulha no íntimo da protagonista, revelando os sentimentos e pensamentos de Aurélia sem restrições. Essa expressão do "eu", do indivíduo, é uma tendência do Romantismo, que pode ser relacionada às grandes transformações vividas pela sociedade burguesa. Explique essa relação, tendo por base os textos teóricos de Arnold Hauser.

Repertório

A condição social da mulher

Aurélia deixa claro que o interesse demonstrado por seus inúmeros admiradores recai, na verdade, sobre sua riqueza e não sobre sua pessoa. Um dos motivos que os levam a disputar sua mão é o fato de que, segundo o costume da época, o noivo, ao se casar, recebia um dote – valor em dinheiro ou em bens oferecido pela família da noiva.

Em uma sociedade patriarcal como a do Brasil no século XIX, na qual o homem tinha o controle total da família, era extremamente importante que o pai casasse suas filhas, pois ter uma filha solteira representava uma humilhação perante a sociedade. É nesse contexto que surgiu a expressão "ficar para titia", referindo-se à mulher solteira após certa idade. Hoje a condição social da mulher é outra – ela tem liberdade para decidir não se casar.

Entre textos

O Romantismo influenciou grande parte da produção literária que surgiu depois dele. Nesta seção, apresentamos textos que dialogam com diferentes tendências do movimento romântico.

TEXTO 1

Viva o povo brasileiro

[Xangô] Falou assim e levantou-se, sua estatura se comparando à de uma torre e seu olhar quente como cem fogueiras. E logo estava, com seu irmão Oxóssi, campeando pelo terreno incendiado de Tuiuti. O que primeiro fizeram foi entrar pelos corações e cabeças de seus filhos, trazendo-lhes às gargantas os gritos de guerra dos ancestrais, cada Oxóssi mais estonteante, cada Xangô mais irresistível, nenhum sentindo medo, nenhum sentindo dor, todos combatendo como o vento vergando o capim. Xangô viu seu filho Capistrano do Tairu, cercado por três cavaleiros paraguaios nos alagadiços, atirar fora a carabina molhada e emperrada, apoderar-se de uma lança caída e fazer uma careta para um dos inimigos, o qual, esporeando seu cavalo numa manobra que levantou salpicos de água sangrenta por todos os lados, atacou. Xangô apareceu a seu filho e lhe disse:

— Capistrano, não foi em vão que fizeste tua cabeça em meu nome, nem que me saudaste em meus dias de festa, nem que te comportaste sempre para honra e grandeza minhas. A comida que me serviste e os animais que abateste para mim, de tudo isso eu tenho boa lembrança. Segura firme tua lança, não temas o inimigo, pois nada teme o bom filho de Xangô. Estou a teu lado e a teu lado combaterei.

Ouviu essas palavras e fortaleceu seu ânimo o valente filho das praias mansas do Tairu, onde o peixe é farto e as mulheres amáveis.

— *Ca-uô-ô-ca-biê-sile*, meu grande pai Xangô! Não temi quando muitas vezes me vi sozinho no mar, enfrentando o temporal e os grandes peixes. Nunca conheci o medo e nunca tremi no escuro e não seria agora que tremeria, ainda mais tendo meu grande pai a meu lado. Antes que morra aqui nestes campos estrangeiros e meus parentes façam meu axexê na minha ausência e joguem minhas coisas de preceito na água do rio, eu levo um comigo, não morro por nada. E ninguém me verá virar as costas ou arredar pé daqui.

Xangô, uma faísca vermelha e branca incandescente, achou do outro lado, no terreno seco, um outro filho seu, o soldado Presciliano Braz, de Santo Amaro do Catu. Não quis perder tempo em falar-lhe, apenas entrou em sua cabeça e lhe dirigiu o olhar para os dois outros cavaleiros que ameaçavam Capistrano. Presciliano carregou a clavina e, guiado pela mão do santo, acertou um tiro na testa de um dos cavaleiros, cuja montaria saiu em disparada, arrastando-o pelas poças. Logo Xangô já trazia outro cartucho à mão de Presciliano e outra vez lhe orientou a pontaria certeiramente. Feito isto, voou para o lado do cavaleiro que fazia carga contra Capistrano e, no momento em que ele baixava a lança contra seu filho, deu-lhe um sopro de fogo, um sopro tão forte que o desequilibrou na sela, fazendo com que errasse o lançaço e ficasse cravado na arma de Capistrano, quase uma bandeira à ponta do mastro.

E por toda parte lutavam Xangô e Oxóssi, ao lado de seus filhos mais valorosos. [...]

RIBEIRO, João Ubaldo. *Viva o povo brasileiro*. Rio de Janeiro: Nova Fronteira, 1984. p. 442-443.

Vocabulário de apoio

alagadiço: terreno que se alaga com facilidade
axexê: ritual fúnebre afro-brasileiro realizado por ocasião da morte de um filho de santo
campear: mover-se pelos campos
carabina/clavina: espingarda de cano curto
emperrado: travado
esporear: cutucar com a espora (artefato de metal que se prende à bota do cavaleiro, no calcanhar)
fazer carga contra: pressionar
lançaço: golpe dado com lança
Oxóssi: divindade africana da caça e da fartura
preceito: doutrina, crença
salpico: pingo
vergar: arquear, dobrar
Xangô: divindade africana do raio, do trovão e do fogo

A fim de construir uma identidade nacional para o Brasil recém-saído da Independência, o Romantismo transformou o indígena em herói, mostrando que ele, junto com o português colonizador, ajudou a constituir a pátria. O negro só foi lembrado por Castro Alves (1847-1871), que condenou a escravidão e expôs o sofrimento físico imposto a ele, porém não percebeu que, além da liberdade, os negros haviam sido privados também de sua cultura. No fragmento do romance *Viva o povo brasileiro*, de João Ubaldo Ribeiro (1941-2014), são valorizadas a participação militar do negro na Guerra do Paraguai, ocorrida entre 1865 e 1870, e, sobretudo, a cultura africana. Os deuses Xangô e Oxóssi vão ao campo de batalha para ajudar seus protegidos, como fazem os deuses gregos que participam das lutas narradas no poema épico *Ilíada*. A África equipara-se, assim, à Grécia, berço da ciência e da literatura ocidentais, e os combatentes negros ganham a dimensão de heróis épicos.

TEXTO 2

Soneto do Corifeu

São demais os perigos desta vida
Para quem tem paixão, principalmente
Quando uma lua surge de repente
E se deixa no céu, como esquecida.

E se ao luar que atua desvairado
Vem se unir uma música qualquer
Aí então é preciso ter cuidado
Porque deve andar perto uma mulher.

Deve andar perto uma mulher que é feita
De música, luar e sentimento
E que a vida não quer, de tão perfeita.

Uma mulher que é como a própria Lua:
Tão linda que só espalha sofrimento
Tão cheia de pudor que vive nua.

MORAES, Vinicius de. *Soneto de fidelidade e outros poemas*. 9. ed. Rio de Janeiro: Ediouro, 2000. p. 58.

Os parceiros musicais Toquinho (1946-), com o violão, e Vinicius de Moraes (1913-1980). Um dos vários sucessos da dupla – que geralmente tinham letra de Vinicius e música de Toquinho – foi a canção que compuseram a partir do "Soneto do Corifeu". Fotografia de 1971.

Nesse poema de Vinicius de Moraes, é possível observar um dos temas mais frequentes do Romantismo: a idealização da mulher. Na última estrofe, o eu lírico eleva a mulher à mesma condição idealizada da Lua, símbolo da beleza intocável, misteriosa.

Vocabulário de apoio

consternado: comovido, abalado
desvairado: desorientado, fora de si
dissipar: dispersar
rotundamente: decisivamente

Neste trecho de um romance de Cristovão Tezza (1952-), publicado em 2007, a personagem do pai – após saber que o filho recém-nascido tem síndrome de Down – entrega-se, sem meias palavras, a pensamentos sinistros, desejando que o filho viva o menos possível. Ao contrário do que ocorre no poema "Cântico do calvário", de Fagundes Varela (1841-1875), o filho não representaria para o pai um consolo à sua existência frustrada, mas sim um fardo. Em ambos os textos, o filho desencadeia a exposição dos conflitos emocionais do pai.

TEXTO 3

O filho eterno

Não há mongoloides na história, relato nenhum — são seres ausentes. Leia os diálogos de Platão, as narrativas medievais, *Dom Quixote*, avance para a *Comédia humana* de Balzac, chegue a Dostoiévski, nem este comenta, sempre atento aos humilhados e ofendidos; os mongoloides não existem. Não era exatamente uma perseguição histórica, ou um preconceito, ele se antecipa, acendendo outro cigarro — o dia está muito bonito, a neblina quase fria da manhã já se dissipou, e o céu está maravilhosamente azul, o céu azul de Curitiba, que, quando acontece (ele se distrai), é um dos melhores do mundo — simplesmente acontece o fato de que eles não têm defesas naturais. Eles só surgiram no século XX, tardiamente. Em todo o *Ulisses*, James Joyce não fez Leopold Bloom esbarrar em nenhuma criança Down, ao longo daquelas 24 horas absolutas. Thomas Mann os ignora rotundamente. O cinema, em seus 80 anos, ele contabiliza, forçando a memória, jamais os colocou em cena. Nem vai colocá-los. Os mongoloides são seres hospitalares, vivem na antessala dos médicos. Poucos vão além dos... quantos anos? Ele pensou em 10 anos, e calculou a própria idade, achando muito: talvez 5, fantasiou, vendo imediatamente uma sequência rápida de anos, os amigos consternados pela sua luta, a mão no seu ombro, mas foi inútil — morreu ontem. Sim, não resistiu. Voltariam do cemitério com o peso da tragédia na alma, mas, enfim, a vida recomeça, não é? Um sopro de renovação — como se ele tivesse existido apenas para lhes dar forças, para uni-los, ao pai e à mãe, sagrados. Viu-se caminhando no parque Barigui, quem sabe uma manhã bonita e melancólica como esta, repensando aqueles cinco — aqueles três anos, talvez dois. [...]

TEZZA, Cristovão. *O filho eterno*. Rio de Janeiro: Record, 2007. p. 36-37.

Vestibular

1. **(Udesc)** Leia e analise as proposições sobre a estética romântica na literatura brasileira.

   I. O Romantismo brasileiro pregava a valorização do elemento local e dos aspectos particulares de cada povo como material de criação artística; há, portanto, uma grande analogia entre as propostas românticas e o momento histórico e social vivenciado pelo país na primeira metade do século XIX.

   II. A primeira geração romântica apresentava como cerne de suas atenções a pátria recém-independente, para a qual procurava uma forma de expressão autêntica. O Romantismo dessa geração era marcado predominantemente pelo nacionalismo.

   III. Os poetas da segunda geração estavam voltados para a própria individualidade, preocupavam-se com a demonstração de seus sentimentos e suas frustrações.

   IV. Também o teatro inseriu-se no projeto nacionalista do Romantismo. A grande figura do teatro romântico foi Nelson Rodrigues, considerado o criador da comédia brasileira.

   V. A terceira geração da poesia romântica passou a valorizar uma produção voltada para os problemas sociais que trazia à tona tópicos abolicionistas e republicanos, entre outros.

   Assinale a alternativa correta.

   a) Somente as afirmativas I, II, III e V são verdadeiras.

   b) Somente as afirmativas II e IV são verdadeiras.

   c) Somente as afirmativas I, III e IV são verdadeiras.

   d) Somente as afirmativas II e V são verdadeiras.

   e) Todas as afirmativas são verdadeiras.

2. **(PUC-Campinas-SP)** Poetas que se dedicaram ao culto de tantas nostalgias, os *românticos* não apenas cuidaram de seu passado, de sua infância, de seus amores perdidos, como também imaginaram uma espécie de memória nacional, um passado lendário, um território mítico onde fixar as raízes de nossa história. Isso pode explicar por que:

   a) o passado épico das civilizações clássicas serviu de modelo para poetas como Olavo Bilac e Raimundo Correia.

   b) o nacionalismo modernista abandonou a poesia lírica e o humor, na busca da constituição de uma pátria heroica.

   c) poetas da semana de 22 recusaram-se, em suas obras, a fazer qualquer referência ao nosso passado histórico real.

   d) é tão obsessivo o memorialismo pessoal de um Casimiro de Abreu, e tão pujante o nacionalismo de Gonçalves Dias.

   e) Castro Alves e Álvares de Azevedo dedicaram-se, em estilos tão diversos, à representação dos sentimentos.

(Unifesp) Leia o texto para responder à questão 3.

Um sarau é o bocado mais delicioso que temos, de telhado abaixo. Em um sarau todo o mundo tem que fazer. O diplomata ajusta, com um copo de *champagne* na mão, os mais intrincados negócios; todos murmuram, e não há quem deixe de ser murmurado. O velho lembra-se dos minuetes e das cantigas do seu tempo, e o moço goza todos os regalos da sua época; as moças são no sarau como as estrelas no céu; estão no seu elemento: aqui uma, cantando suave cavatina, eleva-se vaidosa nas asas dos aplausos, por entre os quais surde, às vezes, um bravíssimo inopinado, que solta de lá da sala do jogo o parceiro que acaba de ganhar sua partida no *écarté*, mesmo na ocasião em que a moça se espicha completamente, desafinando um sustenido; daí a pouco vão outras, pelos braços de seus pares, se deslizando pela sala e marchando em seu passeio, mais a compasso que qualquer de nossos batalhões da Guarda Nacional, ao mesmo tempo que conversam sempre sobre objetos inocentes que movem olhaduras e risadinhas apreciáveis. Outras criticam de uma gorducha vovó, que ensaca nos bolsos meia bandeja de doces que veio para o chá, e que ela leva aos pequenos que, diz, lhe ficaram em casa. Ali vê-se um ataviado *dandy* que dirige mil finezas a uma senhora idosa, tendo os olhos pregados na sinhá, que senta-se ao lado. Finalmente, no sarau não é essencial ter cabeça nem boca, porque, para alguns é regra, durante ele, pensar pelos pés e falar pelos olhos.

E o mais é que nós estamos num sarau. Inúmeros batéis conduziram da corte para a ilha de... senhoras e senhores, recomendáveis por caráter e qualidades; alegre, numerosa e escolhida sociedade enche a grande casa, que brilha e mostra em toda a parte borbulhar o prazer e o bom gosto.

Entre todas essas elegantes e agradáveis moças, que com aturado empenho se esforçam para ver qual delas vence em graças, encantos e donaires, certo sobrepuja a travessa Moreninha, princesa daquela festa.

Joaquim Manuel de Macedo. A Moreninha, 1997.

3. Considerando os papéis desempenhados pelas personagens no texto, é correto afirmar que

   a) o diplomata é oportunista; o velho, conservador; os rapazes usufruem exageradamente os prazeres da vida; e as moças são frívolas.

   b) o diplomata é trapaceiro; o velho, desencantado; os rapazes usufruem a vida de modo fútil; e as moças investem tão somente na beleza exterior.

   c) o diplomata é astuto; o velho, intimista; os rapazes usufruem a vida dentro de suas possibilidades; e as moças vivem de sonhos.

260

d) o diplomata é perspicaz; o velho, saudosista; os rapazes usufruem prazerosamente a vida; e as moças encantam a todos.

e) o diplomata é esperto; o velho, avançado; os rapazes usufruem a vida com parcimônia; e as moças vivem de devaneios.

4. (UFPA) Gonçalves Dias pertence à primeira geração romântica no Brasil, época da independência associada às aspirações nacionalistas e de grande interesse por questões locais. Convém lembrar que, na sua produção, destacam-se os temas da poesia lírico-amorosa, da indianista e da nacionalista. Assinale a opção em que se destaca o texto de tema indianista.

a) "Adeus qu'eu parto, senhora:
Negou-me o fado inimigo
Passar a vida contigo,
Ter sepultura entre os meus;"

b) "Ó Guerreiros da Taba sagrada,
Ó Guerreiros da Tribo Tupi
Falam Deuses nos cantos do Piaga,
Ó Guerreiros, meus cantos ouvi."

c) "Enfim te vejo! – enfim posso,
Curvado a teus pés, dizer-te,
Que não cessei de querer-te,
Pesar de quanto sofri."

d) "Não permita Deus que eu morra,
Sem que eu volte para lá;
Sem que desfrute os primores
Que não encontro por cá;"

e) "Assim eu te amo, assim; mais do que podem
Dizer-to os lábios meus, – mais do que vale
Cantar a voz do trovador cansada:
O que é belo, o que é justo, santo e grande
Amo em ti. – Por tudo quanto sofro,"

5. (Ufam) Assinale a opção cujo enunciado não se aplica a Álvares de Azevedo:

a) A rota do amor é constante, embora o horizonte último não seja Eros, mas a morte.

b) Em vários níveis se podem apreender as tendências que apresentava para a evasão e para o sonho.

c) A ideia da bondade natural dos primitivos habitantes do Brasil serviu de base para a sua poesia de cunho americanista.

d) À boêmia espiritual correspondem algumas tendências liberais e anarquistas, todas de fundo romântico.

e) Imagens satânicas lhe povoavam a fantasia, das quais dão exemplo os contos de *Noite na Taverna*.

6. (Uepa) Leia o texto para responder à questão.

Mãe penitente

Ouve-me, pois!... Eu fui uma perdida;
Foi este o meu destino, a minha sorte...
Por esse crime é que hoje perco a vida,
Mas dele em breve há de salvar-me a morte!
E minh'alma, bem vês, que não se irrita,
Antes bendiz estes mandões ferozes.
Eu seria talvez por ti maldita,
Filho! sem o batismo dos algozes!
Porque eu pequei... e do pecado escuro
Tu foste o fruto cândido, inocente,
— Borboleta, que sai do — lodo impuro...
— Rosa, que sai de — pútrida semente!
Filho! Bem vês... fiz o maior dos crimes
— Criei um ente para a dor e a fome!
Do teu berço escrevi nos brancos vimes
O nome de bastardo — impuro nome.
Por isso agora tua mãe te implora
E a teus pés de joelhos se debruça.
Perdoa à triste — que de angústia chora,
Perdoa à mártir — que de dor soluça!
[...]

Fonte: <www.dominiopublico.gov.br>. Acesso em: 7 out. 2011.

A fala do sujeito poético exprime uma das formas da violência simbólica denunciada por Castro Alves. No poema, mais do que os maus-tratos sofridos fisicamente, é denunciada a consequência:

a) da humilhação imposta pelos algozes que torturam a mulher chicoteando-a.

b) da subordinação da mulher negra que serve aos desejos sexuais do senhor de engenho.

c) do erotismo livre que leva a mulher a realizar seus desejos sem pensar em consequências.

d) do excesso de religiosidade que leva a mulher negra a uma confissão de culpa.

e) da tortura psicológica que obriga a mãe a abandonar o filho.

(UFRJ) Texto para a questão 7.

Happy end

O meu amor e eu
nascemos um para o outro

agora só falta quem nos apresente.
Cacaso

7. O texto "Happy end" – cujo título ("final feliz") faz uso de um lugar-comum dos filmes de amor – constrói-se na relação entre desejo e realidade, e pode ser considerado uma paródia de certo imaginário romântico.

Justifique a afirmativa, levando em conta elementos textuais.

261

UNIDADE 9

O Realismo

Nesta unidade

- **26** O Realismo – o diagnóstico da sociedade
- **27** O Realismo em Portugal
- **28** O Realismo no Brasil

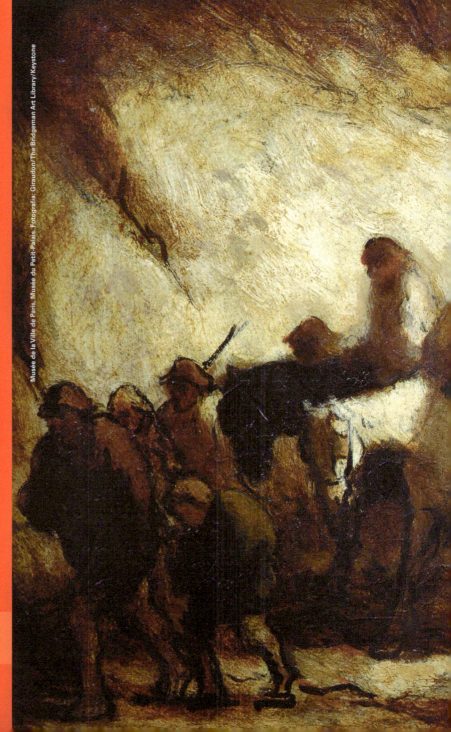

DAUMIER, Honoré. *Os fugitivos*, c. 1849-1850. Óleo sobre tela, 16,2 cm × 28,7 cm. Museu do Petit-Palais, Paris, França.

Na imagem abaixo, pintada por Daumier (1808-1879), um grupo de pessoas caminha em uma paisagem desolada.

Vistas de longe, não se distingue nitidamente a fisionomia delas. No entanto, o cansaço, resultante provavelmente de uma longa viagem e das condições inóspitas do lugar onde se encontram, é visível na cena.

O corpo levemente inclinado para frente e os braços unidos de algumas, como se estivessem se protegendo do frio, denotam esforço e sofrimento. Até mesmo os cavalos caminham cabisbaixos.

O realismo da cena adquire tons épicos e sombrios. Diversamente do que ocorria na arte romântica, em que as cenas eram idealizadas, esse novo momento da literatura e da arte denominado Realismo procurava olhar a vida de frente, sem maquiá-la, e, por vezes, acentuando seus aspectos mais duros e cruéis.

A observação direta da realidade e a crença nas ciências como instrumento para entender os processos naturais e sociais foram algumas das tônicas desse período, que será nosso objeto de estudo nas próximas páginas.

CAPÍTULO 26
O Realismo – o diagnóstico da sociedade

O que você vai estudar

- A Segunda Revolução Industrial.
- A ciência na indústria e na cultura.
- O escritor: diagnóstico das patologias sociais.

Em meados do século XIX, ocorreu na Europa uma forte reação à estética romântica. Artistas e escritores passaram a buscar uma linguagem capaz de abordar de modo mais objetivo a vida cotidiana de ricos e pobres. Cenas comuns, em que pessoas anônimas trabalham ou se relacionam entre si, começaram a aparecer em textos literários e em diversas formas de arte, sobretudo na pintura.

Sua leitura

A seguir, você fará duas leituras: de uma pintura de Jean-François Millet (1814-1875) e de um fragmento de *Madame Bovary*, do escritor francês Gustave Flaubert (1821-1880). Considerado por muitos o primeiro romance realista, *Madame Bovary* foi publicado no ano de 1857. Leia as obras atentamente e responda às questões.

Os madeireiros

MILLET, Jean-François. *Os madeireiros*, meados do século XIX. Óleo sobre tela, 37 cm × 45 cm. Museu Pushkin, Moscou, Rússia.

Mantendo afinidades com ideias socialistas que já circulavam na França, Millet mostrou uma visão não idealizada da realidade. A representação de homens e mulheres simples, que viviam no campo, surge em sua pintura como uma maneira de afirmar a importância do cotidiano concreto dos trabalhadores, nas atividades de trato da terra e dos animais.

Madame Bovary

Charles, com neve ou chuva, cavalgava pelos atalhos. Comia omeletes na mesa das quintas, punha os braços em leitos úmidos, recebia no rosto o jato tépido das sangrias, ouvia os estertores, examinava bacias, arregaçava muita roupa suja; mas encontrava, todas as noites, um fogo chamejante, a mesa servida, um aconchego suave e uma mulher finamente vestida, encantadora, exalando um frescor perfumado sem saber mesmo de onde vinha aquele aroma ou se não era sua pele que perfumava sua camisa.

Ela o encantava com um grande número de delicadezas; ora era uma nova maneira de fazer arandelas de papel para as velas, um babado que mudava em seu vestido ou o nome extraordinário de um prato bem simples que a empregada não acertara mas que Charles engolia até o fim com prazer. Viu em Rouen senhoras que usavam um feixe de berloques presos ao relógio; ela comprou berloques. Quis para a lareira dois grandes vasos de vidro azul e, algum tempo depois, um estojo de marfim com um pouquinho de prata dourada. Menos Charles compreendia tais elegâncias mais sofria sua sedução. Elas acrescentavam alguma coisa ao prazer de seus sentidos e à doçura de seu lar. Era como uma poeira de ouro que caía ao longo da pequena vereda de sua vida.

Tinha saúde, tinha bom aspecto; sua reputação estava totalmente estabelecida. Os camponeses queriam-lhe bem porque não era orgulhoso. Acariciava as crianças, nunca ia à taberna e, aliás, inspirava confiança por sua moralidade. Era bem-sucedido particularmente nos catarros e nas doenças do peito. Com muito medo de matar as pessoas com que lidava, Charles de fato só receitava poções calmantes, de vez em quando algum emético, um banho de pés e sanguessugas. Não que a cirurgia o assustasse; sangrava largamente as pessoas, como cavalos, e tinha um *punho infernal* para a extração de dentes.

Enfim, *para estar a par*, assinou a *Ruche Médicale*, novo jornal do qual recebera um prospecto. Lia-o um pouco após o jantar, mas o calor da sala, unido à digestão, fazia com que adormecesse após cinco minutos; e ficava lá, com o queixo nas mãos e os cabelos espalhados como uma crina até o pé da lâmpada. Emma olhava-o encolhendo os ombros. Por que não tinha, pelo menos, por marido um daqueles homens de ardores taciturnos que trabalham à noite com livros e trazem, enfim, aos sessenta anos, quando chega a idade dos reumatismos, um broche de condecorações na casaca preta malfeita? Teria desejado que o nome Bovary, que era o seu, fosse ilustre, teria desejado vê-lo exposto nas livrarias, repetido nos jornais, conhecido em toda a França. Mas Charles não tinha ambição! Um médico de Yvetot, com quem ultimamente se encontrara em consultas, humilhara-o um pouco, na própria cabeceira do doente, diante dos parentes reunidos. Quando Charles à noite lhe contou essa história, Emma enfureceu-se realmente com o confrade. [...]

— Pobre homem! Que pobre homem! dizia baixinho, mordendo os lábios.

Sentia-se, aliás, mais irritada com ele. Com a idade, adquiria hábitos grosseiros; à sobremesa, cortava a rolha das garrafas vazias; após ter comido, passava a língua nos dentes; ao tomar a sopa fazia um gorgolejo a cada colherada e, como começava a engordar, seus olhos, já pequenos, pareciam subir para as têmporas por causa da intumescência das maçãs do rosto.

FLAUBERT, Gustave. *Madame Bovary*: costumes de província. Trad. Fulvia M. L. Moretto. São Paulo: Nova Alexandria, 2009. p. 65-66.

Vocabulário de apoio

arandela: suporte para vela ou lâmpada elétrica

berloque: pingente

confrade: colega

emético: que provoca vômito

estertor: ruído gutural comum à hora da morte

gorgolejar: ruído característico do gargarejo

intumescência: inchaço

quinta: propriedade no campo, com casa

sanguessuga: verme habitante das águas doces, usado na medicina para provocar sangrias

tépido: morno

Sobre os textos

1. Explique por que o tema dessa pintura de Millet destoa dos temas das pinturas românticas em geral.

2. No primeiro parágrafo desse fragmento de *Madame Bovary*, o narrador descreve a personagem Charles segundo um ponto de vista que exalta sua dedicação como médico e como homem. Aponte pelo menos dois exemplos dessa dedicação.

3. A seguir, o foco narrativo é alterado: o mundo é visto pelos olhos de Emma, a mulher de Charles. A maneira como ela vê o marido é igual à maneira como a comunidade o enxerga, conforme mostrou o narrador? Quais diferenças ou semelhanças se estabelecem entre essas visões?

4. Indique quais elementos do texto revelam a necessidade de Emma de sentir-se elegante e "ilustre".

5. *Os madeireiros* e *Madame Bovary* registram situações de modo direto. Que semelhanças podem ser percebidas na descrição do cotidiano feita nas duas obras?

Vale saber

No segundo parágrafo, os substantivos *delicadezas* e *elegâncias* desempenham papel fundamental para a **coesão textual**. Eles expressam uma avaliação positiva das ações praticadas por Emma Bovary e estão posicionados estrategicamente: *delicadezas* (2ª linha) aparece antes dessas ações, e *elegâncias*, logo em seguida a elas (13ª linha).

❯ O contexto de produção

A segunda metade do século XIX foi um período marcado por muitos acontecimentos importantes, cujos desdobramentos se estenderam para o século XX. Entre esses acontecimentos, destacam-se a Segunda Revolução Industrial e o surgimento do movimento operário.

❯ O contexto histórico

A partir de meados do século XIX, a industrialização entrou em uma nova fase, caracterizada por inovações que levaram os historiadores a classificá-la como **Segunda Revolução Industrial**. Ela se distinguiu da Primeira Revolução Industrial (iniciada em meados do século XVIII) pelo aproveitamento sistemático da ciência a serviço das indústrias. A indústria

HORRABIN, J. F. *Industrialização moderna, Sheffield trabalhando*, 1919. Litografia colorizada. Coleção particular.

Na segunda fase da Revolução Industrial, formaram-se grandes complexos industriais que moldaram a paisagem econômica pelo século XX adentro.

passou a financiar pesquisas científicas e a direcionar seus resultados para a aplicação em **processos de produção**. Daí decorreram, nesse período, simultaneamente, o grande desenvolvimento da ciência e dos processos de fabricação. O avanço da ciência química, por exemplo, fez surgir uma poderosa indústria farmacêutica, que passou a comercializar, entre outros produtos, os superpopulares comprimidos contra a dor de cabeça.

Importante nessa nova fase foi também a expansão da industrialização para a Alemanha e os Estados Unidos, que se juntaram à França e à Inglaterra como os países líderes do capitalismo mundial.

Empresas, classes e sindicatos

A **associação entre indústria e ciência** elevou muito os custos industriais. Para reunir os enormes volumes de capital necessários à operação de uma indústria, as empresas passaram a realizar fusões, das quais resultaram conglomerados empresariais que empregaram vastos contingentes de operários.

Os operários responderam às fusões empresariais organizando-se em **sindicatos**, que fortaleciam os trabalhadores na negociação com os empregadores. A radicalização do **movimento operário** se deu a partir do surgimento do **socialismo científico**. Essa doutrina, criada pelo filósofo alemão Karl Marx (1818-1883), pregou a extinção do capitalismo, que, segundo ele, se baseia na "exploração do ser humano pelo ser humano". Ao chamar sua doutrina de "científica", Marx acreditou colocar a ciência a serviço dos trabalhadores, em contraposição à ciência que está a serviço da indústria.

As classes sociais, porém, não se limitavam aos capitalistas e aos operários. A gestão de processos de produção – e empresas cada vez maiores e mais sofisticadas – mobilizou um grande número de burocratas urbanos, a pequena burguesia (classe média), à qual pertenciam também os funcionários públicos. A quantidade destes se elevou em função do crescimento do Estado requerido para regular uma sociedade mais complexa e oferecer serviços públicos às massas urbanas.

Em Portugal e no Brasil, os contextos históricos foram bastante diferentes, já que essas nações não estavam entre os países plenamente industrializados. Ademais, no Brasil, a escravidão ainda vigente distinguia o país da maioria das nações europeias, que adotavam o trabalho livre e assalariado.

Sétima arte

Che
(EUA/França/Espanha, 2008)
Direção de Steven Soderberg

O socialismo científico de Karl Marx exerceu enorme influência política por dois séculos. No século XIX, inspirou lutas do movimento operário para diminuir as desigualdades sociais. No século XX, a Revolução Russa (1917) e a Revolução Cubana (1959) assumiram o comando do Estado e implantaram economias socialistas. *Che* trata da Revolução Cubana e é centrado na figura de Che Guevara, um de seus líderes.

Benicio Del Toro em cena do filme *Che*. A Revolução Cubana foi inspirada pelo socialismo científico do século XIX. Entre as medidas adotadas pelo governo revolucionário, estavam a reforma agrária e a reestruturação dos sistemas de saúde e educação.

› O contexto cultural

Percebe-se, do que foi dito até agora, que boa parte do desenvolvimento científico do período estava estreitamente ligada à atividade econômica. Mas houve um grupo de ciências que se desenvolveu à margem da produção industrial. Destaca-se, nesse grupo, a teoria evolucionista de Charles Darwin (1809-1882), baseada no princípio da **seleção natural**. Segundo a teoria darwinista, a evolução das espécies deve-se ao surgimento de mutações genéticas em alguns organismos, que os tornam mais adaptados ao ambiente em que vivem. O ambiente seleciona esses organismos mais aptos, ou seja, eles sobrevivem em tal ambiente e passam a se perpetuar, ao passo que os organismos menos adaptados desaparecem.

Tanto o darwinismo como as demais ciências da época enfatizavam a **experimentação**, a observação dos fenômenos naturais, para deles extrair leis universais da natureza. Alguns estudiosos da cultura tentaram aplicar essas leis ao funcionamento das sociedades humanas, constituindo o **cientificismo**, forma de conhecimento fundada no saber científico que causou grande confronto de boa parte da intelectualidade europeia com a Igreja católica. Além da religião, também a filosofia caiu em descrédito, pois se ocupava em explicar a realidade por meio de ideias abstratas.

Outra base para o aprofundamento do cientificismo do século XIX foi o **positivismo**, desenvolvido por Auguste Comte (1798-1857), na França. Considerado o pai da sociologia moderna, Comte defendia que não se podiam reduzir os fenômenos naturais a um único princípio, ou seja, a Deus. Seus textos afirmavam que a humanidade rumava, em uma espécie de "marcha natural", para o desenvolvimento de uma sociedade amparada fundamentalmente no saber científico.

E o entusiasmo com a ciência não se limitou aos intelectuais. Ela empolgou também a pequena burguesia, o cidadão comum da época, como se nota neste trecho de um romance de Gustave Flaubert (1821-1880). Bouvard e Pécuchet são funcionários públicos descontentes com a mediocridade de sua existência; mudam-se para uma propriedade no campo e se dedicam noite e dia à busca do conhecimento. Mas nada conseguem, a não ser colecionar uma série de trapalhadas.

COURBET, Gustave. *O encontro* ou *Bom dia, senhor Courbet*, 1854. Óleo sobre tela, 129 cm × 149 cm. Museu Fabre, Montpellier, França.

O pintor Gustave Courbet (1819-1877) retratou a si mesmo com um cajado na mão e uma mochila às costas, cumprimentando o importante colecionador de arte do qual seria hóspede.

Vale saber

O tema escolhido e o forte realismo com que Coubert foi retratado na tela *O encontro* causaram grande tumulto na Exposição Mundial de Paris, em 1855. Logo o pintor passou a ser saudado como o pioneiro de uma arte totalmente alheia à religião, em conformidade com as tendências cientificistas da época. Quando solicitado a incluir anjos em uma pintura, Courbet respondeu: "Nunca vi anjos. Mostre-me um e eu o pintarei".

Para estudar química, mandaram buscar o compêndio de Regnault e aprenderam, antes de mais nada, "que os corpos simples talvez sejam compostos".

Dividem-se em metais e metaloides — diferença que "nada tem de absoluto", diz o autor. O mesmo acontece aos ácidos e às bases, "podendo um corpo comportar-se como ácido ou como base, conforme as circunstâncias".

A notação lhes pareceu estapafúrdia. As proporções múltiplas confundiram Pécuchet.

— Pois se uma molécula de A, suponhamos, se combina com diversas partes de B, parece-me que essa molécula deve dividir-se em outras tantas partes; mas, se ela se divide, deixa de ser uma unidade, a molécula primordial. Afinal, não entendo nada.

— E eu muito menos! — diz Bouvard.

FLAUBERT, Gustave. *Bouvard e Pécuchet*. Trad. Galeão Coutinho e Augusto Meyer. 2. ed. Rio de Janeiro: Nova Fronteira, 1981. p. 54.

■ Margens do texto

Ainda que alguns dos conceitos da química sejam diferentes dos que conhecemos atualmente, como é possível perceber o elemento cômico que caracteriza a cena?

As personagens representam, na visão realista de Flaubert, a pequena burguesia, que acalenta sonhos de ascensão cultural. Buscando saberes nos livros, defrontam-se com a incapacidade de compreendê-los.

> O contexto literário

Influenciados pelo cientificismo da época, os escritores descartaram a imaginação como força criadora e optaram pela observação direta da realidade — entendida como única raiz possível da arte. Gustave Flaubert, um dos principais escritores do Realismo, afirmou que a função do artista é somente a de representar o que é **visível para todos**.

O sistema literário do Realismo

Os escritores vinculados ao Realismo faziam parte de segmentos sociais que tinham sua origem na burguesia e nas camadas médias da sociedade. Tal fato refletia a tendência de essa mesma burguesia assumir o comando das discussões estéticas e políticas de seu tempo.

A arte do Realismo propunha problematizar as estruturas sociais que, naquele momento, ainda refletiam o predomínio de instituições como a Igreja e a aristocracia, entendidas como expressões do atraso social. Esse caráter "programático" da estética realista, que sistematicamente atacava representantes da elite econômica e política, fez com que vários artistas trabalhassem de modo próximo e, por vezes, articulado. A amizade que unia muitos dos escritores e demais artistas os tornou porta-vozes dos ideais convergentes para o pensamento republicano e liberal, combinado com o humanismo das ideologias socialistas que passaram a ser veiculadas nos países economicamente mais avançados da Europa.

As obras realistas preocupavam-se bastante com o comportamento das personagens, investigando suas fraquezas, angústias e perturbações emocionais. A procura pela "palavra justa", que permitia penetrar na consciência humana, servia para levar o leitor à análise psicológica — esta se tornou uma das marcas registradas desse período. Veja, no texto a seguir, a obsessão de um jogador de roleta.

> Ao contrário, por uma fantasia bizarra, tendo notado que o vermelho havia saído sete vezes em seguida, me fixei nele. Estava convencido de que o amor-próprio representava metade desta decisão. Queria deixar os espectadores estupefatos ao assumir um risco insensato e (estranha sensação!) lembro-me claramente de que fui subitamente, sem qualquer incitação do amor-próprio, possuído por uma sede de risco. Talvez, depois de ter passado por um número tão grande de sensações, a alma não possa deleitar-se, exigindo novas sensações, sempre mais violentas, até o esgotamento total. E, na verdade, não minto, caso o regulamento permitisse apostar cinquenta mil florins de um só golpe, eu teria arriscado.
> À minha volta, gritavam que era uma insensatez, que era a décima quarta vez que o vermelho saía!
>
> DOSTOIÉVSKI, Fiódor. *O jogador*. Trad. Roberto Gomes. Porto Alegre: L&PM, 1998. p. 186-187.

Muitas vezes, a narrativa realista registrava os momentos em que a tensão psicológica chegava ao extremo, fazendo o leitor compartilhar as sensações da personagem. O Realismo, portanto, promoveu uma grande "invasão de privacidade", de modo a analisar os dilemas vividos pelos indivíduos.

Em síntese, o escritor realista tomou para si o papel de analista da sociedade e do ser humano, e o entendimento de que a sociedade funcionava de modo semelhante à natureza o fez adotar uma conduta próxima à do cientista. Assim, ele observava as coisas visíveis para entender os fenômenos individuais e, a partir deles, descobrir leis gerais de funcionamento da sociedade.

Sétima arte

Match point **(EUA, 2005)**
Direção de Woody Allen

A obra de Fiódor Dostoiévski (1821-1881) inaugura uma escrita carregada de alta intensidade psicológica e grande capacidade de descrição da decadência física e moral de suas personagens. Seu romance mais lido é *Crime e castigo* (1866), em que um jovem comete assassinato premeditado, mas não consegue levar a vida adiante com o peso dessa culpa. No filme *Match point*, uma das personagens também comete um assassinato premeditado, porém não sente culpa alguma. No filme, há claras referências ao romance *Crime e castigo*: uma das personagens aparece lendo esse livro, e o assassino é da mesma faixa etária que a personagem do romance.

Jonathan Rhys-Meyers e Scarlett Johansson em cena do filme *Match point*: assassinato sem sentimento de culpa.

■ Margens do texto

Não se pode descrever o impulso para o risco vivenciado pelo protagonista como simples desejo de vencer. Explique essa afirmação.

Vocabulário de apoio

estupefato: surpreso
florim: antiga moeda dos Países Baixos
incitação: estímulo, incentivo

O papel da tradição

O Realismo se configurou em nítida oposição ao Romantismo. Contrariamente à estética romântica, em que a narrativa de aventura ou o romance de amor contrapunha um herói íntegro às forças sociais instituídas, o texto realista criticava as futilidades da vida burguesa, observando, a distância, o desempenho de personagens que, muitas vezes, pareciam adaptadas à vida social. O escritor colocava-se como um crítico ferrenho da realidade, mostrando a incoerência entre as crenças e as atitudes dos indivíduos. Assim, a literatura era uma arma para denunciar fatos políticos e comportamentos individuais.

Se a proposta romântica de crítica da sociedade tinha adquirido um tom idealista, a crítica realista foi marcada pelo pessimismo: o escritor realista não demonstrava qualquer convicção de que fosse possível alguma mudança para melhor em um contexto dominado pelos valores burgueses.

Mesmo oposta à arte romântica, a estética realista apresentava a seu leitor uma mistura de sentimentos. O realista oscilava entre a luta para mudar o mundo e a desilusão. Tal desilusão manifestava-se de várias formas: decepção quanto ao poder de transformação da realidade, sátira feroz aos costumes, crítica contundente às atitudes e à moral de alguns grupos sociais. Para mostrar isso, criavam-se personagens comuns, vistas em suas fraquezas e mediocridades – o Realismo é o movimento que instituiu definitivamente a figura do **anti-herói** como protagonista das narrativas.

Na galeria de personagens do Realismo, figuram senhores respeitáveis e senhoras casadas e devotas, pais de família e eclesiásticos. Todos, porém, dissimulados, ora buscando benefícios pessoais, ora visando à satisfação de suas necessidades, mesmo que atropelando seus semelhantes e as regras sociais de convivência. Já as personagens jovens e idealistas (semelhantes às do Romantismo) veem-se defrontadas com uma realidade feroz, na qual seus sonhos não possuem sentido.

A tendência da prosa realista, portanto, é fixar **tipos sociais**. Personagens não representam somente a si mesmas, manifestam características que as vinculam a uma parcela social. A vida da sociedade burguesa torna-se objeto do olhar atento do narrador, que, descrevendo ações individuais, mostra hábitos e valores de toda uma classe.

Repertório

Literatura do século XIX: galeria de anti-heróis

A partir do século XIX, o anti-herói assume frequentemente o papel de protagonista das obras literárias. Alguns exemplos: Lucien de Rubempré (Balzac, *As ilusões perdidas*), Charles e Emma Bovary (Flaubert, *Madame Bovary*), Basílio (Eça de Queirós, *O primo Basílio*), Brás Cubas (Machado de Assis, *Memórias póstumas de Brás Cubas*), Raskolnikov (Dostoiévski, *Crime e castigo*). O anti-herói caracteriza-se basicamente como um ser humano comum, até medíocre (como Charles Bovary), ou, ainda, com extremas imperfeições de caráter ou de comportamento: Lucien de Rubempré escreve resenhas elogiosas em troca de dinheiro, trai amigos e arruína os familiares. Raskolnikov é um estudante miserável que comete um assassinato cruel e tem uma mania de grandeza que quase beira a loucura.

Peter Lorre como Raskolnikov em cena de *Crime e castigo* (EUA, 1935), filme dirigido por Josef von Sternberg.

Courbet, Gustave. *Os quebradores de pedra*, 1849. Óleo sobre tela, 159 cm × 259 cm. Galeria Neue Meister, Dresden, Alemanha.

Distante dos ideais de beleza presentes no Romantismo, a pintura realista incorporou à linguagem pictórica temas e cenas banais, fato que muitas vezes atingiu em cheio o "bom gosto" da época. Um claro exemplo disso é o quadro acima. Sobre essa tela, diz seu autor, Gustave Courbet (1819-1877): "Não inventei nada. Todos os dias, ao fazer minhas caminhadas, via as pessoas miseráveis desse quadro".

Uma leitura

O trecho a seguir pertence ao romance do escritor português Eça de Queirós (1845-1900), intitulado *O primo Basílio*. Repare na investigação psicológica feita pelo narrador com o intuito de desmascarar o individualismo da personagem Basílio, que, tendo seduzido sua prima casada, quer livrar-se dela para prosseguir com sua vida de prazeres.

Nos boxes laterais, você verá comentários sobre alguns aspectos desse texto e também perguntas que devem ser respondidas para completar a análise.

Ao referir-se à amante como um "trambolhozinho", Basílio demonstra seu total desapego afetivo.

O narrador invade os pensamentos sórdidos de Basílio fazendo com que o leitor tenha acesso direto à visão egoísta da personagem.

Por detrás da narrativa, há uma crítica direta a uma geração de jovens portugueses preocupados apenas consigo mesmos: Basílio viera a Lisboa para cuidar de "seus" negócios, e a pátria que fosse para o inferno! Essa postura é tipicamente antirromântica.

E soprando o fumo do charuto, começou a considerar, com horror, a "situação"! Não lhe faltava mais nada senão partir para Paris, com aquele trambolhozinho! Trazer uma pessoa, havia sete anos, a sua vida tão arranjadinha, e patatrás! embrulhar tudo, porque à menina lhe apanharam a carta de namoro e tem medo do esposo! Ora o descaro! No fim, toda aquela aventura desde o começo fora um erro! Tinha sido uma ideia de burguês inflamado ir desinquietar a prima da Patriarcal. Viera a Lisboa para os seus negócios, era tratá-los, aturar o calor e o *boeuf à la mode* do Hotel Central, tomar o paquete, e mandar a pátria ao inferno!... Mas não, idiota! Os seus negócios tinham-se concluído, — e ele, burro, ficara ali a torrar em Lisboa, a gastar uma fortuna em tipoias para o Largo de Santa Bárbara, para quê? Para uma daquelas! Antes ter trazido a Alphonsine!

Que, verdade, verdade, enquanto estivesse em Lisboa o romance era agradável, muito excitante; porque era muito completo! Havia o adulteriozinho, o incestozinho. Mas aquele episódio agora estragava tudo! Não, realmente, o mais razoável era safar-se!

QUEIRÓS, Eça de. *O primo Basílio*. São Paulo: Ateliê Editorial, 1998. p. 309.

---

1. Em geral, o sentimento de horror se relaciona ao medo paralisante.
   a) Por que o início do texto sinaliza que essa não é a interpretação mais adequada do termo *horror* nesse contexto?
   b) Qual é, então, o sentido desse termo na passagem?

2. Para Basílio, as relações afetivas possuem um caráter comercial. De que maneira a passagem final do primeiro parágrafo comprova essa ideia?

3. Por que Basílio entendia ser aquele romance "completo"?

Vocabulário de apoio

boeuf à la mode: um prato de gastronomia; "bife à moda"
descaro: vergonha
paquete: barco ligeiro
patatrás: interjeição que indica algo repentino
tipoia: cadeira pequena para transporte de pessoas

O interesse dos pintores realistas em retratar o modo de vida dos camponeses e da baixa burguesia contrapunha-se ao idealismo romântico. A visão individualizada dos heróis do Romantismo é substituída por uma visão de espaços coletivos. A rua torna-se um local especial e valorizado por essa escola estética, conforme se pode ver na tela de Théodore Rousseau (1812-1867).

ROUSSEAU, Étienne Pierre Théodore. *Mercado na Normandia*, c. 1845-1848. Óleo sobre tela, 29 cm × 38 cm. Museu Hermitage, São Petersburgo, Rússia.

Ler o Realismo

Leia um capítulo de *Esaú e Jacó*, do escritor brasileiro Machado de Assis (1839-1908). Nesse romance, o autor retrata os anos de agitação política brasileira na virada do século XIX para o XX. O enredo mostra as desavenças entre os irmãos gêmeos Pedro e Paulo, filhos de Natividade.

Desacordo no acordo

Não esqueça dizer que, em 1888, uma questão grave e gravíssima os fez concordar também, ainda que por diversa razão. A data explica o fato: foi a emancipação dos escravos. Estavam então longe um do outro, mas a opinião uniu-os.

A diferença única entre eles dizia respeito à significação da reforma, que para Pedro era um ato de justiça, e para Paulo era o início da revolução. Ele mesmo o disse, concluindo um discurso em São Paulo, no dia 20 de maio: "A abolição é a aurora da liberdade; esperemos o sol; emancipado o preto, resta emancipar o branco".

Natividade ficou atônita quando leu isto; pegou da pena e escreveu uma carta longa e maternal. Paulo respondeu com trinta mil expressões de ternura, declarando no fim que tudo lhe poderia sacrificar, inclusive a vida e até a honra; as opiniões é que não. "Não, mamãe; as opiniões é que não".

— As opiniões é que não, repetiu Natividade acabando de ler a carta.

Natividade não acabava de entender os sentimentos do filho, ela que sacrificara as opiniões aos princípios, como no caso de Aires, e continuou a viver sem mácula. Como então não sacrificar?... Não achava explicação. Relia a frase da carta e a do discurso; tinha medo de o ver perder a carreira política, se era a política que o faria grande homem. "Emancipado o preto, resta emancipar o branco", era uma ameaça ao imperador e ao império.

Não atinou... Nem sempre as mães atinam. Não atinou que a frase do discurso não era propriamente do filho; não era de ninguém. Alguém a proferiu um dia, em discurso ou conversa, em gazeta ou em viagem de terra ou de mar. Outrem a repetiu, até que muita gente a fez sua. Era nova, era enérgica, era expressiva, ficou sendo patrimônio comum.

Há frases assim felizes. Nascem modestamente, como a gente pobre; quando menos pensam, estão governando o mundo, à semelhança das ideias. As próprias ideias nem sempre conservam o nome do pai; muitas aparecem órfãs, nascidas de nada e de ninguém. Cada um pega delas, verte-as como pode, e vai levá-las à feira, onde todos as têm por suas.

MACHADO DE ASSIS, J. M. *Esaú e Jacó*. São Paulo: FTD, 2011. p. 104-105.

Vocabulário de apoio

atinar: perceber
atônito: espantado
aurora: princípio
emancipação: libertação
gazeta: ato de faltar à escola ou ao trabalho para passear
mácula: mancha, desonra
outrem: outra pessoa
pena: instrumento usado para escrever
proferir: dizer
verter: traduzir, fazer correr

Sobre o texto

1. Pedro e Paulo discordam em tudo, mas parecem concordar com a libertação dos escravizados no Brasil. Explique por que há um "desacordo no acordo" dos irmãos quanto a esse fato histórico.

2. Ao ler a afirmação de Paulo sobre o fim da escravidão, Natividade tem receio de que seu filho perca a chance de ter uma carreira política. Na visão dela, a frase "emancipado o preto, resta emancipar o branco" atingia diretamente a monarquia. Por que Natividade pensa assim?

3. O narrador aponta para o fato de Natividade não se dar conta de que a frase "não era propriamente do filho; não era de ninguém". Como entender essa afirmação?

4. No último parágrafo, o narrador comenta que as "frases felizes" expressam um sentimento geral e popular, mas também indica seu uso para fins pessoais: "cada um pega delas, verte-as como pode". Qual é a crítica embutida nessa reflexão?

5. Uma das características do Realismo literário é a sondagem psicológica, a investigação dos medos e dos interesses mais ocultos de cada indivíduo. Com base nessa afirmação, analise a reflexão de Natividade quando lê o discurso de seu filho Paulo sobre a emancipação dos negros escravizados.

O que você pensa disto?

Neste capítulo, tiveram destaque a associação entre indústria e ciência no século XIX e o grande desenvolvimento científico gerado por essa associação, graças aos capitais direcionados para a pesquisa. Destacou-se também que, para o indivíduo comum, a ciência era algo incompreensível.

- Hoje, a ciência serve aos interesses públicos ou aos das grandes empresas? As revistas de divulgação científica e as reportagens de televisão conseguiram torná-la mais compreensível para os leigos?

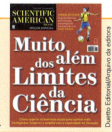

A *Scientific American* é uma das várias revistas de divulgação científica publicadas no Brasil.

CAPÍTULO 27

O Realismo em Portugal

O que você vai estudar

- O início do Realismo em Portugal.
- A poesia realista.
- A prosa de Eça de Queirós.

COURBET, Gustave. *Pierre-Joseph Proudhon e seus filhos em 1853*, 1865. Óleo sobre tela, 147 cm × 198 cm. Museu do Petit-Palais, Paris, França.

A pintura acima apresenta o pensador Proudhon. Mesmo em um cenário familiar, observa-se a presença marcante das ideias, simbolizadas pelos livros no primeiro plano. Os ideais positivistas de Auguste Comte (1798-1857) e o socialismo utópico de Pierre-Joseph Proudhon (1809-1865) foram algumas das grandes influências sofridas pela chamada Geração de 1870 de escritores realistas portugueses. Antenados com as revoltas sociais que haviam ocorrido em outros países europeus, esses escritores trouxeram para o campo dos debates uma perspectiva democrática, socialista e centrada na crença das ciências como alicerce do progresso social.

❯ O contexto de produção

Em meados de 1860, um grupo de jovens intelectuais portugueses promoveu uma reorientação nas concepções estéticas em Portugal. Eles criticavam o Romantismo por seu esgotamento formal e por sua incapacidade de compreender as transformações políticas que aconteciam em ritmo mais acelerado.

Na vida prática, esses jovens também condenavam a permanência de uma economia ruralista no país e a dependência de Portugal das importações de produtos manufaturados, além de recriminar a corrupção das instituições e a falta de um projeto para a nação.

A defasagem que os portugueses sentiam em relação ao restante da Europa foi denunciada por essa nova geração de autores. Antimonarquistas e anticlericais, eles defendiam uma mudança no modo de pensar o mundo, que, em seu ponto de vista, deveria ser concebido como "máquina" que produz naturalmente uma "evolução social". Por sua vez, o papel que consideravam reservado para a cultura não era o de idealizar a história ou a vida pequeno-burguesa, mas o de apontar alternativas para uma nova política e uma nova sociedade que dessem conta dessa mudança.

Os escritores realistas – muitos deles profundamente engajados na política – e suas ideias contribuiriam, mais tarde, para fomentar a implantação da república em Portugal, em 1910.

> ## A nova ideia

O Realismo português iniciou-se com um enfrentamento entre jovens escritores adeptos da chamada **nova ideia** (formas de composição literária de uma geração preocupada em retratar a realidade) e os últimos representantes do Romantismo.

Em torno do poeta romântico Antonio Feliciano de Castilho (1800-1875), colocaram-se artistas ainda presos aos preceitos estéticos do ultrarromantismo, como o extremo subjetivismo, a morbidez, o sentimentalismo exagerado e a retomada de referências do mundo medieval. No entanto, um grande número de jovens escritores defendia um papel diferente para a literatura: torná-la instrumento de investigação e crítica da sociedade portuguesa. Entre eles estavam Eça de Queirós, Teófilo Braga (1843-1924) e o poeta Antero de Quental (1842-1891), que defendeu essas ideias em longa polêmica travada com Castilho (conhecida como **Questão Coimbrã**).

Essa busca de uma **leitura objetiva da realidade portuguesa** de fins de século XIX tornou-se uma bandeira estética e política identificada com os movimentos de mudança que se faziam por toda a Europa. Para os realistas, as novas propostas acompanhavam a própria natureza da "alma portuguesa", como se vê neste texto, do escritor, crítico literário e político Teófilo Braga.

> A alma portuguesa caracteriza-se pelas manifestações seculares persistentes do tipo antropológico e étnico, que se mantêm desde as incursões dos Celtas e lutas contra a conquista dos Romanos até a resistência diante das invasões da orgia militar napoleônica. São as suas feições:
> A tenacidade e indomável coragem diante das maiores calamidades, com a fácil adaptação a todos os meios cósmicos, pondo em evidência o seu gênio e ação colonizadora;
> Uma profunda sentimentalidade, obedecendo aos impulsos que a levam às aventuras heroicas, e à idealização efetiva, com que o Amor é sempre um caso de vida ou de morte;
> Capacidade especulativa pronta para a percepção de todas as doutrinas científicas e filosóficas, como o revelam Pedro Julião (Hispano), na Idade Média, Francisco Sanches, Garcia d'Orta, Pedro Nunes e os Gouveias, na Renascença;
> Um gênio estético, sintetizando o ideal moderno da Civilização Ocidental, como em Camões, reconhecido por Alexandre de Humboldt como o Homero das línguas vivas.
>
> BRAGA, Teófilo. *Viriato* (1904). Disponível em: <http://alfarrabio.di.uminho.pt/vercial/mobile/posromant/teofilo.htm>. Acesso em: 14 fev. 2015.

A visão de Teófilo Braga sobre seu país baseia-se em uma nova leitura da história portuguesa. O texto é esquemático: no primeiro parágrafo, traça uma síntese da resistência do povo português aos ataques bélicos; no segundo, enfatiza sua capacidade de adaptar-se à adversidade em nome da ação colonizadora que empreendeu; a seguir, coloca em relevo a sentimentalidade e a racionalidade que impulsionam a nação para "aventuras heroicas" e para a "percepção" e o ajustamento às doutrinas científicas e filosóficas. O arremate aponta para Camões, figura-símbolo do "gênio estético", síntese do ideal da civilização portuguesa.

Essa opção por recontar a história, a fim de evidenciar o sentido das transformações, constituiu para os realistas uma estratégia de reorientar os caminhos políticos, econômicos e sociais de Portugal, atrelando-os ao fluxo de ideias que circulavam pela Europa.

GROS, Antoine-Jean. *Napoleão Bonaparte na ponte de Arcole*, 1796-1797. Óleo sobre tela, 134 cm × 103 cm. Museu Hermitage, São Petersburgo, Rússia.

O imperador francês é retratado durante uma das muitas campanhas que compuseram a "orgia militar napoleônica" a que se refere Teófilo Braga, no texto ao lado.

Vocabulário de apoio

calamidade: catástrofe
especulativo: investigativo
incursão: invasão
secular: relativo à vida civil
tenacidade: persistência

■ **Repertório**

As Conferências do Cassino

Em 1871, foi organizada uma série de conferências em Lisboa com o intuito de discutir os rumos de Portugal. A visão internacionalista dos idealizadores das Conferências do Cassino, centrada, sobretudo, nos ideais da democracia, defendia o direito de liberdade na discussão de ideias. Os ataques proferidos contra o sistema político monárquico e a Igreja católica fizeram com que as autoridades declarassem o evento ilegal.

Nesse postal de data desconhecida, vê-se o Cassino Lisbonense, no Largo da Abegoaria, local das célebres Conferências.

A poesia realista

A poesia produzida no período realista pode ser agrupada em quatro grandes linhas: a que procurou expressar a doutrina das **reformas sociais**; a que se aproximou da **preocupação formal** que caracterizou a poesia francesa desse mesmo momento histórico-literário; a que se apegou a **temas do cotidiano**; e, enfim, a que foi marcada por uma **preocupação metafísica**, isto é, por uma inquietação filosófica quanto à essência das coisas. Essas tendências por vezes se misturam, revelando a amplitude das preocupações estéticas dessa escola literária.

No soneto a seguir, de Antero de Quental, um dos líderes do movimento realista português, o desenvolvimento metafísico ("Interrogo o infinito") culmina em um desejo que pode ser lido como referência ao contexto social.

Evolução

Fui rocha, em tempo, e fui, no mundo antigo,
Tronco ou ramo na incógnita floresta...
Onda, espumei, quebrando-me na aresta
Do granito, antiquíssimo inimigo...

Rugi, fera talvez, buscando abrigo
Na caverna que ensombra urze e giesta;
Ou, monstro primitivo, ergui a testa
No limoso paul, glauco pascigo...

Hoje sou homem — e na sombra enorme
Vejo, a meus pés, a escada multiforme,
Que desce, em espirais, na imensidade...

Interrogo o infinito e às vezes choro...
Mas, estendendo as mãos no vácuo, adoro
E aspiro unicamente à liberdade.

QUENTAL, Antero de. *Sonetos*. 6. ed. Lisboa: Livraria Sá da Costa Editora, 1979. p. 204-205.

Vocabulário de apoio

aresta: beirada desigual
giesta: tipo de planta que possui flores amarelas ou brancas
glauco: esverdeado
incógnito: misterioso, desconhecido
limoso: que possui limo
pascigo: pastagem, pasto
paul: charco, pântano
urze: arbusto

O soneto organiza-se pelo princípio da gradação progressiva nas fases da existência. Na primeira estrofe, o eu lírico diz ter pertencido aos universos mineral e vegetal; o mundo animal é o próximo estágio; por fim, torna-se humano e, com isso, surgem as angústias e a aspiração da liberdade. Está clara a preocupação de refazer não somente o caminho evolutivo (cuja indicação já se encontra no título), mas também de meditar sobre o que está além da ordem natural, uma das marcas da poesia realista.

Outro traço do Realismo é a aproximação do artista ao indivíduo comum, como se vê nos versos a seguir, parte do poema "Sentimento de um ocidental", de Cesário Verde (1855-1886).

[...]
Num cutileiro, de avental, ao torno,
Um forjador maneja um malho, rubramente;
E de uma padaria exala-se, inda quente,
Um cheiro salutar e honesto a pão no forno.

E eu que medito um livro que exacerbe,
Quisera que o real e a análise mo dessem;
Casas de confecções e modas resplandecem;
Pelas *vitrines* olha um ratoneiro imberbe.
[...]

VERDE, Cesário. Sentimento de um ocidental. In: MOISÉS, Massaud. *A literatura portuguesa através dos textos*. 17. ed. São Paulo: Cultrix, 1988. p. 301.

Vocabulário de apoio

cutileiro: fábrica de instrumentos cortantes
exacerbar: exagerar
forjador: ferreiro
imberbe: sem barba, jovem
malho: martelo de ferro
ratoneiro: larápio, gatuno
salutar: saudável
torno: máquina que dá acabamento a peças

Assim como os trabalhadores que transformam a farinha em pão ou forjam o ferro, o poeta se vê também como produtor, ao transformar a palavra em poesia. Repare que, ao andar pela cidade em busca de imagens que motivem um poema – atitude que é uma das marcas da literatura do fim do século XIX e início do século XX –, o eu lírico enxerga elementos específicos: o trabalho de cidadãos comuns, as casas de confecção e moda, as vitrines. A paisagem é urbana, distante da atmosfera da natureza. Ao olhar para as minúcias da cidade, o eu lírico procura a poesia que nasce do real.

Esta pintura de José Malhoa (1855-1933), considerado um dos maiores pintores portugueses da virada do século XIX para o século XX, representa uma cena cotidiana de trabalho braçal. Os realistas voltam sua atenção para a vida das classes populares.

MALHOA, José. *Clara*, 1918. Óleo sobre tela, 244 cm × 134 cm.
Museu Nacional de Arte Contemporânea – Museu do Chiado, Lisboa, Portugal.

Sua leitura

Você lerá mais um trecho do poema "Sentimento de um ocidental", de Cesário Verde, um dos grandes representantes do movimento realista. Em seguida, responda às questões propostas.

IV – Horas mortas

O teto fundo de oxigênio, de ar,
Estende-se ao comprido, ao meio das trapeiras;
Vêm lágrimas de luz dos astros com olheiras,
Enleva-me a quimera azul de transmigrar.

Por baixo, que portões! Que arruamentos!
Um parafuso cai nas lajes, às escuras:
Colocam-se taipais, rangem as fechaduras,
E os olhos dum caleche espantam-me,
                              [sangrentos.

E eu sigo, como as linhas de uma pauta
A dupla correnteza augusta das fachadas;
Pois sobem, no silêncio, infaustas e trinadas,
As notas pastoris de uma longínqua flauta.

Se eu não morresse nunca! E eternamente
Buscasse e conseguisse a perfeição das cousas!
Esqueço-me a prever castíssimas esposas,
Que aninhem em mansões de vidro
                              [transparente!

Ó nossos filhos! Que de sonhos ágeis,
Pousando, vos trarão a nitidez às vidas!
Eu quero as vossas mães e irmãs
                              [estremecidas,
Numas habitações translúcidas e frágeis.

Ah! Como a raça ruiva do porvir,
E as frotas dos avós, e os nômadas ardentes,

Nós vamos explorar todos os continentes
E pelas vastidões aquáticas seguir!

Mas se vivemos, os emparedados,
Sem árvores, no vale escuro das muralhas!...
Julgo avistar, na treva, as folhas das navalhas
E os gritos de socorro ouvir estrangulados.

E nestes nebulosos corredores
Nauseiam-me, surgindo, os ventres das
                              [tabernas;
Na volta, com saudade, e aos bordos sobre as
                              [pernas,
Cantam, de braço dado, uns tristes bebedores.

Eu não receio, todavia, os roubos;
Afastam-se, a distância, os dúbios caminhantes;
E sujos, sem ladrar, ósseos, febris, errantes,
Amareladamente, os cães parecem lobos.

E os guardas que revistam as escadas,
Caminham de lanterna e servem de chaveiros;
Por cima, as imorais, nos seus roupões ligeiros,
Tossem, fumando sobre a pedra das sacadas.

E, enorme, nesta massa irregular
De prédios sepulcrais, com dimensões de
                              [montes,
A Dor humana busca os amplos horizontes,
E tem marés, de fel, como um sinistro mar!

VERDE, Cesário. Sentimento de um ocidental. In: MOISÉS, Massaud. *A literatura portuguesa através dos textos*. 17. ed. São Paulo: Cultrix, 1988. p. 302-303.

Vocabulário de apoio

aos bordos: cambaleando
arruamento: disposição de prédios ao longo de uma rua
augusto: digno de respeito
caleche: carruagem de dois assentos e quatro rodas
casto: puro
fel: amargo
infausto: que não ostenta, que não é luxuoso
nômada: errante
porvir: tempo que está para vir, futuro
quimera: fantasia
sepulcral: sombrio, triste, medonho
taipal: muro de barro ou de cal e areia
translúcido: que deixa passar luminosidade
transmigrar: passar de um corpo para outro
trapeira: tipo de trepadeira; hera
trinado: musicado

Sobre o texto

1. Algumas palavras do poema remetem ao universo científico, ao passo que outras se referem ao espaço sombrio da cidade. Localize e agrupe no caderno essas palavras conforme o universo a que se referem.

2. Na primeira estrofe, o eu lírico ocupa-se em descrever a paisagem noturna na qual se encontra. Nas estrofes seguintes, porém, ocorre uma mudança, e sua percepção se desloca para outros cenários.
    a) Quais elementos o eu lírico passa a observar?
    b) É possível dizer que o eu lírico oscila entre o devaneio e os elementos da realidade? Justifique com elementos do texto.
    c) O que indica, na última estrofe, um pessimismo como resultado desse embate entre os desejos do eu subjetivo e a realidade do mundo objetivo? Justifique com elementos do texto.

3. Quais elementos permitem ler esse poema como um representante da estética realista?

Vista da arquidiocese no Porto, Portugal, c. 1885.

> Eça de Queirós: o espelho da sociedade em crise

A prosa realista em Portugal contemplou gêneros das esferas jornalística e literária (romances, contos, ensaios, historiografia literária, etc.). Esses textos são fundamentais para entender o alcance da estética realista. Entre os romances e os contos estão alguns dos mais ilustres trabalhos da literatura portuguesa, prestígio que se deve em grande medida a Eça de Queirós (1845-1900).

Porta-voz de sua geração, Eça foi um firme defensor dos ideais da arte realista. Para ele, a literatura deveria refletir seu tempo, isto é, atrelar-se ao mundo que retratava, evitando idealizações. A experiência dos sujeitos históricos, observada pelo viés da ciência que estuda o comportamento humano, seria o chão vivo sobre o qual se deveria elaborar o texto literário.

Em 1875, Eça de Queirós publicou um de seus romances mais controvertidos: *O crime do padre Amaro*. Claramente anticlerical, o texto narra a história do jovem padre Amaro. Designado a uma paróquia em Leiria, ele vai morar na casa da beata dona Joaneira, mãe de Amélia. Amaro e Amélia envolvem-se e, dessa união proibida, resulta uma gravidez. Amaro contrata uma mulher para interromper a gestação, mas Amélia morre. A narrativa causa choque quando Amaro, aparentemente sem remorsos, ressurge, transferindo-se para uma cidade mais próxima de Lisboa. No trecho reproduzido a seguir, Amélia demonstra seu interesse pelo jovem padre.

> Amélia passou a sua missa embevecida, pasmada para o pároco – que era, como dizia o cônego, "um grande artista para missas cantadas"; todo o cabido, todas as senhoras o reconheciam. Que dignidade, que cavalheirismo nas saudações cerimoniosas aos diáconos! Como se prostrava bem diante do altar, aniquilado e escravizado, sentindo-se cinza, sentindo-se pó diante de Deus, que assiste de perto, cercado da sua corte e da sua família celeste! Mas era sobretudo admirável nas bênçãos; passava devagar as mãos sobre o altar como para apanhar, recolher a graça que ali caía do Cristo presente, e atirava-a depois com um gesto largo de caridade por toda a nave, por sobre o estendal de lenços brancos de cabeça, até ao fundo onde os homens do campo muito apertados, de varapau na mão, pasmavam para a cintilação do sacrário! Era então que Amélia o amava mais, pensando que aquelas mãos abençoadoras lhas apertava ela com paixão por baixo da mesa do quino: aquela voz, com que ele lhe chamava *filhinha*, recitava agora as orações inefáveis, e parecia-lhe melhor que o gemer das rabecas, revolvia-a mais que os graves do órgão! Imaginava com orgulho que todas as senhoras decerto o admiravam também; mas só tinha ciúmes, um ciúme de devota que sente os encantos do Céu, quando ele ficava diante do altar, na posição extática que manda o ritual, tão imóvel como se a sua alma se tivesse remontado longe, para as alturas, para o Eterno e para o Insensível. Preferia-o, por o sentir mais humano e mais acessível, quando, durante o *Kyrie* ou a leitura da Epístola, ele se sentava com os diáconos no banco de damasco vermelho; ela queria então atrair-lhe um olhar; mas o senhor pároco permanecia de olhos baixos, numa compostura modesta.
>
> QUEIRÓS, Eça de. *O crime do padre Amaro*. Porto: Lello, 1967. p. 365-366.

Decoro e recato combinados à evidente situação de sedução reflete a natureza realista da personagem: a ausência de limites éticos e a deturpação dos costumes são alguns comportamentos criticados por Eça. Amélia representa a decadência dos valores institucionais. As mãos "abençoadoras" que ela tocava "por baixo" da mesa demonstram a crítica efetuada à hipocrisia da sociedade e da Igreja: o que se via eram as mãos que realizavam o culto; escondidas, essas mesmas mãos eram instrumento do pecado.

Ação e cidadania

O tema do aborto provocado, presente em *O crime do padre Amaro*, continua atual e divide opiniões. Sabe-se que cerca de 60 países permitem essa prática sem restrições, enquanto cerca de 70 proíbem o aborto ou o autorizam apenas em alguns casos. O Brasil se enquadra no segundo grupo, mas o debate sobre o tema é intenso no país. Os favoráveis à descriminalização dessa prática invocam o direito de decisão da mulher sobre o próprio corpo e/ou apontam as muitas mulheres que morrem por ano em razão de abortos clandestinos, o que torna o assunto um problema de saúde pública. Os contrários, por sua vez, invocam o direito do feto à vida e propõem medidas como planejamento familiar e assistência à mãe em situação de risco, entre outras.

Vocabulário de apoio

aniquilado: anulado, abatido
cabido: corporação de clérigos
diácono: clérigo, pertencente à Igreja
embevecido: maravilhado, encantado
estendal: lugar onde se estendem roupas para secar
extático: maravilhado, em êxtase
inefável: aquilo que não se pode exprimir por palavras
Kyrie: oração que faz parte da missa
nave: parte central de uma igreja
pároco: padre
pasmado: muito admirado
prostrar-se: lançar-se ao chão em súplica
quino: canto
sacrário: armário para guardar hóstias
varapau: cajado, pau que serve de apoio

> As virtudes da natureza e os males da civilização

Desenvolvido a partir de um conto intitulado "Civilização", o romance *A cidade e as serras*, publicado um ano após a morte de Eça de Queirós, mostra outra face do escritor.

A narrativa relata a transformação de Jacinto de Tormes, representante da parcela endinheirada da população portuguesa que, na visão de Eça, se distanciara dos valores mais profundos de seu país. Jovem adepto das comodidades modernas, Jacinto vive em Paris com rendimentos de suas terras em Portugal. Entediado com a cidade, retorna a Tormes, sob pretexto de reconstruir a capela em que estão os restos mortais de seus ancestrais. Lá, recupera os laços afetivos com o local, encanta-se com a paisagem, mas também trava contato com a pobreza. Ao empenhar-se em melhorar as condições de vida do povo da região, Jacinto tenta trazer para o lugar alguns dos benefícios da "civilização", como se vê no texto a seguir.

> Jacinto, que tinha agora dois cavalos, todas as manhãs cedo percorria as obras, com amor. Eu, inquieto, sentia outra vez latejar e irromper no meu Príncipe o seu velho, maníaco furor de acumular Civilização! O plano primitivo das obras era incessantemente alargado, aperfeiçoado. Nas janelas, que deviam ter apenas portadas, segundo o secular costume da serra, decidira pôr vidraças, apesar do mestre de obras lhe dizer honradamente que depois de habitadas um mês não haveria casa com um só vidro. Para substituir as traves clássicas queria estucar os tetos; e eu via bem claramente que ele se continha, se retesava dentro do bom-senso, para não dotar cada casa com campainhas elétricas. Nem sequer me espantei, quando ele uma manhã me declarou que a porcaria da gente do campo provinha deles não terem onde comodamente se lavar, pelo que andava pensando em dotar cada casa com uma banheira. Descíamos nesse momento, com os cavalos à rédea, por uma azinhaga precipitada e escabrosa; um vento leve ramalhava nas árvores, um regato saltava ruidosamente entre as pedras. Eu não me espantei – mas realmente me pareceu que as pedras, o arroio, as ramagens e o vento, se riam alegremente do meu Príncipe. E além destes confortos a que o João, mestre de obras, com os olhos loucamente arregalados chamava "as grandezas", Jacinto meditava o bem das almas. Já encomendara ao seu arquiteto, em Paris, o plano perfeito duma escola, que ele queria erguer, naquele campo da Carriça, junto à capelinha que abrigava "os ossos". Pouco a pouco, aí criaria também uma biblioteca, com livros de estampas, para entreter, aos domingos, os homens a quem já não era possível ensinar a ler. Eu vergava os ombros, pensando: – "Aí vem a terrível acumulação das Noções! Eis o livro invadindo a Serra!" [...].
>
> QUEIRÓS, Eça de. *A cidade e as serras*. 2. ed. São Paulo: Ática, 2007. p. 155-156.

Vocabulário de apoio

azinhaga: caminho estreito
escabroso: acidentado
estucar: dar acabamento com estuque
portada: portal
retesar-se: contrair-se

A narração, feita pelo amigo íntimo José Fernandes, favorece a apresentação idealizada do protagonista: o narrador se refere a ele como "meu Príncipe". Jacinto passa a representar a elite portuguesa comprometida com seu país, moldada nos ideais da civilização apregoados pelo Realismo. A superação de um Portugal atrasado econômica e socialmente é um dos pontos de chegada da obra final de Eça de Queirós. O viés pessimista de *O crime do padre Amaro* adquire a perspectiva positiva do ingresso no mundo civilizado de *A cidade e as serras*.

A visão política de Eça também fica patente: não há emancipação das classes subalternas. Sua única possibilidade de melhoria social advém da intervenção da classe econômica e socialmente superior.

O tema da natureza surge com força em uma das vertentes do Realismo. A pintura de Corot (1796-1875) retrata o encontro idílico entre o ser humano, representado pelas ninfas, e a paisagem natural.

COROT, Jean-Baptiste Camille. *A dança das ninfas*, c. 1860-1865. Óleo sobre tela, 49 cm × 77,5 cm. Museu d'Orsay, Paris, França.

277

Sua leitura

Publicado em 1878, *O primo Basílio*, de Eça de Queirós, faz uma crítica contundente à sociedade lisboeta. No fragmento a seguir, Luísa se recorda de seu envolvimento com Basílio. Leia-o e responda às questões.

Lembrou-lhe de repente a notícia do jornal, a chegada do primo Basílio...

Um sorriso vagaroso dilatou-lhe os beicinhos vermelhos e cheios. – Fora o seu primeiro namoro, o primo Basílio! Tinha ela então dezoito anos! Ninguém o sabia, nem Jorge, nem Sebastião...

De resto fora uma criancice; ela mesma, às vezes, ria, recordando as pieguices ternas de então, certas lágrimas exageradas! Devia estar mudado o primo Basílio. Lembrava-se bem dele – alto, delgado, um ar fidalgo, o pequenino bigode preto levantado, o olhar atrevido, e um jeito de meter as mãos nos bolsos das calças fazendo tilintar o dinheiro e as chaves! *Aquilo* começara em Sintra, por grandes partidas de bilhar muito alegres, na quinta do tio João de Brito, em Colares. Basílio tinha chegado então da Inglaterra: vinha muito *bife*, usava gravatas escarlates passadas num anel de ouro, fatos de flanela branca, espantava Sintra! Era na sala de baixo pintada a oca, que tinha um ar antigo e morgado; uma grande porta envidraçada abria para o jardim, sobre três degraus de pedra. Em roda do repuxo havia romãzeiras, onde ele apanhava flores escarlates. A folhagem verde-escura e polida dos arbustos de camélias fazia ruazinhas sombrias; pedaços de sol faiscavam, tremiam na água do tanque; duas rolas, numa gaiola de vime, arrulhavam docemente; – e, no silêncio aldeão da quinta, o ruído seco das bolas de bilhar tinha um tom aristocrático.

[...]

Veio o inverno, e aquele amor foi-se abrigar na velha sala forrada de papel sangue de boi da Rua da Madalena. Que bons serões ali! A mamã ressonava baixo com os pés embrulhados numa manta, o volume da *Biblioteca das Damas* caído sobre o regaço. E eles, muito chegados, muito felizes no sofá! O sofá! Quantas recordações! Era estreito e baixo, estofado de casimira clara, com uma tira ao centro, bordada por ela, amores-perfeitos amarelos e roxos sobre um fundo negro. Um dia veio o final. João de Brito, que fazia parte da firma Bastos & Brito, faliu. A casa de Almada, a quinta de Colares foram vendidas.

Basílio estava pobre: partiu para o Brasil. Que saudades! Passou os primeiros dias sentada no sofá querido, soluçando baixo, com a fotografia dele entre as mãos. Vieram então os sobressaltos das cartas esperadas, os recados impacientes ao escritório da Companhia, quando os paquetes tardavam...

Passou um ano. Uma manhã, depois dum grande silêncio de Basílio, recebeu da Bahia uma longa carta, que começava: "Tenho pensado muito e entendo que devemos considerar a nossa inclinação como uma criancice..."

Desmaiou logo. Basílio afetava muita dor em duas laudas cheias de explicações: que estava ainda pobre; que teria de lutar muito antes de ter para dois; o clima era horrível; não a queria sacrificar, pobre anjo; chamava-lhe "minha pomba" e assinava o seu nome todo, com uma firma complicada.

Viveu triste durante meses. [...]

Tinham passado três anos quando conheceu Jorge. Ao princípio não lhe agradou. Não gostava dos homens barbados; depois percebeu que era a primeira barba, fina, rente, muito macia decerto; começou a admirar os seus olhos, a sua frescura. E sem o amar sentia ao pé dele como uma fraqueza, uma dependência e uma quebreira, uma vontade de adormecer encostada ao seu ombro, e de ficar assim muitos anos, confortável, sem receio de nada. Que sensação quando ele lhe disse: Vamos casar, hein! Viu de repente o rosto barbado, com os olhos muito luzidios, sobre o mesmo travesseiro, ao pé do seu! Fez-se escarlate, Jorge tinha-lhe tomado a mão; ela sentia o calor daquela palma larga penetrá-la, tomar posse dela; disse que *sim*; ficou como idiota, e sentia debaixo do vestido de merino dilatarem-se docemente os seus seios. Estava noiva, enfim! Que alegria, que descanso para a mamã!

Casaram às oito horas, numa manhã de nevoeiro. Foi necessário acender luz para lhe pôr a coroa e o véu de tule. Todo aquele dia lhe aparecia como enevoado, sem contornos, à maneira de um sonho antigo – onde destacava a cara balofa e amarelada do padre, e a figura medonha de uma velha, que estendia a mão adunca, com uma sofreguidão colérica, empurrando, rogando pragas, quando, à porta da igreja, Jorge comovido distribuía patacos. Os sapatos de cetim apertavam-na. Sentia-se enjoada da madrugada, fora necessário fazer-lhe chá verde muito forte. E tão cansada à noite naquela casa nova, depois de desfazer os seus baús! – Quando Jorge apagou a vela, com um sopro trêmulo, os luminosos faiscavam, corriam-lhe diante dos olhos.

Vocabulário de apoio

adunco: recurvado em gancho

bife: apelido dado a estrangeiros de fala inglesa, em especial, ingleses e estadunidenses

brio: dignidade, coragem

dengueiro: que permite dengos, afetação

fato: vestimenta

firma: assinatura; empresa

lauda: folha de papel para escrever

merino: feito de lã de carneiro originário da Espanha

morgado: cansado

oca: de cor ocre

pano de teatro: cortina que separa o palco do público em um teatro

paquete: embarcação que transporta passageiros, mercadorias e correspondências

pataco: moeda

quebreira: cansaço físico

quinta: propriedade particular, sítio

regaço: colo

repuxo: desvão, espaço entre o telhado e o teto do último andar

serão: tempo entre o jantar e a hora de dormir

silêncio aldeão: silêncio típico de uma localidade interiorana

tule: um tipo de tecido

Mas era o seu marido, era novo, era forte, era alegre; pôs-se a adorá-lo. Tinha uma curiosidade constante da sua pessoa e das suas coisas, mexia--lhe no cabelo, na roupa, nas pistolas, nos papéis. Olhava muito para os maridos das outras, comparava, tinha orgulho nele. Jorge envolvia-a em delicadezas de amante, ajoelhava-se aos seus pés, era muito *dengueiro*. E sempre de bom humor, com muita graça: mas nas coisas da sua profissão ou do seu brio tinha severidades exageradas, e punha então nas palavras, nos modos uma solenidade carrancuda. Uma amiga dela, romanesca, que via em tudo dramas, tinha-lhe dito: É homem para te dar uma punhalada. Ela que não conhecia ainda então o temperamento plácido de Jorge acreditou, e isso mesmo criou uma exaltação no seu amor por ele. Era o seu *tudo* – a sua força, o seu fim, o seu destino, a sua religião, o seu homem! – Pôs-se a pensar, o que teria sucedido se tivesse casado com o primo Basílio. Que desgraça, hein! Onde estaria? Perdia-se em suposições de outros destinos, que se desenrolavam como panos de teatro: via-se no Brasil, entre coqueiros, embalada numa rede, cercada de negrinhos, vendo voar papagaios!

QUEIRÓS, Eça de. *O primo Basílio*. São Paulo: Ateliê Editorial, 1998. p. 62-65.

Sobre o texto

1. O trecho permite fazer uma comparação entre Basílio e Jorge. Como se pode caracterizá-los?
2. A narrativa mostra que Luísa, a protagonista da história, alterna seu ponto de vista frequentemente. Um exemplo é seu contato com Jorge: ao vê-lo pela primeira vez, este não lhe agrada; depois, ela passa a observá-lo com carinho. Como definir, com base nessas afirmações, o caráter de Luísa?
3. Na passagem em que são narradas as recordações de Luísa sobre seu casamento com Jorge, há um distanciamento da idealização romântica desse símbolo da união amorosa. Destaque do texto elementos que confirmem essa afirmação.
4. É possível afirmar que a narração apresenta uma visão estereotipada sobre o Brasil. Considerando as características de Luísa, a quem se atribui o pensamento, o leitor deve ratificar essa descrição? Tendo em vista os objetivos do Realismo português, qual seria o papel dessa descrição?

Sétima arte

Primo Basílio
(Brasil, 2007)
Direção de Daniel Filho

Adaptada para o Brasil dos anos 1950, a versão cinematográfica da obra de Eça de Queirós tem no elenco vários atores consagrados pela televisão, como Fábio Assunção (Basílio), Débora Falabella (Luísa), Reynaldo Gianecchini (Jorge) e Glória Pires (Juliana, a criada chantagista), que se destaca com uma interpretação muito elogiada pela crítica.

No filme, a história se passa na São Paulo de 1958, em vez de na Lisboa do final do século XIX.

Cartaz do filme *Primo Basílio*.

O que você pensa disto?

O Realismo português foi marcado pela iniciativa de participação política de seus artistas, que contribuíram ativamente para o movimento que derrubou a monarquia e implantou a república em Portugal, em 1910. Um dos escritores e intelectuais realistas, Teófilo Braga, chegou mesmo a ser presidente de Portugal durante um breve período de 1915.

No Brasil contemporâneo, há o caso do escritor e dramaturgo Ariano Suassuna (1927-2014), um artista engajado na defesa da cultura nacional e que também teve a experiência de ser secretário da Cultura de Pernambuco por duas vezes – de 1995 a 1998 e de 2007 a 2010.

- Você acha que artistas devem se restringir ao seu meio de expressão ou podem também trazer contribuições importantes para a política? Em caso positivo, quais?

Ariano Suassuna, autor do sucesso teatral *Auto da Compadecida* (1955), em fotografia de 2011.

CAPÍTULO 28
O Realismo no Brasil

O que você vai estudar

- Republicanos escravocratas: ideias fora do lugar.
- Machado de Assis: narrador ardiloso, personagens individualistas.
- Raul Pompeia: a infância nada inocente.

Autoria anônima. *Alegoria à proclamação da República e à partida da família imperial*, século XIX. Óleo sobre tela, 82 cm × 103 cm. Fundação Maria Luisa e Oscar Americano, São Paulo.

Nessa imagem, o marechal Deodoro da Fonseca (com a bandeira) e outros representantes da República recém-proclamada despedem-se cordialmente da família imperial, que vai deixar o país. Na vida real, porém, os últimos tempos da monarquia foram tumultuados por diversas crises, tanto na área militar quanto em setores civis e políticos.

❯ O contexto de produção

O último quarto do século XIX foi marcado por vários acontecimentos importantes nas esferas política e social do país. Conflitos como a Guerra do Paraguai (1864-1870) provocaram focos de insatisfação com a política monarquista e acabaram por fortalecer **ideias republicanas**. Ao mesmo tempo, cresceu o clamor pela **libertação dos negros escravizados**. A abolição da escravidão não era mais somente uma necessidade de ordem moral. As mudanças nos meios de produção resultantes do incipiente processo de industrialização requeriam do Brasil um novo modelo de gestão da mão de obra.

Essas crises foram acompanhadas pela reorientação das formas de representação da realidade: a literatura e as artes, em geral, passaram a registrar o mundo de maneira mais objetiva, em contraposição ao subjetivismo anterior; a preocupação se voltou para o presente, para as relações sociais que caracterizavam os acontecimentos contemporâneos e para o cotidiano, deixando de lado a idealização de um passado histórico e glorioso.

De certa maneira, o Brasil acompanhou as transformações que ocorreram na Europa e que desencadearam o abandono progressivo da estética romântica e a ascensão do Realismo. A influência crescente do positivismo, os avanços nas ciências e os debates sobre formas democráticas de governo passaram a integrar o repertório dos intelectuais brasileiros afinados com os centros europeus. O diálogo entre o Brasil e parte da Europa se fez de modo cada vez mais intenso, ora funcionando como um referencial para a nossa cultura, ora servindo de modelo imitado pelas elites, que se consideravam "modernas" por adotar posturas intelectuais não condizentes com a realidade social brasileira.

Esse foi um período de **grande produção intelectual**: surgiram, de modo mais sistemático, a crítica literária, os estudos históricos e o pensamento filosófico culturalista, que analisava os fenômenos individuais e coletivos com base em traços da cultura.

> A sociedade vista por dentro

A circulação de informações, as novidades provindas de países europeus e as divergências de pontos de vista sobre os caminhos a serem seguidos pelo povo brasileiro tomavam conta das rodas de conversa, dos jornais e dos demais espaços sociais. O **cotidiano político** e **cultural** do país inflamava-se cada vez mais em meio a debates e polêmicas.

Ataques que confrontavam abertamente a figura de dom Pedro II foram se tornando comuns até a proclamação da República. Não era mais possível ignorar a desigualdade de direitos e a supressão da liberdade que marcavam a sociedade da época.

Dotados de um olhar atento, os escritores souberam transpor para o contexto da literatura – muitas vezes de modo cômico e mordaz – os impasses vivenciados pela sociedade. A imagem de uma elite que adaptava as ideologias progressistas a seus próprios interesses constituiu um dos maiores alvos da crítica do Realismo brasileiro. É o que se percebe no fragmento do conto a seguir, em que um rico proprietário assume o ideal do republicanismo, mas na prática mantém a lógica do mando e da escravidão, tornando-se um exemplo típico de que as ideias do liberalismo europeu se encontram fora do lugar em terras brasileiras.

> Curvado um dia sobre essas páginas épicas da lenda das gerações, inclinado à beira vertiginosa do báratro onde revoluteiam os fantasmas indistintos e medonhos daquele terremoto social, refletindo na humanidade e nos seus destinos, foi assim que o Dr. Salustiano da Cunha descobriu que era republicano.
> Muito republicano; republicano de coração. De coração e de cérebro.
> Um homem da época.
> [...]
> Ia-lhe próspera a fazenda. As suas vastíssimas terras sumiam-se, sob as ramas escuras dos cafezais, plantados em linha, através de infinitas colinas.
> [...]
> Ainda estava pedindo, com voz atroadora, o *sangue impuro* dos tiranos, quando sentiu estacar o alazão, forçando o cavaleiro a debruçar-se-lhe sobre as crinas.
> Um grupo de pessoas aparecera na estrada. Três escravos e um feitor mal-encarado.
> Tinham a cara espantada, e pareciam perguntar se o matutino passeador endoudecera.
> — O que temos? indagou bruscamente o doutor, engolindo um resto de *Marselhesa*.
> — Venho comunicar ao senhor, respondeu o feitor, que o Emídio fugiu...
> — Terceira vez!... o cão... Há de pagar! Hum!... Desta vez eu o ensino, se o pego.
> — Havemos de pegá-lo hoje mesmo, garantiu resolutamente o feitor.
> — Peguem-no... peguem-no, que havemos de ver para que se inventou o viramundo...
> E o alazão continuou a marchar pela estrada adiante, deixando ficar o grupo que interrompera-lhe os passos.
>
> POMPEIA, Raul. 14 de julho na roça. Disponível em: <http://www.dominiopublico.gov.br/download/texto/bi000203.pdf>. Acesso em: 29 out. 2012.

No trecho, a incoerência da classe dominante brasileira é representada pela personagem Salustiano. "Ardoroso" defensor dos ideais da República, "homem da época", Salustiano revela sua verdadeira face ao ser informado da fuga de um de seus escravos.

O retrato da convivência contraditória entre o regime de escravidão e o pensamento liberal tornou-se um dos temas mais recorrentes do Realismo literário no país.

Passaporte digital

Site oficial de Machado de Assis

Expoente do Realismo no Brasil, Machado de Assis é, ainda hoje, considerado por parte da crítica especializada o maior escritor brasileiro de todos os tempos. Em seu *site* oficial, mantido pela Academia Brasileira de Letras, que ele ajudou a fundar e onde ocupou a presidência na cadeira de nº 23, há informações biográficas, dados sobre adaptações de sua obra para diversas linguagens, fotografias, artigos publicados na imprensa, entre outros. Vale uma navegada: <www.machadodeassis.org.br/>.
Acesso em: 15 fev. 2015.

Página inicial do *site* de Machado de Assis.

Margens do texto

O narrador afirma que o doutor Salustiano era republicano de coração e de cérebro. Como, na sequência do texto, ele desmente essa afirmação?

Vocabulário de apoio

alazão: cavalo de cor castanha
atroador: que faz muito barulho
báratro: abismo
endoudecer: enlouquecer
estacar: parar de repente
feitor: capataz, encarregado dos trabalhadores escravizados
Marselhesa: hino nacional da França
revolutear: agitar-se, pôr em movimento
sangue impuro dos tiranos: referência a versos da *Marselhesa*
viramundo: instrumento de tortura de escravos

Machado de Assis romancista: as duas pontas da vida

Considerado por parte da crítica o maior escritor brasileiro de todos os tempos, Machado de Assis escreveu romances, peças de teatro, poemas, contos e crônicas, além de ter tido importante atuação como jornalista. Suas primeiras obras de ficção caracterizam-se pela adesão à estética romântica: acontecimentos da Corte misturam-se à vida familiar das classes alta e média, ao mesmo tempo que intrigas amorosas e disputas por prestígio e poder mobilizam heróis e heroínas.

A grande transformação na literatura machadiana, contudo, ocorreu com a publicação de *Memórias póstumas de Brás Cubas*, obra de 1881, marco inicial do Realismo literário no Brasil. Escrito de forma inovadora se comparado a romances anteriores publicados no país, *Memórias póstumas* traz a figura inusitada do defunto Brás Cubas a relatar episódios de sua vida.

Logo na abertura do romance, momento em que o narrador-personagem tece considerações sobre o modo como vai contar sua história, evidencia-se uma das tônicas da escrita realista de Machado de Assis: a ironia.

Vista do bairro do Cosme Velho, no Rio de Janeiro, fotografada por Marc Ferrez (1843--1923). O poeta Carlos Drummond de Andrade notabilizou esse bairro em que morou Machado de Assis em um poema dedicado ao escritor, escrito em 1930. Fotografia de 1890.

Capítulo I – Óbito do autor

Algum tempo hesitei se devia abrir estas memórias pelo princípio ou pelo fim, isto é, se poria em primeiro lugar o meu nascimento ou a minha morte. Suposto o uso vulgar seja começar pelo nascimento, duas considerações me levaram a adotar diferente método: a primeira é que eu não sou propriamente um autor defunto, mas um defunto autor, para quem a campa foi outro berço; a segunda é que o escrito ficaria assim mais galante e mais novo. Moisés, que também contou a sua morte, não a pôs no introito, mas no cabo: diferença radical entre este livro e o Pentateuco.

MACHADO DE ASSIS, J. M. Memórias póstumas de Brás Cubas. In: *Obra completa*. Rio de Janeiro: Nova Aguilar, 1992. v. 1. p. 513.

Margens do texto

Logo no primeiro capítulo, o narrador da história apresenta dois "roteiros" para a narrativa: iniciar pelo nascimento ou pela morte. Imaginando que esse romance dialoga com o romance romântico, como se pode interpretar a afirmação do narrador de que, ao iniciar pela morte, "o escrito ficaria assim mais galante e mais novo"?

Vocabulário de apoio

cabo: fim
campa: sepultura
introito: introdução
Pentateuco: reunião dos cinco primeiros livros do Antigo Testamento (Gênesis, Êxodo, Levítico, Números e Deuteronômio)

O narrador conta os acontecimentos "sem temer mais nada", pois está morto. Essa posição permite-lhe uma visão ampla e sem disfarces de sua existência, o que favorece a avaliação distanciada e contundente das futilidades de sua vida burguesa. Brás Cubas é, portanto, o narrador que organiza os fatos e conduz a narrativa com sua visão crítica e irônica e, ao mesmo tempo, a personagem cujas ações refletem a sociedade brasileira da segunda metade do século XIX.

Ao longo da narrativa, o leitor entra em contato com tipos sociais ávidos por levar vantagem sobre os outros ou por obter deles favores e proteção. A esfera mundana do dinheiro, da carreira e da ascensão social a qualquer custo rompe com os ideais românticos de pureza do herói, como se lê nesta passagem, em que o narrador relembra um de seus amores, a bela Marcela, "amiga de dinheiro e de rapazes".

[...] Marcela amou-me durante quinze meses e onze contos de réis; nada menos. Meu pai, logo que teve aragem dos onze contos, sobressaltou-se deveras; achou que o caso excedia as raias de um capricho juvenil.

MACHADO DE ASSIS, J. M. Memórias póstumas de Brás Cubas. In: *Obra completa*. Rio de Janeiro: Nova Aguilar, 1992. v. 1. p. 536.

Vocabulário de apoio

deveras: realmente
raia: limite
sobressaltar-se: assustar-se
ter aragem: tomar conhecimento

O pai de Brás Cubas não se importava com as aventuras amorosas do filho e suas possíveis consequências. Sua atenção dirigia-se para o quanto cada uma dessas aventuras poderia lhe custar, o que indica, de modo sutil, a prevalência dos valores econômicos sobre os afetivos para a classe social abastada que o narrador representa.

> Dissimulação

Da fase realista de Machado de Assis contam-se cinco romances: *Memórias póstumas de Brás Cubas* (1881), *Quincas Borba* (1891), *Dom Casmurro* (1899), *Esaú e Jacó* (1904) e *Memorial de Aires* (1908). Em todos eles o desmascaramento dos interesses e a precariedade das relações sociais são temas recorrentes. Contudo, em *Dom Casmurro* a mentira e a dissimulação infiltram-se na família burguesa e no sentimento amoroso, elementos portadores dos mais altos valores humanos para o romance romântico.

Narrado em *flashback*, *Dom Casmurro* conta, em primeira pessoa, a história de Bentinho, órfão de pai, criado em ambiente superprotetor. Em cumprimento a uma promessa de sua mãe, seu destino seria a vida sacerdotal. Porém, desde menino Bentinho revela desinteresse em tornar-se padre. A razão: Capitu, a vizinha por quem ele nutria verdadeira adoração.

Leia a seguir uma passagem em que o jovem Bentinho descreve seu fascínio pelo olhar singular de Capitu.

> Tinha-me lembrado a definição que José Dias dera deles, "olhos de cigana oblíqua e dissimulada". Eu não sabia o que era oblíqua, mas dissimulada sabia, e queria ver se se podiam chamar assim. Capitu deixou-se fitar e examinar. Só me perguntava o que era, se nunca os vira; eu nada achei extraordinário; a cor e a doçura eram minhas conhecidas.
> [...]
> Retórica dos namorados, dá-me uma comparação exata e poética para dizer o que foram aqueles olhos de Capitu. Não me acode imagem capaz de dizer, sem quebra da dignidade do estilo, o que eles foram e me fizeram. Olhos de ressaca? Vá, de ressaca. É o que me dá ideia daquela feição nova. Traziam não sei que fluido misterioso e enérgico, uma força que arrastava para dentro, como a vaga que se retira da praia, nos dias de ressaca.
> MACHADO DE ASSIS, J. M. Dom Casmurro. In: *Obra completa*. Rio de Janeiro: Nova Aguilar, 1992. v. 1. p. 842.

Os anos passam, Bentinho livra-se da promessa de tornar-se religioso, forma-se em Direito e se casa com Capitu. Escobar, seu amigo de seminário, aproxima-se de ambos e casa-se com Sancha, amiga de Capitu. Da união entre Bentinho e Capitu nasce Ezequiel.

A trama ganha contornos decisivos com a morte súbita de Escobar. No velório, Bentinho estranha o modo como Capitu contempla o cadáver do amigo. Tomado pelo ciúme, desconfia ter havido um relacionamento entre sua mulher e o falecido. Essa desconfiança aumenta ao reconhecer em Ezequiel trejeitos de Escobar. É a própria Capitu que chama a atenção para o fato de seu filho parecer-se com Escobar.

> Você já reparou que Ezequiel tem nos olhos uma expressão esquisita? perguntou-me Capitu. Só vi duas pessoas assim, um amigo de papai e o defunto Escobar. Olha, Ezequiel; olha firme, assim, vira para o lado de papai, não precisa revirar os olhos, assim, assim... [...]
> MACHADO DE ASSIS, J. M. Dom Casmurro. In: *Obra completa*. Rio de Janeiro: Nova Aguilar, 1992. v. 1. p. 931.

Vários aspectos da construção do romance merecem destaque: a ambiguidade da personagem Capitu; a postura pouco confiável do narrador de tentar convencer o leitor do adultério de sua esposa; a narrativa preocupada em unir "as duas pontas da vida" (infância e velhice) como forma de dar sentido à existência da personagem central (o narrador).

Repertório

Machado de Assis e Shakespeare

A exploração do tema da traição aproxima *Dom Casmurro* de uma importante obra da literatura universal: *Otelo, o mouro de Veneza*, peça teatral de William Shakespeare (1564-1616).

Na peça, o alferes Iago, ressentido por não ter sido promovido a tenente pelo general Otelo, começa a insinuar que a jovem esposa do mouro, Desdêmona, o traía com Cássio, a quem Otelo dera a promoção. Cego de ciúme, Otelo mata sua mulher e, após descobrir que tudo fora uma mentira forjada por Iago, suicida-se. Assim como no romance de Machado, as fraquezas humanas e o contraste entre realidade e aparência são os ingredientes dessa tragédia.

CHASSÉRIAU, Théodore. *Otelo e Desdêmona em Veneza*, 1850. Óleo sobre tela, 20 cm × 25 cm. Museu do Louvre, Paris, França.

O pintor Chassériau (1819-1856) soube combinar elementos clássicos a pinceladas românticas.

Vocabulário de apoio

dissimulado: fingido
oblíquo: indireto
retórica: arte de discursar
vaga: onda

Sua leitura

Você lerá dois textos. O texto 1 é um capítulo do romance *Memórias póstumas de Brás Cubas*. O texto 2 é uma passagem do romance *Dom Casmurro*. No trecho reproduzido, Bentinho vai ao teatro e assiste à peça *Otelo*, de William Shakespeare.

Texto 1

A borboleta preta

No dia seguinte, como eu estivesse a preparar-me para descer, entrou no meu quarto uma borboleta, tão negra como a outra, e muito maior do que ela. Lembrou-me o caso da véspera, e ri-me; entrei logo a pensar na filha de D. Eusébia, no susto que tivera, e na dignidade que, apesar dele, soube conservar. A borboleta, depois de esvoaçar muito em torno de mim, pousou-me na testa. Sacudi-a, ela foi pousar na vidraça; e, porque eu a sacudisse de novo, saiu dali e veio parar em cima de um velho retrato de meu pai. Era negra como a noite. O gesto brando com que, uma vez posta, começou a mover as asas, tinha um certo ar escarninho, que me aborreceu muito. Dei de ombros, saí do quarto; mas tornando lá, minutos depois, e achando-a ainda no mesmo lugar, senti um repelão dos nervos, lancei mão de uma toalha, bati-lhe e ela caiu.

Não caiu morta; ainda torcia o corpo e movia as farpinhas da cabeça. Apiedei-me; tomei-a na palma da mão e fui depô-la no peitoril da janela. Era tarde; a infeliz expirou dentro de alguns segundos. Fiquei um pouco aborrecido, incomodado.

— Também por que diabo não era ela azul? disse comigo.

E esta reflexão, — uma das mais profundas que se tem feito, desde a invenção das borboletas, — me consolou do malefício, e me reconciliou comigo mesmo. Deixei-me estar a contemplar o cadáver, com alguma simpatia, confesso. Imaginei que ela saíra do mato, almoçada e feliz. A manhã era linda. Veio por ali fora, modesta e negra, espairecendo as suas borboletices, sob a vasta cúpula de um céu azul, que é sempre azul, para todas as asas. Passa pela minha janela, entra e dá comigo. Suponho que nunca teria visto um homem; não sabia, portanto, o que era o homem; descreveu infinitas voltas em torno do meu corpo, e viu que me movia, que tinha olhos, braços, pernas, um ar divino, uma estatura colossal. Então disse consigo: "Este é provavelmente o inventor das borboletas". A ideia subjugou-a, aterrou-a; mas o medo, que é também sugestivo, insinuou-lhe que o melhor modo de agradar ao seu criador era beijá-lo na testa, e beijou-me na testa. Quando enxotada por mim, foi pousar na vidraça, viu dali o retrato de meu pai, e não é impossível que descobrisse meia verdade, a saber, que estava ali o pai do inventor das borboletas, e voou a pedir-lhe misericórdia.

Pois um golpe de toalha rematou a aventura. Não lhe valeu a imensidade azul, nem a alegria das flores, nem a pompa das folhas verdes, contra uma toalha de rosto, dois palmos de linho cru. Vejam como é bom ser superior às borboletas! Porque, é justo dizê-lo, se ela fosse azul, ou cor de laranja, não teria mais segura a vida; não era impossível que eu a atravessasse com um alfinete, para recreio dos olhos. Não era. Esta última ideia restituiu-me a consolação; uni o dedo grande ao polegar, despedi um piparote e o cadáver caiu no jardim. Era tempo; aí vinham já as próvidas formigas... Não, volto à primeira ideia; creio que para ela era melhor ter nascido azul.

<small>Machado de Assis, J. M. Memórias póstumas de Brás Cubas. In: *Obra completa*. Rio de Janeiro: Nova Aguilar, 1992. v. 1. p. 552-553.</small>

Vocabulário de apoio

escarninho: aquilo que manifesta desprezo

piparote: pancada com a ponta do dedo médio

próvido: providencial, oportuno

rematar: pôr fim, acabar

repelão: ataque, choque

Sobre o texto

1. Nos dois primeiros parágrafos, a entrada da borboleta no quarto de Brás Cubas desencadeia uma série de reações que culminam na morte do inseto. Descreva essas reações.

2. "Também por que diabo não era ela azul?" Após esse questionamento, Brás Cubas se isenta da morte da borboleta. Que significado parecem ter as cores azul e negra no contexto do trecho?

3. Para criticar o modo de pensar burguês, os narradores de Machado de Assis constantemente manipulam a atenção do leitor, revestindo de importância ideias e pensamentos tolos. Destaque do texto uma passagem que faça uso desse recurso. Justifique sua escolha.

4. Após a morte da borboleta, a personagem cria um enredo fantasioso sobre a vida dela. O narrador fala de um céu que é "sempre azul, para todas as asas". Partindo da ideia de o Realismo ser uma estética que denuncia mazelas sociais, o que é criticado nesse trecho?

Texto 2

Capítulo CXXXV – Otelo

Jantei fora. De noite fui ao teatro. Representava-se justamente *Otelo*, que eu não vira nem lera nunca; sabia apenas o assunto, e estimei a coincidência. Vi as grandes raivas do mouro, por causa de um lenço, — um simples lenço! — e aqui dou matéria à meditação dos psicólogos deste e de outros continentes, pois não me pude furtar à observação de que um lenço bastou a acender os ciúmes de Otelo e compor a mais sublime tragédia deste mundo. Os lenços perderam-se, hoje são precisos os próprios lençóis; alguma vez nem lençóis há, e valem só as camisas. Tais eram as ideias que me iam passando pela cabeça, vagas e turvas, à medida que o mouro rolava convulso, e Iago destilava a sua calúnia. Nos intervalos não me levantava da cadeira; não queria expor-me a encontrar algum conhecido. As senhoras ficavam quase todas nos camarotes, enquanto os homens iam fumar. Então eu perguntava a mim mesmo se alguma daquelas não teria amado alguém que jazesse agora no cemitério, e vinham outras incoerências, até que o pano subia e continuava a peça. O último ato mostrou-me que não eu, mas Capitu devia morrer. Ouvi as súplicas de Desdêmona, as suas palavras amorosas e puras, e a fúria do mouro, e a morte que este lhe deu entre aplausos frenéticos do público.

— E era inocente, vinha eu dizendo rua abaixo; — que faria o público, se ela deveras fosse culpada, tão culpada como Capitu? E que morte lhe daria o mouro? Um travesseiro não bastaria; era preciso sangue e fogo, um fogo intenso e vasto, que a consumisse de todo, e a reduzisse a pó, e o pó seria lançado ao vento, como eterna extinção...

Vaguei pelas ruas o resto da noite. Ceei, é verdade, um quase nada, mas o bastante para ir até à manhã. Vi as últimas horas da noite e as primeiras do dia, vi os derradeiros passeadores e os primeiros varredores, as primeiras carroças, os primeiros ruídos, os primeiros albores, um dia que vinha depois do outro e me veria ir para nunca mais voltar. As ruas que eu andava como que me fugiam por si mesmas. Não tornaria a contemplar o mar da Glória, nem a serra dos Órgãos, nem a fortaleza de Santa Cruz e as outras. A gente que passava não era tanta, como nos dias comuns da semana, mas era já numerosa e ia a algum trabalho, que repetiria depois; eu é que não repetiria mais nada.

Cheguei a casa, abri a porta devagarinho, subi pé ante pé, e meti-me no gabinete; iam dar seis horas. Tirei o veneno do bolso, fiquei em mangas de camisa, e escrevi ainda uma carta, a última, dirigida a Capitu. Nenhuma das outras era para ela; senti necessidade de lhe dizer uma palavra em que lhe ficasse o remorso da minha morte. Escrevi dois textos. O primeiro queimei-o por ser longo e difuso. O segundo continha só o necessário, claro e breve. Não lhe lembrava o nosso passado, nem as lutas havidas, nem alegria alguma; falava-lhe só de Escobar e da necessidade de morrer.

<small>MACHADO DE ASSIS, J. M. Dom Casmurro. In: *Obra completa*. Rio de Janeiro: Nova Aguilar, 1992. v. 1. p. 934-935.</small>

Vocabulário de apoio

albores: primeiras claridades do dia

ceia: última refeição do dia

convulso: agitado

mouro: indivíduo árabe proveniente do norte da África

<small>Mariana Coan/ID/BR</small>

Sobre o texto

1. No primeiro parágrafo, o narrador comenta que apenas um lenço fora suficiente para que Otelo imaginasse estar sendo traído. Diz a seguir que "hoje são precisos os próprios lençóis". Explique a ideia que está subentendida nessa afirmação.

2. Na peça de Shakespeare, Otelo é enganado pelas aparências: não houve em nenhum momento um ato de traição por parte de sua mulher, Desdêmona. Esse fato, porém, parece passar despercebido por Bentinho. Explique por que razão Bentinho não chama a atenção para o equívoco.

3. Vagando pelas ruas até amanhecer, Bentinho observa pessoas que iam para o trabalho. Mesmo estando ensimesmado, o narrador deixa transparecer em sua fala uma ligeira crítica ao modo de vida das pessoas comuns. Qual é essa crítica?

4. Bentinho assume uma postura de certo modo teatral diante da certeza de ter sido traído. Selecione uma passagem que confirme essa afirmação. Justifique sua escolha.

› Machado contista

Reconhecido como um dos melhores contistas da língua portuguesa, Machado de Assis oferece ao leitor inúmeras possibilidades de leitura de seus contos. Neles, alinha o olhar atento aos costumes da sociedade do Segundo Reinado e dos primeiros anos da República e a capacidade singular de investigar o caráter das pessoas e o modo como se posicionam no mundo. Machado construiu verdadeiros documentos de época, ao mesmo tempo que traçou um preciso estudo das profundezas da alma humana.

Como exemplo, temos o conto "O caso da vara", em que o problema da escravidão é confrontado com a necessidade pessoal da personagem Damião de livrar-se da obrigação de tornar-se padre. Fugido do seminário, Damião procura ajuda na casa de Sinhá Rita. Acompanhando sua rotina, ele percebe o modo autoritário com que a senhora trata uma negra escravizada chamada Lucrécia. Compadecido, jura a si mesmo protegê-la, porém, quando Sinhá Rita se prepara para castigar Lucrécia, Damião vê-se diante de um impasse.

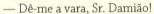

— Onde está a vara?
A vara estava à cabeceira da marquesa, do outro lado da sala. Sinhá Rita, não querendo soltar a pequena, bradou ao seminarista:
— Sr. Damião, dê-me aquela vara, faz favor?
Damião ficou frio... Cruel instante! Uma nuvem passou-lhe pelos olhos. Sim, tinha jurado apadrinhar a pequena, que por causa dele atrasara o trabalho...
— Dê-me a vara, Sr. Damião!
Damião chegou a caminhar na direção da marquesa. A negrinha pediu-lhe então por tudo o que houvesse mais sagrado, pela mãe, pelo pai, por Nosso Senhor...
— Me acuda, meu sinhô moço!
Sinhá Rita, com a cara em fogo e os olhos esbugalhados, instava pela vara, sem largar a negrinha, agora presa de um acesso de tosse. Damião sentiu-se compungido; mas ele precisava tanto sair do seminário! Chegou à marquesa, pegou na vara e entregou-a a Sinhá Rita.

MACHADO DE ASSIS, J. M. Páginas recolhidas. In: *Obra completa*. Rio de Janeiro: Nova Aguilar, 1992. v. 2. p. 582.

Há elementos que dizem respeito ao universo social – o mandonismo escravocrata – e ao psicológico – a angústia de Damião, dividido entre justiça e interesses pessoais. A opção do rapaz em atender à solicitação de Sinhá Rita revela a visão pessimista do narrador sobre o ser humano: as necessidades individuais prevalecem sobre a intenção de solidariedade e ajuda ao próximo. A aproximação entre a crueldade do escravismo e o individualismo da vida burguesa aponta para um modo de ser da sociedade brasileira do século XIX.

Os contos de Machado, porém, não abordam somente o universo da classe senhorial. Em muitos deles, os protagonistas são personagens da classe média, movendo-se em um horizonte carente de perspectivas materiais, mas também de ideias próprias. Há ainda contos em que os protagonistas pertencem às camadas mais desfavorecidas da sociedade. Exemplar a esse respeito é o conto "Pai contra mãe". Seu protagonista, após tentar se adaptar a várias profissões, fracassa em todas e passa a se dedicar à captura de negros escravizados fugidos. No final do conto, ele persegue uma negra escravizada grávida, cuja captura lhe renderia a recompensa necessária para fazer frente às despesas com seu próprio filho, que está para nascer.

Ação e cidadania

No conto "Pai contra mãe", o narrador enumera instrumentos usados para torturar os negros escravizados, como o "ferro ao pescoço" e a "máscara de folha de flandres". Tais aparelhos ficaram no passado, mas ainda hoje pessoas de variadas etnias são submetidas a condições de trabalho indignas e degradantes, análogas às de escravo, com cerceamento da liberdade, jornadas exaustivas, remuneração irregular, entre outras. Não há dados precisos da quantidade desses trabalhadores no país, mas estima-se que, no mundo, mais de 12 milhões vivam nessa condição. No site <http://www.oit.org.br/sites/all/forced_labour/index.php> (acesso em: 15 fev. 2015), você pode se informar sobre ações de combate ao trabalho escravo.

Margens do texto

Sinhá Rita apresenta "a cara em fogo e os olhos esbugalhados". Como ela parece se sentir quanto ao castigo que pretende impor?

Vocabulário de apoio

bradar: pedir em voz alta
compungido: apiedado
instar: ordenar, pedir
marquesa: tipo de sofá

PINHEIRO, Rafael Bordalo. Retrato de Machado de Assis em *O Mosquito*, 1876.

Nessa caricatura, Machado de Assis esculpe o busto de uma mulher, em alusão a Helena, personagem de romance homônimo do autor.

Sua leitura

O conto a seguir foi publicado no livro *Histórias sem data* (1884); é da fase realista do autor. A história narra o desencontro amoroso de duas personagens. Acompanhando as indecisões e o sofrimento de uma delas, o narrador expõe a inconsistência de caráter e as fraquezas de ambas.

Noite de almirante

Deolindo Venta-Grande (era uma alcunha de bordo) saiu ao Arsenal de Marinha e enfiou pela Rua de Bragança. Batiam três horas da tarde. Era a fina flor dos marujos e, demais, levava um grande ar de felicidade nos olhos. A corveta dele voltou de uma longa viagem de instrução, e Deolindo veio à terra tão depressa alcançou licença. Os companheiros disseram-lhe, rindo:

— Ah! Venta-Grande! Que noite de almirante vai você passar! ceia, viola e os braços de Genoveva. Colozinho de Genoveva...

Deolindo sorriu. Era assim mesmo, uma noite de almirante, como eles dizem, uma dessas grandes noites de almirante que o esperava em terra. Começara a paixão três meses antes de sair a corveta. Chamava-se Genoveva, cabocllinha de vinte anos, esperta, olho negro e atrevido. Encontraram-se em casa de terceiro e ficaram morrendo um pelo outro, a tal ponto que estiveram prestes a dar uma cabeçada, ele deixaria o serviço e ela o acompanharia para a vila mais recôndita do interior.

A velha Inácia, que morava com ela, dissuadiu-os disso; Deolindo não teve remédio senão seguir em viagem de instrução. Eram oito ou dez meses de ausência. Como fiança recíproca, entenderam dever fazer um juramento de fidelidade.

— Juro por Deus que está no céu. E você?

— Eu também.

— Diz direito.

— Juro por Deus que está no céu; a luz me falte na hora da morte.

Estava celebrado o contrato. Não havia descrer da sinceridade de ambos; ela chorava doudamente, ele mordia o beiço para dissimular. Afinal separaram-se, Genoveva foi ver sair a corveta e voltou para casa com um tal aperto no coração que parecia que "lhe ia dar uma coisa". Não lhe deu nada, felizmente; os dias foram passando, as semanas, os meses, dez meses, ao cabo dos quais, a corveta tornou e Deolindo com ela.

Lá vai ele agora, pela rua de Bragança, Prainha e Saúde, até ao princípio da Gamboa, onde mora Genoveva. A casa é uma rotulazinha escura, portal rachado do sol, passando o Cemitério dos Ingleses; lá deve estar Genoveva, debruçada à janela, esperando por ele. Deolindo prepara uma palavra que lhe diga. Já formulou esta: "Jurei e cumpri", mas procura outra melhor. Ao mesmo tempo lembra as mulheres que viu por esse mundo de Cristo, italianas, marselhesas ou turcas, muitas delas bonitas, ou que lhe pareciam tais. Concorda que nem todas seriam para os beiços dele, mas algumas eram, e nem por isso fez caso de

nenhuma. Só pensava em Genoveva. A mesma casinha dela, tão pequenina, e a mobília de pé quebrado, tudo velho e pouco, isso mesmo lhe lembrava diante dos palácios de outras terras. Foi à custa de muita economia que comprou em Trieste um par de brincos, que leva agora no bolso com algumas bugigangas. E ela que lhe guardaria? Pode ser que um lenço marcado com o nome dele e uma âncora na ponta, porque ela sabia marcar muito bem. Nisto chegou à Gamboa, passou o cemitério e deu com a casa fechada. Bateu, falou-lhe uma voz conhecida, a da velha Inácia, que veio abrir-lhe a porta com grandes exclamações de prazer. Deolindo, impaciente, perguntou por Genoveva.

— Não me fale nessa maluca, arremeteu a velha. Estou bem satisfeita com o conselho que lhe dei. Olhe lá se fugisse. Estava agora como o lindo amor.

— Mas que foi? que foi?

A velha disse-lhe que descansasse, que não era nada, uma dessas cousas que aparecem na vida; não valia a pena zangar-se. Genoveva andava com a cabeça virada...

— Mas virada por quê?

— Está com um mascate, José Diogo. Conheceu José Diogo, mascate de fazendas? Está com ele. Não imagina a paixão que eles têm um pelo outro. Ela então anda maluca. Foi o motivo da nossa briga. José Diogo não me saía da porta; eram conversas e mais conversas, até que eu um dia disse que não queria a minha casa difamada. Ah! meu pai do céu! foi um dia de juízo. Genoveva investiu para mim com uns olhos deste tamanho, dizendo que nunca difamou ninguém e não precisava de esmolas. Que esmolas, Genoveva? O que digo é que não quero esses cochichos à porta, desde as ave-marias... dois dias depois estava mudada e brigada comigo.

— Onde mora ela?

— Na Praia Formosa, antes de chegar à pedreira, uma rótula pintada de novo.

Deolindo não quis ouvir mais nada. A velha Inácia, um tanto arrependida, ainda lhe deu avisos de prudência, mas ele não os escutou e foi andando. Deixo de notar o que pensou em todo o caminho; não pensou nada. As ideias marinhavam-lhe no cérebro, como em hora de temporal, no meio de uma confusão de ventos e apitos. Entre elas rutilou a faca de bordo, ensanguentada e vingadora. Tinha passado a Gamboa, o Saco do Alferes, entrara na praia Formosa. Não sabia o número da casa, mas era perto da pedreira pintada de novo, e com auxílio da vizinhança poderia achá-la. Não contou com o acaso que pegou de Genoveva e fê-la sentar à janela, cosendo, no momento em que Deolindo ia passando. Ele conheceu-a e parou; ela, vendo o vulto de um homem, levantou os olhos e deu com o marujo.

— Que é isso? exclamou espantada. Quando chegou? Entre, seu Deolindo.

E, levantando-se, abriu a rótula e fê-lo entrar. Qualquer outro homem ficaria alvoroçado de esperanças, tão francas eram as maneiras da rapariga; podia ser que a velha se enganasse ou mentisse; podia ser mesmo que a cantiga do mascate estivesse acabada. Tudo isso lhe passou pela cabeça, sem a forma precisa do raciocínio ou da reflexão, mas em tumulto e rápido. Genoveva deixou a porta aberta: fê-lo sentar-se, pediu-lhe notícias da viagem e achou-o mais gordo; nenhuma comoção nem intimidade. Deolindo perdeu a última esperança. Em falta de faca, bastavam-lhe as mãos para estrangular Genoveva, que era um pedacinho de gente, e durante os primeiros minutos não pensou em outra coisa.

— Sei tudo, disse ele.

— Quem lhe contou?

Deolindo levantou os ombros.

— Fosse quem fosse, tornou ela, disseram-lhe que eu gostava muito de um moço?

— Disseram.

— Disseram a verdade.

Deolindo chegou a ter um ímpeto; ela fê-lo parar só com a ação dos olhos. Em seguida disse que, se lhe abrira a porta, é porque contava que era homem de juízo. Contou-lhe então tudo, as saudades que curtira, as propostas do mascate, as suas recusas, até que um dia, sem saber como, amanhecera gostando dele.

— Pode crer que pensei muito e muito em você. Sinhá Inácia que lhe diga se não chorei muito... Mas o coração mudou... Mudou... Conto-lhe tudo isto, como se estivesse diante do padre, concluiu sorrindo.

Não sorria de escárnio. A expressão das palavras é que era uma mescla de candura e cinismo, de insolência e simplicidade, que desisto de definir melhor. Creio até que insolência e cinismo são mal aplicados. Genoveva não se defendia de um erro ou de um perjúrio; não se defendia de nada; faltava-lhe o padrão moral das ações. O que dizia, em resumo, é que era melhor não ter mudado, dava-se bem com a afeição do Deolindo, a prova é que quis fugir com ele; mas, uma vez que o mascate venceu o marujo, a razão era do mascate, e cumpria declará-lo. Que vos parece? O pobre marujo citava o juramento de despedida,

como uma obrigação eterna, diante da qual consentira em não fugir e embarcar: "Juro por Deus que está no céu; a luz me falte na hora da morte". Se embarcou, foi porque ela lhe jurou isso. [...]

— Pois, sim, Deolindo, era verdade. Quando jurei, era verdade. Tanto era verdade que eu queria fugir com você para o sertão. Só Deus sabe se era verdade! Mas vieram outras coisas... Veio este moço e eu comecei a gostar dele...

— Mas a gente jura é para isso mesmo; é para não gostar de mais ninguém...

— Deixa disso, Deolindo. Então você só se lembrou de mim? Deixa de partes...

— A que horas volta José Diogo?

— Não volta hoje.

— Não?

— Não volta; está lá para os lados de Guaratiba com a caixa; deve voltar sexta-feira ou sábado... E por que é que você quer saber? Que mal lhe fez ele?

Pode ser que qualquer outra mulher tivesse igual palavra; poucas lhe dariam uma expressão tão cândida, não de propósito, mas involuntariamente. Vede que estamos aqui muito próximos da natureza. Que mal lhe fez ele? Que mal lhe fez esta pedra que caiu de cima? Qualquer mestre de física lhe explicaria a queda das pedras. Deolindo declarou, com um gesto de desespero, que queria matá-lo. Genoveva olhou para ele com desprezo, sorriu de leve e deu um muxoxo; e, como ele lhe falasse de ingratidão e perjúrio, não pôde disfarçar o pasmo. Que perjúrio? Que ingratidão? Já lhe tinha dito e repetia que quando jurou era verdade. Nossa Senhora, que ali estava, em cima da cômoda, sabia se era verdade ou não. Era assim que lhe pagava o que padeceu? E ele que tanto enchia a boca de fidelidade, tinha-se lembrado dela por onde andou?

A resposta dele foi meter a mão no bolso e tirar o pacote que lhe trazia. Ela abriu-o, aventou as bugigangas, uma por uma, e por fim deu com os brincos. Não eram nem poderiam ser ricos; eram mesmo de mau gosto, mas faziam uma vista de todos os diabos. Genoveva pegou deles, contente, deslumbrada, mirou-os por um lado e outro, perto e longe dos olhos, e afinal enfiou-os nas orelhas; depois foi ao espelho de pataca, suspenso na parede, entre a janela e a rótula, para ver o efeito que lhe faziam. Recuou, aproximou-se, voltou a cabeça da direita para a esquerda e da esquerda para a direita.

— Sim, senhor, muito bonito, disse ela, fazendo uma grande mesura de agradecimento. Onde é que comprou?

Creio que ele não respondeu nada, nem teria tempo para isso, porque ela disparou mais duas ou três perguntas, uma atrás da outra, tão confusa estava de receber um mimo a troco de um esquecimento. Confusão de cinco ou quatro minutos; pode ser que dois. Não tardou que tirasse os brincos, e os contemplasse e pusesse na caixinha em cima da mesa redonda que estava no meio da sala. Ele pela sua parte começou a crer que, assim como a perdeu, estando ausente, assim o outro, ausente, podia também perdê-la; e, provavelmente, ela não lhe jurara nada.

— Brincando, brincando, é noite, disse Genoveva.

[...]

A esperança [...] começava a desampará-lo e ele levantou-se definitivamente para sair. Genoveva não quis deixá-lo sair antes que a amiga visse os brincos, e foi mostrar-lhos com grandes encarecimentos. A outra ficou encantada, elogiou-os muito, perguntou se os comprara em França e pediu a Genoveva que os pusesse.

— Realmente, são muito bonitos.

Quero crer que o próprio marujo concordou com essa opinião. Gostou de os ver, achou que pareciam feitos para ela e, durante alguns segundos, saboreou o prazer exclusivo e superfino de haver dado um bom presente; mas foram só alguns segundos.

Como ele se despedisse, Genoveva acompanhou-o até à porta para lhe agradecer ainda uma vez o mimo, e provavelmente dizer-lhe algumas coisas meigas e inúteis. A amiga, que deixara ficar na sala, apenas lhe ouviu esta palavra: "Deixa disso, Deolindo"; e esta outra do marinheiro: "Você verá." Não pôde ouvir o resto, que não passou de um sussurro.

Deolindo seguiu, praia fora, cabisbaixo e lento, não já o rapaz impetuoso da tarde, mas com um ar velho e triste, ou, para usar outra metáfora de marujo, como um homem "que vai do meio caminho para terra". Genoveva entrou logo depois, alegre e barulhenta. Contou à outra a anedota dos seus amores marítimos, gabou muito o gênio do Deolindo e os seus bonitos modos; a amiga declarou achá-lo grandemente simpático.

— Muito bom rapaz, insistiu Genoveva. Sabe o que ele me disse agora?

— Que foi?

— Que vai matar-se.

— Jesus!

— Qual o quê! Não se mata, não. Deolindo é assim mesmo; diz as coisas, mas não faz. Você verá que não se mata. Coitado, são ciúmes. Mas os brincos são muito engraçados.

— Eu aqui ainda não vi destes.

— Nem eu, concordou Genoveva, examinando-os à luz. Depois guardou-os e convidou a outra a coser. — Vamos coser um bocadinho, quero acabar o meu corpinho azul...

A verdade é que o marinheiro não se matou. No dia seguinte, alguns dos companheiros bateram-lhe no ombro, cumprimentando-o pela noite de almirante, e pediram-lhe notícias de Genoveva, se estava mais bonita, se chorara muito na ausência, etc. Ele respondia a tudo com um sorriso satisfeito e discreto, um sorriso de pessoa que viveu uma grande noite. Parece que teve vergonha da realidade e preferiu mentir.

MACHADO DE ASSIS, J. M. Histórias sem data. In: *Obra completa*. Rio de Janeiro: Nova Aguilar, 1992. v. 2. p. 446-451.

Sobre o texto

1. O conto explora uma temática recorrente na literatura: o triângulo amoroso. A trama envolve três personagens, embora a terceira seja somente mencionada. Com base nas relações entre elas, caracterize-as.

2. Quando Deolindo ameaça matar o amante de Genoveva, ela o olha com um ar de desprezo e argumenta que, em momento algum, traiu Deolindo. Como ela desconstrói a ideia de traição? E que estratégias emprega para convencê-lo?

3. A velha Inácia é uma personagem que se diferencia das demais. Por quê?

4. Toda a narrativa parece conduzir para um desfecho trágico que, no entanto, não acontece. Considerando as experiências do leitor daquele período, qual é o efeito dessa quebra de expectativa para a caracterização de Deolindo?

5. A literatura machadiana, entre outras características, denuncia o desencontro entre o real e as aparências. Com base nessa ideia, explique por que Deolindo preferiu ocultar dos companheiros a quebra de promessa de Genoveva.

6. A trajetória de Genoveva, saindo do bairro onde morava para a casa em que passou a viver com seu novo amante, anuncia uma mudança também social. Que elementos do texto indicam que Genoveva "subiu na vida"? E o que isso pode significar do ponto de vista dos sentimentos de Genoveva em relação ao novo companheiro?

Vocabulário de apoio

alcunha: apelido

alvoroçado: agitado, inquieto

arremeter: lançar-se com fúria

candura: pureza, inocência

cantiga: lábia, manha

ceia: refeição noturna

colo: pescoço

corpinho: corpete, roupa íntima feminina

corveta: navio de guerra

coser: costurar

difamar: fazer perder a boa reputação

dissuadir: convencer do contrário

escárnio: deboche

fiança: garantia

gabar: engrandecer

ímpeto: violência de sentimentos

insolência: desrespeito

mascate: vendedor ambulante

mesura: gesto de inclinar o tronco

mimo: presente

muxoxo: trejeito que demonstra pouco caso

pasmo: espanto

perjúrio: falso testemunho

recôndito: escondido, retirado

rótula: grade feita de ripas de madeira

rutilar: brilhar

❯ Raul Pompeia: "crônica de saudades"

Raul Pompeia (1863-1895) figura, ao lado de Machado de Assis, como um dos representantes do Realismo literário no Brasil. Sua obra, composta de poemas em prosa, crônicas, uma novela e narrativas curtas, também experimenta formas diferentes de escrita literária, sem, no entanto, atingir os mesmos resultados que a de Machado. Contudo, seu romance intitulado *O Ateneu: crônica de saudades*, publicado em 1888, conquista o interesse dos estudiosos de literatura em nosso país.

Narrada em primeira pessoa, a trama refaz o percurso de Sérgio após ingressar em um colégio interno chamado Ateneu. O fio condutor são as lembranças do narrador já adulto, que, ao rememorar acontecimentos, pessoas e, principalmente, conflitos vividos, faz uma espécie de balanço crítico e pessimista sobre seu passado. Estruturado em episódios, o romance não expõe fatos de maneira cronológica, mas explora psicologicamente ações e reações das personagens, em um procedimento típico do Realismo.

Um dos pontos essenciais da obra é o descolamento entre as figuras do narrador e da personagem. A narração não tenta recuperar a perspectiva infantil dos anos passados no colégio, mas sim combina lembrança e julgamento. Ao fazer isso, o narrador mostra intencionalmente ao leitor um mundo de seres atormentados, muitos dos quais falsos, outros moralmente deformados, todos convivendo em um espaço que deveria edificar pessoas.

No trecho a seguir, que constitui o início do romance, o narrador rememora o momento em que o pai o levou até a porta do Ateneu.

> "Vais encontrar o mundo", disse-me meu pai, à porta do Ateneu. "Coragem para a luta."
>
> Bastante experimentei depois a verdade deste aviso, que me despia, num gesto, das ilusões de criança educada exoticamente na estufa de carinho que é o regime do amor doméstico; diferente do que se encontra fora, tão diferente, que parece o poema dos cuidados maternos um artifício sentimental, com a vantagem única de fazer mais sensível a criatura à impressão rude do primeiro ensinamento, têmpera brusca da vitalidade na influência de um novo clima rigoroso. Lembramo-nos, entretanto, com saudade hipócrita, dos felizes tempos; como se a mesma incerteza de hoje, sob outro aspecto, não nos houvesse perseguido outrora e não viesse de longe a enfiada das decepções que nos ultrajam.
>
> POMPEIA, Raul. *O Ateneu*: crônica de saudades. 2. ed. São Paulo: FTD, 1992. p. 13.

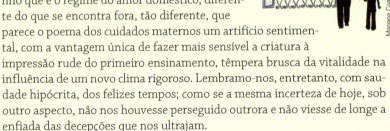

Desde as primeiras passagens do romance, já é possível notar a posição do narrador em relação a seu passado. O contraste entre a "estufa de carinho", o lar, e o "mundo" anunciado às portas do Ateneu assinala uma primeira possibilidade interpretativa do romance: se a escola é o próprio mundo, é também uma versão reduzida da sociedade. Ao apontar que a lembrança dos tempos de escola costuma ser feita com "saudade hipócrita, dos felizes tempos", a narrativa revela a face social de um universo de aparências que quer desmascarar.

A grande crítica, porém, encontra-se no trecho final do romance, no momento em que o Ateneu é completamente consumido por um incêndio. Com a destruição da escola, destroem-se também os males a que Sérgio esteve submetido.

▍ Repertório

O Ateneu: uma crítica política?

Muitos críticos literários veem em *O Ateneu* uma crítica ao sistema monárquico que imperou no Brasil até 1889. A escola seria uma metáfora do Segundo Império, e a figura de seu diretor, Aristarco, a representação de dom Pedro II. Republicano convicto, Raul Pompeia teria criado o nome Aristarco por meio da reunião entre as partículas *arist* – associada à **arist**ocracia – e *arc* – fragmento da palavra mon**arc**a. Publicada em folhetim, sua novela *As joias da Coroa* constituiria mais um ataque à Monarquia.

POMPEIA, Raul. Ilustração de *O Ateneu*. Rio de Janeiro: Typ. da Gazeta de Notícias, 1888.

Raul Pompeia foi um caricaturista de talento. Esse desenho em bico de pena representa a personagem Aristarco, diretor do Ateneu, segundo a visão do escritor.

▍ Margens do texto

O narrador estabelece uma oposição entre sua casa e a escola. Pode-se entender o trecho como uma crítica que vai para além do universo escolar? Explique.

Vocabulário de apoio

enfiada: sequência
outrora: tempos passados
têmpera: disposição moral; caráter
ultrajar: ofender

Sua leitura

Leia o fragmento final do romance *O Ateneu*, que narra os momentos seguintes ao incêndio que destruiu a escola.

Dirigi-me para o terraço de mármore do outão. Lá estava Aristarco, tresnoitado, o infeliz. No jardim continuava a multidão dos basbaques. Algumas famílias em *toilette* matinal passeavam. Em redor do diretor muitos discípulos tinham ficado desde a véspera, inabaláveis e compadecidos. Lá estava, a uma cadeira em que passara a noite, imóvel, absorto, sujo de cinza como um penitente, o pé direito sobre um monte de carvões, o cotovelo espetado na perna, a grande mão felpuda envolvendo o queixo, dedos perdidos no bigode branco, sobrolho carregado.

Falavam do incendiário. Imóvel! Contavam que não se achava a senhora. Imóvel! A própria senhora com quem ele contava para o jardim de crianças! Dor veneranda! Indiferença suprema dos sofrimentos excepcionais! Majestade inerte do cedro fulminado! Ele pertencia ao monopólio da mágoa. O *Ateneu* devastado! O seu trabalho perdido, a conquista inapreciável dos seus esforços!... Em paz!... Não era um homem aquilo; era um *de profundis*.

Lá estava; em roda amontoavam-se figuras torradas de geometria, aparelhos de cosmografia partidos, enormes cartas murais em tiras, queimadas, enxovalhadas, vísceras dispersas das lições de anatomia, gravuras quebradas da história santa em quadros, cronologias da história pátria, ilustrações zoológicas, preceitos morais pelo ladrilho, como ensinamentos perdidos, esferas terrestres contundidas, esferas celestes rachadas; borra, chamusco por cima de tudo: despojos negros da vida, da história, da crença tradicional, da vegetação de outro tempo, lascas de continentes calcinados, planetas exorbitados de uma astronomia morta, sóis de ouro destronados e incinerados...

Ele, como um deus caipora, triste, sobre o desastre universal de sua obra.

Aqui suspendo a crônica das saudades. Saudades verdadeiramente? Puras recordações, saudades talvez, se ponderarmos que o tempo é a ocasião passageira dos fatos, mas sobretudo – o funeral para sempre das horas.

POMPEIA, Raul. *O Ateneu*: crônica de saudades. 2. ed. São Paulo: FTD, 1992. p. 188-189.

Vocabulário de apoio

basbaque: espantado
caipora: azarado, infeliz
calcinado/ incinerado: transformado em cinzas
cedro: tipo de pinheiro
compadecido: que sente compaixão
cosmografia: ciência que descreve o Universo
de profundis: do latim, "das profundezas do abismo" (referência a salmo da Bíblia)
enxovalhado: amarrotado
fulminado: destruído
incendiário: que provoca incêndio
inerte: imóvel, abatido
outão: parede da fachada lateral de um edifício
sobrolho: região das sobrancelhas
toilette: roupa
tresnoitado: que não dormiu
veneranda: respeitável

Sobre o texto

1. No início do romance, o narrador assim caracteriza a figura de Aristarco:

   > Os gestos, calmos, soberanos, eram de um rei [...]; o olhar fulgurante, sob a crispação áspera dos supercílios de monstro japonês, penetrando de luz as almas circunstantes [...]; o queixo, severamente escanhoado, de orelha a orelha [...]. A própria estatura, na imobilidade do gesto, na mudez do vulto, a simples estatura dizia dele: aqui está um grande homem [...] Retorça-se sobre tudo isto um par de bigodes, volutas maciças de fios alvos, torneadas a capricho, cobrindo os lábios [...].

   Observando essa descrição de Aristarco, que comparações podemos estabelecer entre o perfil dessa personagem no início e no final da narrativa?

2. No segundo parágrafo, o texto apresenta uma série de frases curtas, muitas das quais encerradas com ponto de exclamação. O que essa forma de escrita sugere ao leitor?

3. No terceiro parágrafo, o narrador relata a destruição do colégio, chamando a atenção para o que aconteceu com os objetos escolares, como gravuras, cartas, ilustrações, etc. De que modo é feita a descrição desses objetos? Que outra destruição pode ser associada a essa?

4. Releia: "o tempo é a ocasião passageira dos fatos, mas sobretudo – o funeral para sempre das horas". Tomando como referência a leitura dos momentos finais do romance, como se pode interpretar essa fala final do narrador?

O que você pensa disto?

Neste capítulo, você conheceu "as ideias fora do lugar" da elite brasileira no século XIX. Ela adotava os ideais republicanos e liberais, que eram incompatíveis com a prática da escravidão.

- Como está atualmente a relação entre teoria e prática da elite política brasileira? Quais são os ideais que os políticos adotam? E qual é o comportamento deles na vida prática, nas diversas atividades que exercem além da política? Há contradição ou harmonia entre discurso e ação?

Ferramenta de leitura

Psicanálise e literatura

O médico austríaco Sigmund Freud fundou a psicanálise, área do saber que articula teoria e prática no entendimento da mente humana. No século XX, conceitos psicanalíticos passaram a ser usados na análise de obras literárias e de produções culturais em geral. Fotografia de 1938.

A psicanálise, área do saber que se constituiu entre fins do século XIX e início do século XX – portanto, contemporânea ao Realismo –, trouxe grande contribuição para o conhecimento da mente. Surgida em função das experiências clínicas de Sigmund Freud (1856-1939) no tratamento de pacientes psiquiátricos, ajudou a redefinir o entendimento sobre a condição humana. Antes das descobertas de Freud, acreditava-se que a mente era inteiramente conhecida pelo próprio sujeito. Os estudos do psicanalista demonstraram que a vida psíquica é determinada predominantemente por conteúdos inconscientes, que se manifestam não apenas nos sintomas das doenças mentais, mas também em diversas situações da vida cotidiana das pessoas consideradas "normais", como esquecimentos, trocas acidentais de palavras, sonhos, etc. Freud criou esta conhecida frase: "o ser humano não é o senhor de sua própria casa" – ou seja, não tem domínio sobre a própria mente.

Em uma de suas conferências, no início do século XX, Freud falou sobre a **repressão**, um mecanismo psíquico observado por ele durante o tratamento de pacientes que tinham sintomas físicos (por exemplo, a paralisia de um braço ou de uma perna) que não podiam ser atribuídos a causas orgânicas.

> Tratava-se em todos os casos do aparecimento de um desejo violento mas em contraste com os demais desejos do indivíduo e incompatível com as aspirações morais e estéticas da própria personalidade.
> FREUD, Sigmund. Cinco lições de psicanálise. In: *Freud e Pavlov*. São Paulo: Abril Cultural, 1974. p. 21 (Coleção Os Pensadores).

Freud acreditava que os sintomas apresentados por esses pacientes eram resultantes do choque entre um "desejo violento" e outros desejos ou comportamentos que o sujeito julgava mais adequados ou socialmente aceitos. Diante desse conflito, o "desejo inconciliável" (impossível de conciliar com os outros) teria sido reprimido, tornado inacessível à consciência do indivíduo. Isso aconteceria de forma corriqueira com pessoas consideradas "normais", não apenas com doentes mentais, e seria um modo de assegurar a possibilidade de vida em sociedade. Esse dilema está associado a muitos dos temas desenvolvidos pelo Realismo, tais como a traição, a mentira, etc.

> Produzia-se um rápido conflito e o desfecho desta luta interna era sucumbir à repressão a ideia que aparecia na consciência trazendo em si o desejo inconciliável, sendo a mesma expulsa da consciência e esquecida, juntamente com as respectivas lembranças. Era, portanto, a incompatibilidade entre a ideia e o ego [eu] do doente o motivo da repressão; as aspirações individuais, éticas e outras, eram as forças repressivas. A aceitação do impulso desejoso incompatível ou o prolongamento do conflito teriam despertado intenso desprazer; a repressão evitava o desprazer, revelando-se desse modo um meio de proteção da personalidade psíquica.
> FREUD, Sigmund. Cinco lições de psicanálise. In: *Freud e Pavlov*. São Paulo: Abril Cultural, 1974. p. 21 (Coleção Os Pensadores).

A proposta é utilizar algumas ideias de Freud citadas nesses trechos (desejo, conflito, repressão, moral, etc.) como ferramenta de leitura de um texto literário. É importante salientar que não se trata de colocar as personagens "no divã", ou seja, de fazer um "diagnóstico" a respeito dos "problemas psicológicos" delas, mas sim de tentar entender, com o apoio de algumas ideias da psicanálise, o tipo de ser humano pintado pelo Realismo.

No conto "A causa secreta", de Machado de Assis, temos a história de amizade entre Garcia, médico recém-formado, e Fortunato, sujeito que nutre uma compaixão por pessoas doentes e feridas. Ambos se conhecem em uma situação estranha: Fortunato auxilia um enfermo que lhe era totalmente desconhecido. Curioso com a conduta desse benfeitor, Garcia se aproxima de Fortunato e conhece sua esposa, Maria Luísa, uma mulher frágil, de olhos meigos e submissos. No trecho reproduzido a seguir, Garcia vai a um jantar na residência do casal.

[...]
Dois dias depois, – exatamente o dia em que os vemos agora, – Garcia foi lá jantar. Na sala disseram-lhe que Fortunato estava no gabinete, e ele caminhou para ali: ia chegando à porta, no momento em que Maria Luísa saía aflita.

— Que é? perguntou-lhe.

— O rato! O rato! exclamou a moça sufocada e afastando-se.

Garcia lembrou-se que, na véspera, ouvira ao Fortunato queixar-se de um rato, que lhe levara um papel importante; mas estava longe de esperar o que viu. Viu Fortunato sentado à mesa, que havia no centro do gabinete, e sobre a qual pusera um prato com espírito de vinho. O líquido flamejava. Entre o polegar e o índice da mão esquerda segurava um barbante, de cuja ponta pendia o rato atado pela cauda. Na direita tinha uma tesoura. No momento em que Garcia entrou, Fortunato cortava ao rato uma das patas; em seguida desceu o infeliz até a chama, rápido, para não matá-lo, e dispôs-se a fazer o mesmo à terceira, pois já lhe havia cortado a primeira. Garcia estacou horrorizado.

— Mate-o logo! disse-lhe.

— Já vai.

E com um sorriso único, reflexo de alma satisfeita, alguma coisa que traduzia a delícia íntima das sensações supremas, Fortunato cortou a terceira pata ao rato, e fez pela terceira vez o mesmo movimento até a chama. O miserável estorcia-se, guinchando, ensanguentado, chamuscado, e não acabava de morrer. Garcia desviou os olhos, depois voltou-os novamente, e estendeu a mão para impedir que o suplício continuasse, mas não chegou a fazê-lo, porque o diabo do homem impunha medo, com toda aquela serenidade radiosa da fisionomia. Faltava cortar a última pata; Fortunato cortou-a muito devagar, acompanhando a tesoura com os olhos; a pata caiu, e ele ficou olhando para o rato meio cadáver. Ao descê-lo pela quarta vez, até a chama, deu ainda mais rapidez ao gesto, para salvar, se pudesse, alguns farrapos de vida.

Garcia, defronte, conseguia dominar a repugnância do espetáculo para fixar a cara do homem. Nem raiva, nem ódio; tão somente um vasto prazer, quieto e profundo, como daria a outro a audição de uma bela sonata ou a vista de uma estátua divina, alguma coisa parecida com a pura sensação estética. Pareceu-lhe, e era verdade, que Fortunato havia-o inteiramente esquecido. Isto posto, não estaria fingindo, e devia ser aquilo mesmo. A chama ia morrendo, o rato podia ser que tivesse ainda um resíduo de vida, sombra de sombra; Fortunato aproveitou-o para cortar-lhe o focinho e pela última vez chegar a carne ao fogo. Afinal deixou cair o cadáver no prato, e arredou de si toda essa mistura de chamusco e sangue.

Ao levantar-se deu com o médico e teve um sobressalto. Então, mostrou-se enraivecido contra o animal, que lhe comera o papel; mas a cólera evidentemente era fingida.

"Castiga sem raiva", pensou o médico, "pela necessidade de achar uma sensação de prazer, que só a dor alheia lhe pode dar: é o segredo deste homem".
[...]

MACHADO DE ASSIS, J. M. A causa secreta. In: *Obra completa*. Rio de Janeiro: Nova Aguilar, 1992. v. 2. p. 515-518.

Sobre o texto

1. Compare, no episódio, as atitudes de Maria Luísa e de Fortunato diante da tortura a que este submete o rato.

2. Ao terminar de matar o rato, Fortunato depara com Garcia. Finge então estar enraivecido com o pequeno animal que lhe comera alguns papéis. Por que, provavelmente, Fortunato simula esse momento de cólera?

3. No fim do episódio, Garcia compreende a "causa secreta" das atitudes de Fortunato para com os doentes. Explique com suas palavras: em que consiste essa descoberta e por que o comportamento de Fortunato não é compatível com o mecanismo de repressão descrito por Freud?

Entre textos

O Realismo, assim como outras escolas literárias, estabeleceu com a produção estética anterior e posterior um frutífero diálogo, marcado por influências e recusas das mais diversas ordens. De certa maneira, o Realismo (e Machado de Assis, em especial) foi buscar, na tradição da prosa ocidental, formas de narrar que se diferenciassem das utilizadas pela prosa romântica: havia, naquele momento, um novo foco de interesse, que passaria a ocupar o centro da produção romanesca – a sociedade – e, portanto, uma escrita adequada a essa temática se fez necessária. Entre as características formais dessa escrita, temos um diálogo por vezes direto com o leitor, capítulos mais curtos e atenção para o desenvolvimento das ações de personagens secundárias à trama central.

A seguir, estão reproduzidos textos que mostram algumas das raízes e dos ramos daquilo que foi a prosa realista.

TEXTO 1

A vida e as opiniões do cavaleiro Tristam Shandy

Ao examinar o contrato de casamento de minha mãe, a fim de satisfazer minha curiosidade e a do leitor acerca de um ponto que precisava ser esclarecido antes que pudéssemos ir adiante com esta história, – tive a boa sorte de atinar exatamente com aquilo que queria quando tinha gasto na leitura apenas um dia e meio, – e ela poderia levar-me um mês; – o que mostra claramente que quando um homem se senta para escrever uma história, – mesmo que seja tão só a história de Jack Hickathrift ou do Pequeno Polegar, nem de longe desconfia que obstáculos e impedimentos irá encontrar pelo caminho, – ou a que tipo de dança será levado, por esta ou aquela digressão, antes de terminar tudo. Pudesse um historiógrafo tocar para diante a sua história, como um arrieiro toca a sua mula, – sempre em frente; – por exemplo, de Roma até Loreto, sem jamais voltar a cabeça quer para a direita quer para a esquerda, –, e teria condições de aventurar-se a dizer-vos, com uma hora de erro para mais ou para menos, quando alcançaria o termo de sua jornada; – mas tal coisa é, moralmente falando, impossível. Se for um homem com um mínimo de espírito, terá de fazer cinquenta desvios da linha reta a fim de atender a esta ou aquela pessoa conforme for prosseguindo, o que de maneira alguma poderá evitar. Terá sempre a solicitar-lhe atenção, vistas e perspectivas que não poderá evitar de parar de ver, tanto quanto não pode alçar voo; terá, além disso, diversos

Relatos a conciliar;
Anedotas a recolher;
Inscrições a decifrar;
Histórias a entretecer;
Tradições a peneirar;
Personagens a visitar;
Panegíricos a afixar à porta [...].

STERNE, Laurence. *A vida e as opiniões do cavaleiro Tristam Shandy*. Trad. José Paulo Paes. Rio de Janeiro: Nova Fronteira, 1984. p. 76-77.

Vocabulário de apoio

arrieiro: guia de animais de carga
atinar: perceber, dar-se conta
Jack Hickathrift: alusão equivocada a um herói extremamente forte, presente em uma narrativa do folclore inglês, cujo nome correto seria Tom Hickathrift
panegírico: discurso público de louvor a alguém, elogio solene

Para o leitor de Machado de Assis (1839-1908), é possível notar de imediato algumas semelhanças entre os romances de sua fase realista e a prosa de Laurence Sterne (1713-1768): a escrita que não se compromete com uma organização sequencial dos fatos; reflexões do narrador entremeadas durante a narração; um efeito metalinguístico – que torna o modo de escrever o próprio assunto do texto; um narrador que se volta para o leitor como se este estivesse participando do ato de escrita, entre outras. Sterne é sabidamente um dos autores preferidos de Machado de Assis, que, aliás, foi um grande apreciador da literatura em língua inglesa.

TEXTO 2

As vinhas da ira

A estrada 66 é a rota principal das populações em êxodo. Estrada 66 — a longa faixa de concreto que corta as terras, ondulando suavemente, para cima e para baixo, no mapa, do Mississípi a Bakersfield — atravessa as terras vermelhas e as terras pardas, galgando as elevações, cruzando as montanhas Rochosas e penetrando no amplo e terrificante deserto, e, cruzando o deserto, torna a entrar nas regiões montanhosas até cruzar os férteis vales da Califórnia.

A 66 é o caminho de um povo em fuga, a estrada dos refugiados das terras da poeira e do pavor, do trovejar dos tratores que sangram o chão, da invasão lenta do deserto pelas bandas do norte, dos ventos ululantes que vêm em rajadas do Texas, das inundações que não trazem benefícios às terras e ainda acabam com o pouco de bom que nelas restava. De tudo isso, os homens fugiam, e encontravam-se na estrada 66, vindos dos caminhos tributários, dos caminhos esburacados e lamacentos que cortavam todo o interior. A 66 é a estrada-mãe, a estrada do êxodo.

STEINBECK, John. *As vinhas da ira.* Trad. Ernesto Vinhaes e Herbert Caro. São Paulo: Abril Cultural, 1972. p. 156-157.

Vocabulário de apoio

êxodo: emigração de um povo ou saída de pessoas em massa

galgar: percorrer

terrificante: que aterroriza

tributário: que termina em outro maior

ululante: que produz som semelhante a um uivo

O escritor estadunidense John Steinbeck (1902-1968) foi um dos grandes nomes do romance em língua inglesa do século XX. Herdeiro da tradição realista do romance surgido no século anterior (Steinbeck foi grande leitor de Dostoiévski e Flaubert), sua prosa é marcada pela discussão dos temas sociais, em especial das classes trabalhadoras. O romance *As vinhas da ira*, publicado em 1939 e considerado sua obra-prima, narra a história de uma família de lavradores pobres obrigada a abandonar as terras em que vivia há décadas em razão da crise conhecida como a Grande Depressão de 1929 e da mecanização da lavoura. A adoção de um ponto de vista que denuncia as misérias resultantes da modernização das relações de trabalho no campo pode ser considerada uma continuação de alguns objetivos da prosa realista.

TEXTO 3

Capitu

Escritório de Bentinho. Nas paredes, as estantes de livros bem encadernados, quase todos livros de direito. Poucos móveis. Em destaque, a grande escrivaninha escura e lustrosa. Na estante defronte a essa escrivaninha, a prateleira reservada a fotografias em meio de pequenos objetos: uma espátula de marfim, uma ampulheta, a imponente águia de bronze com as asas abertas, segurando no bico um relógio e a pequena cabeça de mármore representando um sábio da Grécia. É longa a fieira dos retratos que se abre com um Escobar sorridente e um tanto caçoísta, como se achasse graça no fotógrafo. Ou em si mesmo. Está de sobrecasaca, a mão no peito. Vem agora o porta-retrato com a foto grande de Capitu e Bentinho posando no dia do casamento. Ambos estão de pé, tensos, com a expressão quase de espanto. Preso a um porta-retrato de veludo verde, o medalhão de ouro com a miniatura irreconhecível de tão desbotada: dona Glória. Ao lado, o retrato de Capitu adolescente. Uma cópia desse mesmo retrato está na escrivaninha, a moldura de prata contrastando com a modéstia da mocinha muito séria na sua roupa de domingo.

TELLES, Lygia Fagundes; GOMES, Paulo Emílio Salles. *Capitu*: adaptação livre para um roteiro baseada no romance *Dom Casmurro*, de Machado de Assis. São Paulo: Siciliano, 1993. p. 52-53.

A importância de Machado para a literatura brasileira pode ser mensurada por meio de apropriações de elementos de sua obra pelas gerações posteriores. É difícil encontrar escritor no Brasil que não se diga afetado de alguma forma pela prosa machadiana. No trecho ao lado, reproduzido de um roteiro cinematográfico escrito por Lygia Fagundes Telles (1923-) e Paulo Emílio Salles Gomes (1916-1977) com base em *Dom Casmurro*, nota-se a tentativa de manter a atmosfera presente no romance. Isso pode ser percebido, por exemplo, na descrição do cenário do escritório em que ocorre uma das cenas na qual o narrador sugere a existência do triângulo amoroso entre Bentinho, Capitu e Escobar.

Vestibular e Enem

1. (Fuvest-SP) Leia o trecho de *Dom Casmurro*, de Machado de Assis, para responder ao que se pede.

> Um dia [Ezequiel] amanheceu tocando corneta com a mão; dei-lhe uma cornetinha de metal. Comprei-lhe soldadinhos de chumbo, gravuras de batalhas que ele mirava por muito tempo, querendo que lhe explicasse uma peça de artilharia, um soldado caído, outro de espada alçada, e todos os seus amores iam para o de espada alçada. Um dia (ingênua idade!) perguntou-me impaciente:
>
> — Mas, papai, por que é que ele não deixa cair a espada de uma vez?
>
> — Meu filho, é porque é pintado.
>
> — Mas então por que é que ele se pintou?
>
> Ri-me do engano e expliquei-lhe que não era o soldado que se tinha pintado no papel, mas o gravador, e tive de explicar também o que era gravador e o que era gravura: as curiosidades de Capitu, em suma.

a) Se estabelecermos uma analogia ou um paralelo entre a gravura, de que se fala no excerto, e o romance *Dom Casmurro*, os termos "gravador" e "gravura" corresponderão a que elementos internos do romance?

b) Continuando no mesmo paralelo entre "gravura" e *Dom Casmurro*, pode-se considerar que a lição dada pelo pai ao filho, a respeito da gravura, serve de advertência também para o leitor do romance? Justifique sua resposta.

2. (Unicamp-SP) Leia o trecho a seguir de *A cidade e as serras*.

> — Sabes o que eu estava pensando, Jacinto?... Que te aconteceu aquela lenda de Santo Ambrósio... Não, não era Santo Ambrósio... Não me lembra o santo. Ainda não era mesmo santo, apenas um cavaleiro pecador, que se enamorara de uma mulher, pusera toda a sua alma nessa mulher, só por a avistar a distância na rua. Depois, uma tarde que a seguia, enlevado, ela entrou num portal de igreja, e aí, de repente, ergueu o véu, entreabriu o vestido, e mostrou ao pobre cavaleiro o seio roído por uma chaga! Tu também andavas namorado da serra, sem a conhecer, só pela sua beleza de verão. E a serra, hoje, zás! de repente, descobre a sua grande chaga... É talvez a tua preparação para S. Jacinto.
>
> QUEIRÓS, Eça de. *As cidades e as serras*. São Paulo: Ateliê Editorial, 2007. p. 252.

a) Explique a comparação feita por Zé Fernandes. Especifique a que chaga ele se refere.

b) Que significado a descoberta dessa chaga tem para Jacinto e para a compreensão do romance?

3. (Enem)

> Quincas Borba mal podia encobrir a satisfação do triunfo. Tinha uma asa de frango no prato, e trincava-a com filosófica serenidade. Eu fiz-lhe ainda algumas objeções, mas tão frouxas, que ele não gastou muito tempo em destruí-las.
>
> — Para entender bem o meu sistema, concluiu ele, importa não esquecer nunca o princípio universal, repartido e resumido em cada homem. Olha: a guerra, que parece uma calamidade, é uma operação conveniente, como se disséssemos o estalar dos dedos de *Humanitas*; a fome (e ele chupava filosoficamente a asa de frango), a fome é uma prova a que a *Humanitas* submete a própria víscera. Mas eu não quero outro documento da sublimidade do meu sistema, senão este mesmo frango. Nutriu-se de milho, que foi plantado por um africano, suponhamos, importado de Angola. Nasceu esse africano, cresceu, foi vendido; um navio o trouxe, um navio construído de madeira cortada no mato por dez ou doze homens, levado por velas, que oito ou dez homens teceram, sem contar a cordoalha e outras partes do aparelho náutico. Assim, este frango, que eu almocei agora mesmo, é o resultado de uma multidão de esforços e lutas, executadas com o único fim de dar mate ao meu apetite.
>
> MACHADO DE ASSIS. *Memórias póstumas de Brás Cubas*. Rio de Janeiro: Civilização Brasileira, 1975.

A filosofia de Quincas Borba – a *Humanitas* – contém princípios que, conforme a explanação da personagem, consideram a cooperação entre as pessoas uma forma de:

a) lutar pelo bem da coletividade.

b) atender a interesses pessoais.

c) erradicar a desigualdade social.

d) minimizar as diferenças individuais.

e) estabelecer vínculos sociais profundos.

4. (Uece) Considere as seguintes afirmações sobre Machado de Assis:

I. A crítica aponta-o como um escritor naturalista.

II. No início de sua carreira literária, sofreu influência do Romantismo.

III. Sua produção de romances revela uma grande preocupação com os problemas regionais brasileiros.

Está correto o que se diz

a) em I, II e III.

b) apenas em I e II.

c) apenas em II.

d) apenas em II e III.

5. **(UFRN)** A sequência abaixo faz parte do roteiro de adaptação de *Memórias póstumas de Brás Cubas* para os quadrinhos.

SRBEK, Wellington. Página do roteiro de adaptação do romance *Memórias póstumas de Brás Cubas* para os quadrinhos. Disponível em: <http://blogdosquadrinhos.blog.uol.com.br/arch2010-02-01_2010-02-28.html>. Acesso em: 28 jun. 2010.

O fragmento textual do capítulo VII que corresponde à sequência acima é:

a) "Tentei falar, mas apenas pude grunhir esta pergunta ansiosa:
— Onde estamos?
— Já passamos o Éden.
— Bem; paremos na tenda de Abraão.
— Mas se nós caminhamos para trás! redarguiu motejando a minha cavalgadura." (p. 26)

b) "Deixei-me ir, calado, não sei se por medo ou confiança; mas, dentro em pouco, a carreira de tal modo se tornou vertiginosa, que me atrevi a interrogá-lo, e com tal arte lhe disse que a viagem me parecia sem destino.
— Engana-se, replicou o animal, nós vamos à origem dos séculos." (p. 25)

c) "Como ia de olhos fechados, não via o caminho; Lembra-me só que a sensação de frio aumentava com a jornada, e que chegou uma ocasião em que me pareceu entrar na região dos gelos eternos." (p. 25)

d) "Com efeito, abri os olhos e vi que o meu animal galopava numa planície branca de neve, com uma ou outra montanha de neve, vegetação de neve, e vários animais grandes de neve." (p. 26)

(Uern) Texto para as questões 6 e 7.

— Peço licença para defender os meninos bonitos... objetou alguém entrando.

Surpreendendo-nos com esta frase, suntuosamente escoada por um sorriso, chegou a senhora do diretor, D. Ema. Bela mulher em plena prosperidade dos trinta anos de Balzac, formas alongadas por graciosa magreza, erigindo, porém, o tronco sobre quadris amplos, fortes como a maternidade: olhos negros, pupilas retintas, de uma cor só, que pareciam encher o talho folgado das pálpebras; de um moreno rosa que algumas formosuras possuem; e que seriam também a cor do jambo, se jambo fosse rigorosamente o fruto proibido. Adiantava-se por movimentos oscilados, cadência de minueto harmonioso e mole que o corpo alternava. Vestia cetim preto justo sobre as formas, reluzente como pano molhado; e o cetim vivia com ousada transparência a vida oculta da carne. Esta aparição maravilhou-me.

POMPEIA, Raul. *O Ateneu*: crônica de saudade. Biblioteca Virtual do Estudante Brasileiro. Disponível em: <http://vbookstore.uol.com.br/nacional/raulpompeia/ateneu/shtml>. Acesso em: 15 jan. 2010.

6. O texto, contextualizado na obra, permite afirmar:
(01) A descrição constitui o recurso predominante na obra de Raul Pompeia.
(02) A figura feminina simboliza a mãe ausente e, simultaneamente, o despertar da sexualidade masculina.
(03) *O Ateneu* realiza, em seu microcosmo, as expectativas de seus internos em relação à vida almejada no macrocosmo.
(04) A obra *O Ateneu*, por ser um romance escrito na primeira pessoa, foge à comprovação da realidade dos fatos tanto quanto *Dom Casmurro*, de Machado de Assis.

7. São características pertinentes à obra em análise e ao seu período literário:
( ) percepção psicológica e impressionista dos fatos.
( ) linguagem detalhista e minuciosa das cenas.
( ) caráter denunciador de uma época.
( ) visão realista da vida.

A alternativa que contém a sequência correta, de cima para baixo, é a:
(01) F F V V.
(02) V V F F.
(03) F F F V.
(04) V V V V.

UNIDADE 10

O Naturalismo

Nesta unidade

29 O Naturalismo – o diálogo entre literatura e ciência

30 O Naturalismo no Brasil

BASTIEN-LEPAGE, Jules. *O mendigo* (detalhe), 1880. Óleo sobre tela, 192,5 cm × 180,5 cm. Museu d'Orsay, Paris, França.

Observe o quadro abaixo, de Jules Bastien-Lepage (1848-1884). Note que a figura do velho pedinte exibe traços de sua situação social e história pessoal: o corpo arqueado reflete o peso da idade e a constante luta pela sobrevivência; as rugas no rosto denotam a passagem do tempo; as vestes toscas e velhas são possivelmente roupas descartadas por outras pessoas.

Uma arte capaz de desvendar a sociedade por detrás do indivíduo, tal qual um estudo dos detalhes menos visíveis do corpo humano: eis o objetivo do Naturalismo.

A prosa naturalista propunha-se, sem meias palavras, a tratar dos comportamentos humanos em situações extremas. A vida social ficcionalizada deveria tornar-se um grande laboratório, no qual as personagens seriam cobaias para demonstrar as teses do escritor. Veja nas próximas páginas como se deu essa forma de escrita.

CAPÍTULO 29

O Naturalismo – o diálogo entre literatura e ciência

O que você vai estudar

- Influência da ciência sobre a literatura.
- Personagens animalizadas.
- O determinismo: raça, meio e momento.

O Realismo, em oposição ao Romantismo, pregava um olhar direto e não idealizado para o indivíduo e a sociedade.

O Naturalismo, por sua vez, procurou ir adiante e retratar o ser humano como um produto das forças da natureza. Por esse motivo, alguns críticos afirmam que o Naturalismo é uma radicalização do Realismo, ao encarar a rudeza e a animalidade como parcelas constituintes das pessoas.

Sua leitura

A seguir, você lerá dois textos que ajudam a entender a estética naturalista.

O primeiro é a tela *Os comedores de batatas*, do pintor holandês Vincent van Gogh (1853-1890). Essa pintura é considerada precursora do Naturalismo nas artes plásticas.

O segundo é um trecho de *Germinal*, do escritor francês Émile Zola (1840-1902), um dos mais importantes romances desse movimento. Zola, além de influenciar muitos outros escritores com suas obras literárias, teve forte atuação no debate político e cultural de sua época. *Germinal*, baseado na experiência concreta de Zola entre trabalhadores das minas de carvão no norte da França, trata do cotidiano dessas pessoas, submetidas a precárias condições de vida.

Os comedores de batatas

VAN GOGH, Vincent. *Os comedores de batatas*, 1885. Óleo sobre tela, 82 cm × 114,5 cm. Museu Van Gogh, Amsterdã, Holanda.

300

Germinal

À tarde, quando os mineiros voltavam do trabalho, sentavam-se direto à mesa para almoçar. A refeição era sempre sopa. De batatas, chicória e cebola. Após o almoço, tomavam banho na tina, esfregando-se com sabão preto para limpar o carvão que cobria a pele.

Na casa dos Maheu, a mãe tinha preparado sopa e café, e pusera na mesa pão, manteiga e queijo. Depois que os filhos comeram, trouxe o chouriço. Quando havia carne, era reservada para o pai.

A primeira a tomar banho era Catherine, depois os meninos, e por último o pai. A mãe trazia de fora os baldes de água para encher a tina. Eles tomavam banho na cozinha, e saíam nus da tina para se enxugar e vestir no quarto, no andar de cima. O único que não tomava banho na presença dos filhos era o pai. Apesar de ser um hábito comum na aldeia, Maheu não achava certo.

Sozinhos na cozinha, a mulher esfregava bem as costas do marido e em seguida o enxugava. Ele se excitava, o casal se abraçava e fazia amor ali mesmo. Essa rotina se repetia na casa de todos os mineiros.

Na parte da tarde, Maheu cuidava da horta. Plantara batatas, feijão e ervilha, e cultivava couve e alface numa estufa. Levaque veio chamar Maheu para ir à taverna, mas ele resolveu economizar. Além do mais, não tinha dinheiro, teria que pedir à mulher, que conseguira um empréstimo de Maigrat.

Depois do almoço, as crianças e os jovens saíam. Catherine foi pedir dinheiro emprestado para comprar uma fita nova para sua touca. Quando Jeanlin saiu, a mãe pediu que ele colhesse azedas, uma espécie de espinafre selvagem que nascia na beira do rio, e as trouxesse antes do anoitecer, para a salada do jantar.

Deram sete horas. O velho Boa Morte foi o primeiro a voltar. Precisava jantar para ir ao trabalho: ele era do turno da noite. A mulher resolveu servir o jantar sem esperar Catherine e os rapazes. Bem hoje que ela havia feito guisado. Guisado de batatas com cebola.

Zacharie, o filho mais velho, saiu para encontrar um amigo. Iam ao Volcan, um cabaré barato que ficava em Montsou.

— Vamos logo — pediu Mouquet.

— Vá na frente; eu ainda tenho um assunto para resolver — disse Zacharie.

O rapaz vira a jovem Philomène, que deixava a mina.

— Está bem, já vou indo.

— Não demoro — falou Zacharie.

E caminhou na direção de Philomène. Ao encontrá-la, Zacharie foi levando a moça para uma área afastada, apesar de sua resistência. Discutiam como um velho casal. Ela dizia que não tinha a menor graça só se encontrarem fora, especialmente no inverno, quando a terra é úmida e não há campos de trigo para se deitar.

— O problema não é esse, Philomène — disse Zacharie. — Tenho uma dívida de dois francos. Preciso de dinheiro.

— É mentira. Eu vi você falando com Mouquet, vocês vão ao Volcan, encontrar aquelas cantoras nojentas.

Ele se defendeu, abraçou-a, deu sua palavra de honra:

— Que cantoras que nada! Venha conosco, Philomène.

— E a criança? — perguntou ela. — Você acha que posso sair com uma criança que está sempre chorando?... Vou para casa, deve estar uma confusão danada lá.

Mas ele a segurou e começou a suplicar. Não podia fazer papel de bobo com Mouquet, tinha prometido sair com ele. Um homem não podia dormir todos os dias com as galinhas. Vencida, a moça abriu o casaco, cortou a bainha da blusa com a unha e tirou as moedas que estavam costuradas ali. Como tinha medo de ser roubada pela mãe, escondia o dinheiro das horas extras que fazia na mina.

[...]

ZOLA, Émile. *Germinal*. Trad. Silvana Salerno. São Paulo: Companhia das Letras, 2000. p. 40-42.

> **Vocabulário de apoio**
>
> **guisado**: espécie de ensopado, prato que se prepara refogando
>
> **tina**: recipiente semelhante a um grande balde, usado para tomar banho; banheira

Sobre os textos

1. Nesse trecho de *Germinal*, entre as características da vida dos mineiros estão a promiscuidade, a fome e a falta de dinheiro. Copie três passagens que ilustrem essa afirmação.

2. Nos romances naturalistas, o espaço não é somente o local onde acontecem as ações; ele determina o comportamento das personagens. Com base nessa afirmação, explique a relação entre o espaço empobrecido da vila dos mineiros e as atitudes das personagens.

3. Entre vários elementos formais, destacam-se na tela de Van Gogh a luminosidade e os traços. Que efeitos provocam na representação das figuras humanas?

4. A opção por representar a vida de uma camada empobrecida da sociedade é evidente tanto no trecho literário quanto na tela. Em sua opinião, que objetivos estão por trás dessa escolha?

> O contexto de produção

O Naturalismo partilhou com a escola realista as principais referências históricas e sociais marcantes da segunda metade do século XIX. Entre elas, o avanço da ciência, a filosofia positivista e o surgimento do socialismo.

> O contexto histórico

A segunda metade do século XIX foi marcada pela veloz transição da vida rural para a urbana, relacionada à feição cada vez mais industrial da economia. A produção em massa de bens de consumo alterou o perfil da sociedade. A **mecanização do trabalho** foi deixando de lado as tarefas que antes eram manuais e fez com que a fábrica fosse o espaço característico desse momento histórico.

Essas transformações geraram **reações contrastantes**. De um lado, havia o otimismo em relação ao progresso da humanidade; de outro, a preocupação com a quantidade e a intensidade dos novos problemas e conflitos, grande parte deles relacionados às más condições de vida dos trabalhadores. Com dificuldade de sobreviver em seus locais de origem, um contingente cada vez maior de ex-camponeses migrou para as cidades em busca de emprego nas indústrias. Alojavam-se em habitações precárias e cumpriam jornadas que chegavam a dezoito horas diárias, em troca de um salário que mal dava para a alimentação. Mulheres e crianças também executavam serviço pesado.

DORÉ, Gustave. *Dudley street, Seven Dials*, 1872. Gravura de *London: a pilgrimage*, 21,4 cm × 26,5 cm. Coleção particular.

A gravura de Gustave Doré (1832-1883) retrata o grande contingente de pobres e miseráveis que habitavam os arredores de Londres na segunda metade do século XIX.

> O contexto cultural

O impacto das **descobertas no campo das ciências**, desencadeado pela teoria darwinista e pelos avanços nos estudos da física, da química e da anatomia, levou vários intelectuais a explicar a vida social a partir dos novos critérios "científicos": as fraquezas humanas, entendidas anteriormente como falhas morais, passaram a ser consideradas desvios do comportamento padrão dentro da sociedade.

Nesse contexto, surgiu uma doutrina que marcou profundamente o Naturalismo: o **determinismo**, que propunha explicar o ser humano com base em três fatores: o meio, a raça e o momento histórico. Seu principal mentor, Hippolyte Taine (1828-1893), afirmava que o ser humano era uma resultante inevitável desses três fatores, impossibilitado, por conseguinte, de moldar a própria vida com autonomia.

Outro aspecto que merece destaque do ponto de vista cultural foi o impulso que os avanços tecnológicos imprimiram ao **setor de comunicação**, em especial ao jornalismo. A prensa móvel a vapor acelerou e barateou a produção dos jornais e de outros periódicos, contribuindo para sua popularização.

Em Paris, vendedores do jornal *La Patrie* correm para distribuir o número que acabou de ser impresso. Fotografia de 1899.

> O contexto literário

A recepção da crítica e do público aos romances naturalistas não ocorreu de maneira tranquila. Ao contrário, acusada de ultrapassar os limites da moral e dos bons costumes por abordar temas considerados tabus para a época, a prosa naturalista encontrou resistência e até **ferrenhos opositores**.

O sistema literário do Naturalismo

No prefácio da segunda edição de seu primeiro romance nitidamente naturalista, intitulado *Teresa Raquin*, o escritor Émile Zola afirma:

> A crítica acolheu este livro com uma voz brutal e indignada. Certas criaturas virtuosas, em jornais não menos virtuosos, fizeram uma careta de náusea, pegando nele pelas pontas de uma tenaz e atirando-o ao lume. [...]
> Na *Teresa Raquin* quis estudar temperamentos e não caracteres. Nisso está o livro inteiro. Escolhi personagens soberanamente dominadas pelos seus nervos e pelo seu sangue, desprovidas de livre-arbítrio, arrastadas a cada ato das suas vidas pelas fatalidades de sua carne.
> ZOLA, Émile. *Teresa Raquin*. Trad. João Gaspar Simões. Lisboa: Arcádia, s.d. p. 7-8.

Vocabulário de apoio
lume: chama, fogo
tenaz: espécie de pinça para segurar carvão

Merece especial atenção no prefácio de Zola a ideia de que o romance, apesar de ficcional, possui um objetivo claro de "estudo": pela análise dos temperamentos das personagens, o autor procurou comprovar a "fatalidade" dos desejos e dos impulsos irracionais.

Essa "fatalidade" refere-se ao determinismo. Segundo os preceitos deterministas, caberia ao texto literário expor objetiva e imparcialmente os desejos e pensamentos das personagens por meio de um narrador sempre impassível e onisciente; descrever os temas – como a traição, o incesto, a loucura, a exploração econômica – em detalhes, mesmo que possam ser considerados sórdidos; usar a linguagem mais direta possível; e, ainda, apresentar personagens "desprovidas de livre-arbítrio", sem vontade própria, obedientes às leis da natureza, à sobrevivência.

O autor do texto naturalista possuía uma intenção explícita de debater a **relação entre indivíduo e sociedade** tendo como referência a lente da ciência. Esse fato demonstra os interesses da classe de escritores não só pelos temas científicos, como também pelo debate e pela participação em questões sociais. O fato de pertencer à burguesia não os impedia de **criticar os valores sociais** vigentes em prol de uma visão mais igualitária da sociedade.

Por sua vez, ao leitor daquela época coube muitas vezes o **sentimento de desconforto ao ler** as páginas dos romances e contos produzidos sob essa estética. O leitor médio desse período possuía um gosto estético voltado à prosa romântica. Buscava, na leitura, a afirmação de princípios morais e a correção de caráter presentes nas personagens: a figura da mocinha incorruptível e do herói que não se degenera. O contato com a dimensão egoísta, animalesca e miserável do ser humano, típica do Naturalismo literário, causava repulsa nos leitores de meados do século XIX.

Apesar de alguns temas (por exemplo, o adultério) serem típicos de textos escritos em outros períodos literários, o modo como as personagens demonstram seus desejos e impulsos provocava reações duras por parte dos leitores, algo claro nas observações de Zola acima transcritas ("A crítica acolheu este livro com uma voz brutal e indignada").

Na tela de Daumier (1808-1879), a mãe carrega o fardo de roupas sem mostrar nenhum sinal de atenção para a criança. Muitas personagens dos romances naturalistas encontram-se tão sobrecarregadas na luta pela subsistência que em sua vida não há espaço para o afeto.

O papel da tradição

Ao tomar, sobretudo, **textos científicos como referência** para a construção de sua literatura, o Naturalismo renegou muitos aspectos do Romantismo. Os ideais de sensibilidade e de genialidade foram abandonados pelos escritores, que exercitavam sua observação "clínica" sobre a materialidade social e o real modo de vida das personagens que retratavam. Para tanto, procediam de maneira similar à do cientista na coleta de dados: frequentavam os ambientes que desejavam romancear e tomavam anotações. Às vezes, em vez de observadores, passavam a ser os observados. Foi o que aconteceu com Émile Zola: ao tomar notas para um romance, ele passou a frequentar os salões elegantes da sociedade parisiense, onde era observado com curiosidade pelos frequentadores habituais desses meios.

DAUMIER, Honoré. *O fardo (a lavadeira)*, c. 1850-1853. Óleo sobre tela, 130 cm × 98 cm. Museu Hermitage, São Petersburgo, Rússia.

Uma leitura

O texto a seguir é de Guy de Maupassant (1850-1893). No conjunto de sua obra, esse escritor da segunda metade do século XIX mesclou a análise psicológica realista com uma abordagem social naturalista, na qual a relação entre o ser humano e o meio determinava as reações das personagens.

O conto "O vagabundo" traz a história de Randel, um sujeito que não consegue um emprego que lhe garanta ao menos um prato de comida. Leia o texto, veja alguns elementos analisados e complete a análise respondendo às perguntas propostas.

Vocabulário de apoio

evolar: subir em vapor
extenuado: esgotado
flanco: lateral do corpo
intumescido: inchado
pérfido: traiçoeiro
têmpora: lateral superior da cabeça
ubre: mama de um animal
valo: fosso comprido
viandante: viajante
zunir: zumbir

Randel tinha fome, uma fome de animal, uma dessas fomes que lançam os lobos sobre os homens. Extenuado, alongava as pernas para dar menor número de passos, e, com a cabeça pesada, o sangue a zunir nas têmporas, os olhos vermelhos, a boca seca, apertava o bastão na mão, com o vago desejo de abater a pauladas o primeiro viandante que encontrasse a caminho de casa, para a janta. [...]

Enquanto tropeçava nas pedras que rolavam sob os pés nus, ele resmungava:

"Miséria... miséria... corja de cretinos... deixarem um homem rebentar de fome... um carpinteiro... corja!... nem um cêntimo... nem um cêntimo... E não é que está chovendo?... Cretinos!..."

Indignava-se da injustiça da sorte e culpava os homens, todos os homens, de que a Natureza, a grande mãe cega, fosse tão pouco equitativa, tão feroz e pérfida.

Repetia-se, com os dentes cerrados: "Corja de cretinos!" olhando o tênue fumo cinzento que se evolava dos telhados, naquela hora de janta. E, sem refletir na outra injustiça, humana esta, que se chama violência e roubo, ele tinha vontade de entrar numa daquelas casas, abater os moradores e pôr-se à mesa, em lugar deles.

Dizia: "Eu não tenho o direito de viver, agora... pois me deixam rebentar de fome... eu só peço para trabalhar, e no entanto... cretinos!". [...]

Descia a noite, cobrindo de sombra os campos. Ele avistou, ao longe, num prado, uma mancha sombria sobre a relva, uma vaca. Transpôs o valo marginal e dirigiu-se para ela, sem saber ao certo o que pretendia.

Quando chegou perto, o animal ergueu para o homem a sua volumosa cabeça, e ele pensou:

"Se ao menos eu tivesse uma vasilha, poderia beber um pouco de leite."

O homem olhava a vaca, e a vaca o olhava; depois, de súbito, virando-lhe no flanco um forte pontapé: "Levanta!" disse ele.

O animal ergueu-se lentamente, deixando pender o pesado ubre; então o homem se acomodou de costas entre as patas do animal, e bebeu, longamente, longamente, apertando com ambas as mãos a teta intumescida, quente, e que cheirava a curral. Bebeu enquanto restou leite naquela fonte viva.

MAUPASSANT, Guy de. O vagabundo. In: *Contos*. Trad. Mário Quintana. Porto Alegre: Livraria O Globo, 1943. p. 402-403.

A descrição inicial de Randel o aproxima, tanto física quanto psicologicamente, de um animal, em razão de estar privado de uma condição básica para sua existência: o alimento.

A revolta de Randel se dirige não a alguém específico, mas sim a toda a sociedade, que lhe nega um prato de comida. Essa é uma das características mais evidentes do Naturalismo literário.

1. Lembrando-se de que há uma forte influência do pensamento de Charles Darwin na estética naturalista, como podemos entender o papel da natureza citada no texto?

2. O modo como o narrador conta a passagem em que Randel se dirige para a vaca ("sem saber ao certo o que pretendia") ressalta quais aspectos da atitude da personagem?

3. Raça, meio e momento: esses são os três componentes essenciais do determinismo. Na passagem em que Randel bebe o leite diretamente da vaca, qual(is) desses elementos melhor explica(m) a atitude da personagem? Justifique.

Ler o Naturalismo

Leia um trecho do primeiro romance naturalista de Émile Zola, *Teresa Raquin* (1867). A história conta como Teresa, após se casar com seu primo Camilo, apaixona-se por Lourenço, amigo dele. Seguindo seus impulsos, os amantes perdem o controle de seus sentimentos e desejos.

> Havia quinze dias que Lourenço não podia aproximar-se de Teresa. Só então compreendeu a que ponto aquela mulher se lhe tornara indispensável; o hábito da voluptuosidade criara-lhe apetites novos, de uma exigência aguda. Já não sentia aflição nenhuma com os beijos da amante, procurava esses beijos com uma obstinação de animal esfomeado. Uma paixão de sangue se lhe gerara nos músculos; agora, que o privaram da amante, essa paixão explodia com toda uma violência aguda; amava com raiva. Tudo parecia inconsciente naquela luxuriosa natureza de animal; obedecia a instintos, deixava-se conduzir pelos imperativos do organismo. Teria desatado a rir, um ano atrás, se lhe tivessem dito que viria a ser o escravo de uma mulher a ponto de comprometer o seu próprio sossego. O surdo trabalho do desejo operara-se nele, sem que ele desse por isso, e acabara por atirá-lo, atado de pés e mãos, para as carícias ferozes de Teresa. Agora receava esquecer a prudência, não ousava aparecer, à noite, na viela do Pont-Neuf, receando cometer alguma loucura. Já não tinha mão em si, a amante, com as suas maciezas de felino, as suas flexibilidades nervosas, insinuara-se pouco a pouco em todas as fibras do seu corpo. Precisava tanto dessa mulher para viver como de beber e de comer.
>
> Teria, por certo, feito uma tolice se não tivesse recebido uma carta de Teresa que lhe recomendava que ficasse em casa no dia seguinte. A amante prometia vir ter com ele pelas oito da tarde.
>
> Zola, Émile. *Teresa Raquin*. Trad. João Gaspar Simões. Lisboa: Arcádia, s.d. p. 70-71.

Vocabulário de apoio

apetite: vontade
luxurioso: sensual, lascivo
oito da tarde: 20h (no verão europeu, ainda é dia)
voluptuosidade: libidinosidade, dedicação à sexualidade

Sobre o texto

1. O pensamento científico influencia o Naturalismo e determina a postura do narrador em relação às situações que narra. De que maneira o vocabulário utilizado no fragmento demonstra essa afirmação?

2. Segundo o narrador, Lourenço já perdera o controle sobre suas atitudes. Justifique isso com uma passagem do texto.

3. Releia: "O surdo trabalho do desejo operara-se nele, sem que ele desse por isso". Essa ideia remete a qual característica da prosa naturalista? Explique sua resposta.

4. Em um dos parágrafos do prefácio que acompanha o romance *Teresa Raquin*, Émile Zola afirma: "Teresa e Lourenço são feras humanas, nada mais". Em sua opinião, as atitudes de Lourenço confirmam essa tese? Justifique sua resposta.

5. Para o Naturalismo, as leis da natureza são válidas para explicar o ser humano e o mundo social. Você concorda com essa tese? Justifique seu ponto de vista com passagens do texto.

O que você pensa disto?

Com o objetivo de escrever o romance *Germinal*, uma de suas obras mais notáveis, Émile Zola viveu durante dois meses entre mineiros. Frequentou suas tavernas, morou em suas casas, trabalhou em uma mina de carvão. Assim, baseou seu texto na observação direta dos comportamentos. Para ele, a literatura deveria expressar uma experiência vivida, e não somente imaginada pelo autor.

Hoje em dia, essa função de retratar a vida de pequenas comunidades ou de grupos sociais específicos pode ser realizada pelos documentários televisivos ou cinematográficos, com a vantagem de as verdadeiras personagens envolvidas e o cenário onde vivem poderem ser vistas e ouvidas pelo espectador.

- Nesse contexto, ainda há sentido em trazer assuntos como esses para a literatura? Se sim, qual seria a contribuição que só a literatura poderia dar?

Carregamento de carvão em mina nos Estados Unidos. Fotografia de 1918.

305

CAPÍTULO 30

O Naturalismo no Brasil

O que você vai estudar

- Adoção do cientificismo pelos intelectuais brasileiros.
- A ficção de Aluísio Azevedo: romances de tese.
- Outros autores: exploração de temas tabus.

VISCONTI, Eliseu. *As lavadeiras*, 1891. Óleo sobre tela, 70 cm × 110 cm. Coleção particular.

Essa tela de Eliseu Visconti (1866-1944) exemplifica uma novidade da pintura brasileira no final do século XIX: o interesse artístico pelo cotidiano de pessoas pobres. O pintor concilia a figura humana com a pintura da paisagem, cujo colorido revela grande domínio técnico.

❯ O contexto de produção

Conforme você estudou no capítulo anterior, o Naturalismo se manifesta como uma **radicalização do Realismo**. No Brasil, a ficção considerada naturalista pode ser compreendida como uma aplicação à literatura das ideias das correntes científicas em voga no período: o positivismo, o evolucionismo e o determinismo.

Dessas correntes, será mais importante em nossa literatura o **determinismo** do francês Hippolyte Taine (1828-1893). Para esse teórico, o **meio**, a **raça** e o **momento histórico** eram as três grandes forças que moldavam o comportamento humano. No romance *O cortiço*, Aluísio Azevedo, considerado o maior romancista do Naturalismo brasileiro, faz uma adaptação dessa ideia, tendo em vista a pluralidade racial do Brasil. A natureza tropical do Rio de Janeiro (o meio) incide sobre diferentes grupos (a raça) misturados no ambiente do cortiço (o momento histórico); é a natureza tropical que faz esses grupos se relacionarem do modo como se relacionam, dando ao cortiço o aspecto que ele tem no romance.

Ao mesmo tempo que aplica o esquema determinista, Aluísio Azevedo demonstra, pela ação do romance, que personagens diferentes reagem de maneira diversa ao mesmo meio natural. Isso fica evidente no destino dos três portugueses que participam do enredo: João Romão, Jerônimo e o comendador Miranda. Só Jerônimo sucumbe à influência pretensamente negativa do meio: passa de trabalhador incansável ao ócio preguiçoso, entregando-se ao alcoolismo e à sensualidade. Os demais, possuidores de capital, conseguem, em medidas diferentes, reorientar o meio segundo suas vontades. Nesse caso, a influência do meio não é suficiente para submetê-los, ainda que interfira em vários de seus comportamentos.

O **cientificismo** do período se infiltrará também em outras áreas das letras, como a historiografia e a crítica literária. Empenhados em observar a dinâmica da literatura como um percurso ligado de modo estreito aos aspectos extraliterários do contexto em que os autores se inseriam, os críticos tomariam essas relações como critério para a análise das características estéticas das obras e para o julgamento de sua qualidade.

> Tobias Barreto e a Escola do Recife

A importância que a tendência naturalista teve no Brasil deve-se em boa parte à **Escola do Recife**, um grupo de intelectuais formado na virada das décadas de 1860 e 1870 entre os acadêmicos da Faculdade de Direito local. Liderado pelo sergipano **Tobias Barreto** (1837-1889) e com nomes como Sílvio Romero e Joaquim Nabuco, esse grupo foi responsável por irradiar um amplo debate filosófico, sociológico, cultural e científico nas décadas finais do século XIX. Influenciados por esse debate, intelectuais e políticos progressistas fizeram do abolicionismo e do republicanismo as grandes tendências ideológicas da década de 1870.

Sílvio Romero, Araripe Jr. e José Veríssimo

A influência que fatores externos exerceriam sobre a realização da obra literária seria o ponto de contato e o princípio primeiro de boa parte dos representantes da crítica literária desse período.

Discípulo direto e grande divulgador das ideias de Tobias Barreto, o também sergipano **Sílvio Romero** (1851-1914) foi um eclético estudioso da cultura brasileira. Escreveu sobre diversas áreas do conhecimento (sociologia, filosofia, política, literatura, folclore, entre outras), sempre sob o prisma positivista, evolucionista e determinista, que aplicava com militância. Sílvio Romero defendia com paixão seus pressupostos ideológicos, o que, por vezes, limitava sua perspectiva. Assim, por exemplo, o crítico não foi capaz de valorizar as qualidades do poeta romântico Castro Alves, ou de reconhecer o alcance da acidez crítica de Machado de Assis.

Apesar de seguir os mesmos pressupostos da Escola do Recife, o cearense **Araripe Jr.** (1848-1911) distanciou-se discretamente de Romero por abordar os aspectos propriamente literários das obras que analisou. Escreveu sobre escritores brasileiros de períodos anteriores, como Gregório de Matos, e acompanhou atentamente a obra de autores de seu tempo, como José de Alencar, Raul Pompeia e os poetas simbolistas.

Único não nordestino desse trio de intelectuais dedicados às letras, o paraense **José Veríssimo** (1857-1916), por sua vez, era avesso à obediência estrita a qualquer ideologia. Preocupava-se mais com o texto do que com o contexto e buscava nas obras uma ideia de beleza estética, utilizando como critérios de valor o cuidado com o trabalho formal e as habilidades psicológicas da imaginação e da sensibilidade dos autores que transpareciam em seus escritos.

Fone de ouvido

Da lama ao caos, de Chico Science e Nação Zumbi
Sony Music, 1994

O primeiro álbum da banda liderada por Chico Science (1966-1997) inaugurou o movimento mangue *beat*, uma releitura da tradição musical pernambucana na linguagem da música *pop*. O movimento inspirou muitos jovens artistas a lançar um novo olhar para a cultura brasileira. Com isso, colocou novamente Pernambuco na posição de centro irradiador de tendências, assim como fizeram os intelectuais da Escola do Recife.

Capa do disco *Da lama ao caos*.

Foto atual da fachada da Faculdade de Direito de Recife (vinculada à Universidade Federal de Pernambuco), prédio para o qual foi transferido o referido curso, em 1912. Nessa instituição, primeiro instalada em Olinda, e na Faculdade de Direito de São Paulo – ambas criadas em 1827, por iniciativa de dom Pedro I – funcionaram os primeiros cursos superiores do país. Fotografia de 2004.

Primeira sede recifense da Faculdade de Direito, em fotografia do século XIX. Nesse antigo casarão, apelidado de "pardieiro", estudaram os intelectuais da Escola do Recife.

› Aluísio Azevedo

O maranhense Aluísio Azevedo (1857-1913) é considerado o mais importante escritor naturalista do Brasil. Publicou o romance romântico *Uma lágrima de mulher* (1880), seguido de *O mulato* (1881), que projetou seu nome no meio literário e lhe deu o título de inaugurador do Naturalismo.

Produziu crônicas, peças de teatro e, sobretudo, romances, que podem ser divididos em duas linhas de interesse. De um lado, a produção para atender ao mercado, realizada de acordo com o modelo romântico; de outro, a que atendia a seus interesses propriamente literários. Nela encontramos seus romances mais importantes: além de *O mulato* (1881), *Casa de pensão* (1884), *O homem* (1887) e *O cortiço* (1890), obra-prima do Naturalismo no Brasil.

O **determinismo** que atravessa a criação de Azevedo é responsável pelos principais aspectos de sua narrativa. Em síntese, vemos na obra naturalista de Aluísio um conjunto de fatores que expressam a influência do pensamento cientificista europeu: o distanciamento dos narradores de terceira pessoa, que assumem uma posição semelhante à do cientista que observa e analisa a realidade; o entendimento da narrativa como uma tese ou estudo de caso do desenvolvimento de uma patologia psicológica ou social; e o tratamento do cenário como se fosse uma personagem da narrativa, dada a concepção de que o espaço determina a vida dos homens que o ocupam.

› *O mulato*: preconceito de raça

O mulato narra a história de Raimundo, que, após anos na Europa, volta a São Luís (MA), sua cidade natal, e sofre o **preconceito** e a **hostilidade** de uma **sociedade racista**, por ser mestiço e filho de uma negra escravizada. Desconhecendo suas origens, Raimundo, ingênuo, não compreende por que é discriminado. Tragicamente, ele é morto por Dias, pretendente de sua amada Ana Rosa, que acaba se casando com o assassino, cuja impunidade se deve à versão de suicídio forjada para mascarar o crime. Veja abaixo a descrição de Dias feita pelo narrador no início do romance.

> O Dias, que completava o pessoal da casa de Manuel Pescada, era um tipo fechado como um ovo, um ovo choco que mal denuncia na casca a podridão interior. Todavia, nas cores biliosas do rosto, no desprezo do próprio corpo, na taciturnidade paciente daquela exagerada economia, adivinhava-se-lhe uma ideia fixa, um alvo, para o qual caminhava o acrobata, sem olhar dos lados, preocupado, nem que se equilibrasse sobre uma corda tesa. Não desdenhava qualquer meio para chegar mais depressa aos fins; aceitava, sem examinar, qualquer caminho desde que lhe parecesse mais curto; tudo servia, tudo era bom, contanto que o levasse mais rapidamente ao ponto desejado. Lama ou brasa — havia de passar por cima; havia de chegar ao alvo — enriquecer.
>
> Quanto à figura, repugnante: magro e macilento, um tanto baixo, um tanto curvado, pouca barba, testa curta e olhos fundos. O uso constante dos chinelos de trança fizera-lhe os pés monstruosos e chatos quando ele andava, lançava-os desairosamente para os lados, como o movimento dos palmípedes nadando. Aborrecia-o o charuto, o passeio, o teatro e as reuniões em que fosse necessário despender alguma coisa; quando estava perto da gente sentia-se logo um cheiro azedo de roupas sujas.
>
> AZEVEDO, Aluísio. O mulato. In: LEVIN, Orna Messer (Org.). *Ficção completa*. Rio de Janeiro: Nova Aguilar, 2005. v. 1. p. 284-285.

O aspecto grotesco e repulsivo da figura de Dias encontra uma correspondência direta e mecânica com seu desejo obsessivo de ascender economicamente. O mecanicismo que, no Naturalismo, associava o feio ao comportamento sórdido e o abjeto ao obsceno e à baixeza moral foi um dos maiores alvos dos críticos dessa estética.

Livro aberto

O berço da desigualdade, de Sebastião Salgado e Cristovam Buarque
Unesco, 2005

O fotógrafo mineiro Sebastião Salgado (1944-) ficou mundialmente conhecido por seus ensaios fotográficos que retratam, com lirismo e crueza, o drama de pessoas sujeitas a condições desumanas. Em *O berço da desigualdade*, as fotografias de Salgado e o texto do educador Cristovam Buarque retratam as dificuldades que crianças desfavorecidas do mundo inteiro encontram para exercer seu direito à educação.

A precariedade degradante, responsável por um processo de coisificação do ser humano, é a matéria com a qual, cem anos antes do fotógrafo, lidavam os escritores naturalistas.

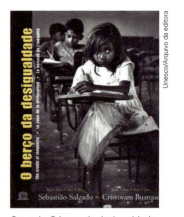

Capa de *O berço da desigualdade*.

Vocabulário de apoio

bilioso: amarelado; em sentido figurado, que possui um gênio ruim, maldoso
desairoso: que não possui elegância
despender: fazer despesa, gastar
macilento: cadavérico, pálido
palmípede: ordem de aves aquáticas que possuem membrana unindo seus dedos
taciturno: sombrio, silencioso
teso: tenso, rígido

› *O cortiço*: denúncia da miséria social

O papel do espaço sobre a vida de personagens que representavam tipos sociais atingiu seu ponto mais alto em *O cortiço*, de 1890, considerado a obra-prima de Aluísio Azevedo. Nele, a influência do determinismo é tão intensa que a Estalagem de São Romão, nome do cortiço que dá título ao livro, pode ser considerada a "protagonista" da obra, dado o modo como suas características condicionam o destino de seus moradores. Isso explica o fato de o romance não ter propriamente uma personagem principal; o que se vê, na verdade, é um quadro de tipos variados participando das contingências de um mesmo espaço. Assim, é possível dizer que o cenário da obra é personificado pelo narrador, que às vezes lhe atribui figuradamente ações e adjetivos em geral aplicados aos humanos; em contrapartida, as personagens são determinadas por um contexto de pobreza que as reduz à condição de animais (machos e fêmeas), degradadas pela precariedade em que vivem.

A **dimensão sociológica** do romance coloca em foco duas classes que se condicionam mutuamente: de um lado, os portugueses João Romão (dono do cortiço) e Miranda (seu vizinho), detentores do dinheiro; de outro, as demais personagens, predominantemente brasileiros pobres e explorados, reduzidos eventualmente à condição de "vermes" que elaboram suas particularidades de acordo com a experiência coletiva da moradia que habitam.

O universo popular do cortiço é retratado com detalhes por vezes sórdidos: o vaivém dos funcionários da pedreira de João Romão, moradores do cortiço, e a labuta das mulheres lavadeiras, dividindo o espaço das bicas e estendendo suas roupas pelo pátio, são narrados de modo que o leitor perceba a um só tempo a dinamicidade do espaço e sua degradação. A rotina de despertar para mais um dia de trabalho duro, em que a gente pobre e explorada compartilha os poucos recursos de que dispõe, evidencia a compreensão do espaço coletivo como um enorme organismo vivo no qual as pessoas são reduzidas à condição de animais.

ALMEIDA JR. *Derrubador brasileiro*, 1879. Óleo sobre tela, 227 cm × 182 cm. Museu Nacional de Belas Artes, Rio de Janeiro.

Almeida Júnior (1850-1899), considerado um dos maiores pintores brasileiros do século XIX, fez retratos de tipos comuns, como o trabalhador braçal representado no quadro acima. Essa também é uma característica comum às obras de Aluísio Azevedo, como se pode ver nas personagens de *O cortiço*.

> Daí a pouco, em volta das bicas era um zunzum crescente; uma aglomeração tumultuosa de machos e fêmeas. Uns, após outros, lavavam a cara, incomodamente, debaixo do fio de água que escorria da altura de uns cinco palmos. O chão inundava-se. As mulheres precisavam já prender as saias entre as coxas para não as molhar; via-se-lhes a tostada nudez dos braços e do pescoço, que elas despiam, suspendendo o cabelo todo para o alto do casco; os homens, esses não se preocupavam em não molhar o pelo, ao contrário metiam a cabeça bem debaixo da água e esfregavam com força as ventas e as barbas, fossando e fungando contra as palmas da mão. As portas das latrinas não descansavam, era um abrir e fechar de cada instante, um entrar e sair sem tréguas. Não se demoravam lá dentro e vinham ainda amarrando as calças ou as saias; as crianças não se davam ao trabalho de lá ir, despachavam-se ali mesmo, no capinzal dos fundos, por detrás da estalagem ou no recanto das hortas.
>
> AZEVEDO, Aluísio. O cortiço. In: LEVIN, Orna Messer (Org.). *Ficção completa*. Rio de Janeiro: Nova Aguilar, 2005. v. 2. p. 461.

Autoria desconhecida. Fotografia do interior de um cortiço na rua do Senado, 1906. Arquivo Geral da Cidade do Rio de Janeiro.

Essa forma crua de descrever a realidade afasta o romance naturalista das produções literárias realistas que a esse tempo também eram escritas. O avanço das formas de exploração capitalista que se aprofundavam no Brasil a partir da segunda metade do século XIX, representadas, por exemplo, na ambição de personagens como o português João Romão e na exploração desumana da força de trabalho daqueles que viviam no cortiço, misturam-se, nesse romance, às práticas de segregação racial herdadas e perpetuadas desde os tempos de colonização. Essa mistura, escrita com um **estilo direto e provocador**, corresponde ao ponto alto do Naturalismo brasileiro.

Sua leitura

Leia a seguir um trecho do capítulo VII de *O cortiço*. Nele, o narrador descreve o fascínio da personagem Jerônimo, um jovem e honesto trabalhador português, ao se deparar com a encantadora e sensual Rita Baiana. Em seguida, responda às questões.

O cortiço

E viu a Rita Baiana, que fora trocar o vestido por uma saia, surgir de ombros e braços nus, para dançar. A lua destoldara-se nesse momento, envolvendo-a na sua coma de prata, a cujo refulgir os meneios da mestiça melhor se acentuavam, cheios de uma graça irresistível, simples, primitiva, feita toda de pecado, toda de paraíso, com muito de serpente e muito de mulher.

Ela saltou em meio da roda, com os braços na cintura, rebolando as ilhargas e bamboleando a cabeça, ora para a esquerda, ora para a direita, como numa sofreguidão de gozo carnal num requebrado luxurioso que a punha ofegante; já correndo de barriga empinada; já recuando de braços estendidos, a tremer toda, como se fosse afundando num prazer grosso que nem azeite em que se não toma pé e nunca se encontra fundo. Depois, como se voltasse à vida, soltava um gemido prolongado, estalando os dedos no ar e vergando as pernas, descendo, subindo, sem nunca parar com os quadris, e em seguida sapateava, miúdo e cerrado freneticamente, erguendo e abaixando os braços, que dobrava, ora um, ora outro, sobre a nuca, enquanto a carne lhe fervia toda, fibra por fibra titilando.

[...]

O chorado arrastava-os a todos, despoticamente, desesperando aos que não sabiam dançar. Mas, ninguém como a Rita; só ela, só aquele demônio, tinha o mágico segredo daqueles movimentos de cobra amaldiçoada; aqueles requebros que não podiam ser sem o cheiro que a mulata soltava de si e sem aquela voz doce, quebrada, harmoniosa, arrogante, meiga e suplicante.

E Jerônimo via e escutava, sentindo ir-se-lhe toda a alma pelos olhos enamorados.

Naquela mulata estava o grande mistério, a síntese das impressões que ele recebeu chegando aqui: ela era a luz ardente do meio-dia; ela era o calor vermelho das sestas da fazenda; era o aroma quente dos trevos e das baunilhas, que o atordoara nas matas brasileiras; era a palmeira virginal e esquiva que se não torce a nenhuma outra planta; era o veneno e era o açúcar gostoso; era o sapoti mais doce que o mel e era a castanha do caju, que abre feridas com o seu azeite de fogo; ela era a cobra verde e traiçoeira, a lagarta viscosa, a muriçoca doida, que esvoaçava havia muito tempo em torno do corpo dele, assanhando-lhe os desejos, acordando-lhe as fibras embambecidas pela saudade da terra, picando-lhe as artérias, para lhe cuspir dentro do sangue uma centelha daquele amor setentrional, uma nota daquela música feita de gemidos de prazer, uma larva daquela nuvem de cantáridas que zumbiam em torno da Rita Baiana e espalhavam-se pelo ar numa fosforescência afrodisíaca.

Isto era o que Jerônimo sentia, mas o que o tonto não podia conceber. De todas as impressões daquele resto de domingo só lhe ficou no espírito o entorpecimento de uma desconhecida embriaguez, não de vinho, mas de mel chuchurreado no cálice de flores americanas.[...]

Passaram-se horas, e ele também não deu pelas horas que fugiram.
[...]
Só deu por si, quando, já pela madrugada, se calaram de todo os instrumentos e cada um dos folgadores se recolheu à casa.

E viu a Rita levada para o quarto pelo seu homem, que a arrastava pela cintura.

AZEVEDO, Aluísio. O cortiço. In: LEVIN, Orna Messer (Org.). *Ficção completa*. Rio de Janeiro: Nova Aguilar, 2005. v. 2. p. 497-498.

Vocabulário de apoio

cantárida: inseto de quatro asas
chorado: um ritmo musical
chuchurrear: bebericar, sorver
coma: luminosidade
destoldar: tornar-se límpido
embambecer: desequilibrar-se
entorpecimento: falta de energia, torpor
folgador: que está de folga, alegre, jovial
ilhargas: partes inferiores do ventre
meneio: movimento de um lado para outro
muriçoca: pernilongo
refulgir: brilho intenso
sesta: repouso breve, descanso
setentrional: do Norte
sofreguidão: ansiedade, impaciência
titilar: tremer

Sobre o texto

1. Rita Baiana é vista por Jerônimo como uma expressão da mais pura sensualidade.
   a) Transcreva uma passagem em que o narrador destaca a sensualidade de Rita Baiana.
   b) Explique a relação entre a sensualidade da personagem e o caráter determinista presente nesse fragmento.

2. A narrativa reduz as personagens humanas a sua condição animal. Destaque um trecho que justifique essa afirmação e explique como se dá, nesse trecho, o efeito da animalização.

3. Os enredos dos romances naturalistas são tratados como teses. Considerando o fragmento, o que se sugere quanto ao efeito da natureza tropical sobre os indivíduos?

> Outros autores

O **regionalismo**, surgido durante o período romântico, ganhou continuidade em alguns escritores naturalistas, que retomaram o interesse pela descrição do cenário nacional, sem, no entanto, praticar a idealização patriótica de seus antecessores.

Nessa linha do Naturalismo, um dos autores de destaque é o cearense **Domingos Olímpio** (1850-1906). Influenciado pela Escola do Recife, o escritor publicou, em 1903, seu romance mais importante: *Luzia-Homem*, que narra a história de sua personagem-título, retirante da dura seca nordestina ocorrida em 1877. Mulher de intensa beleza feminina e atributos físicos de um homem, "encobria os músculos de aço sob as formas esbeltas e graciosas das morenas moças do sertão". A dualidade de sua composição pode ser entendida como a tensão entre a natureza bela e idealista de seu perfil e a força física demandada pelo meio ou, ainda, como o contraste entre a dimensão romântica de seu caráter e o condicionamento naturalista imposto pelas agruras do contexto.

Outro escritor que se costuma associar à tendência regionalista é o paraense **Inglês de Sousa** (1853-1918). Também influenciado pela Escola do Recife, o escritor aplicou o ideário naturalista ao cenário amazônico em suas principais obras: *O cacaulista* (1876), *Contos amazônicos* (1893) e *O missionário* (1888), seu romance mais importante, que narra a história de um padre, Antônio de Morais, cujo celibato é colocado em xeque pelos encantos de Clarinha durante uma missão na floresta Amazônica.

> Os apelos da carne

A estética naturalista confere à temática amorosa um tratamento sensual e erótico, avesso ao sentimentalismo romântico. Dois escritores do período chocaram a opinião pública por trabalharem o tema nesses termos. O mineiro **Júlio Ribeiro** (1845-1890) lançou, em 1888, *A carne*, seu mais célebre romance, que causou polêmica ao abordar temas considerados tabus para a época, como o divórcio, o amor livre e o desejo feminino.

O cearense **Adolfo Caminha** (1867-1897) publicou, em 1895, *Bom-crioulo*, narrativa que trata do caso de amor entre dois marinheiros. De cunho republicano e abolicionista, o romance denuncia a marginalização imposta ao negro por uma sociedade preconceituosa. Além disso, pela primeira vez na literatura brasileira, o tema da homossexualidade é tratado com tamanha franqueza, sem ser visto como a manifestação de um caso patológico, mas como um afeto condicionado pelo regime exclusivamente masculino do universo militar em que se inseriam as personagens.

Sétima arte

Luzia-Homem (Brasil, 1984)
Direção de Fábio Barreto
A versão cinematográfica de *Luzia-Homem*, do cearense Domingos Olímpio, foi protagonizada por Cláudia Ohana. O elenco conta ainda com José de Abreu e Chico Diaz.

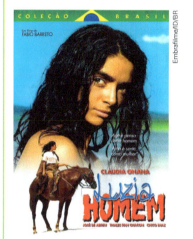

Capa do DVD de *Luzia-Homem*, filme lançado originalmente em 1984.

O que você pensa disto?

Como foi visto neste capítulo, um dos temas tabus explorados pelos autores naturalistas brasileiros foi a homossexualidade, abordado por Adolfo Caminha no romance *Bom-crioulo*.

Mais de cem anos depois da publicação dessa obra, a temática homossexual não é mais tão evitada quanto antes, surgindo, por exemplo, em novelas televisivas. Eventos como a Parada do Orgulho de Gays, Lésbicas, Bissexuais, Travestis e Transgêneros, conhecida como Parada Gay, recebem grande público e já fazem parte do calendário oficial de eventos de grandes cidades como São Paulo.

- Em sua opinião, o preconceito contra os homossexuais é coisa do passado? Por quê? Caso considere que o preconceito ainda existe, em que situações ele se manifesta?

Manifestação conhecida como Parada Gay, em São Paulo (SP). Fotografia de 2012.

Ferramenta de leitura

O determinismo e o comportamento de personagens literárias

Thomas Nagel é um filósofo sérvio e professor da New York University desde 1980. Fotografia de 2008.

Thomas Nagel (1937-) é um especialista nas áreas de filosofia política, filosofia da mente e ética. É também um entusiasta da iniciação filosófica, propósito do livro *Que quer dizer tudo isto?*. Nessa obra, com uma linguagem acessível, Nagel faz uma breve introdução ao pensamento filosófico, defendendo a ideia de que é impossível compreender aquilo que pensam os grandes filósofos da história sem discutir os grandes problemas com os quais eles se debatem.

Seguindo esse propósito de investigação das grandes linhas do pensamento filosófico, Nagel assim define o chamado **determinismo**, doutrina central para a literatura naturalista.

> O total das experiências, desejos e conhecimentos de uma pessoa, a sua constituição hereditária, as circunstâncias sociais e a natureza da escolha com que a pessoa se defronta, em conjunto com outros fatores dos quais pode não ter conhecimento, combinam-se todos para fazerem com que uma ação particular seja inevitável nessas circunstâncias.
>
> NAGEL, Thomas. *Que quer dizer tudo isto?*: uma iniciação à filosofia. Lisboa: Gradiva, 1997. p. 49.

Segundo as considerações do filósofo sobre o conceito de determinismo, as decisões que tomamos a respeito de qualquer acontecimento que nos ocorre são determinadas por duas "bagagens": a que acumulamos ao longo de nossa vida (experiências sociais) e a que nos constitui biologicamente (hereditariedade). As decisões de qualquer pessoa diante de uma situação desconhecida, portanto, são sempre tomadas de acordo com o que está previsto em suas "bagagens".

Na sequência, Nagel explora o papel das leis da natureza nesse jogo de determinação das ações humanas.

> A hipótese é que *existem* leis da Natureza, tal como aquelas que governam o movimento dos planetas, que governam tudo o que acontece no mundo – e que, de acordo com essas leis, as circunstâncias anteriores a uma ação determinam que ela irá acontecer e eliminam qualquer outra possibilidade.
>
> Se isso é verdade, então mesmo enquanto estavas a decidir que sobremesa irias comer já estava determinado pelos muitos fatores que operavam sobre ti e em ti que irias escolher o bolo. *Não poderias* ter escolhido o pêssego, apesar de pensares que podias fazê-lo: o processo de decisão é apenas a realização do resultado determinado no interior da tua mente.
>
> NAGEL, Thomas. *Que quer dizer tudo isto?*: uma iniciação à filosofia. Lisboa: Gradiva, 1997. p. 49-50.

De acordo com a explicação acima, o pensamento determinista está ligado a uma ideia de destino biológico e social, isto é, um destino que não está espiritualmente traçado com antecedência por um ser superior, mas que se elaboraria, a despeito das vontades do sujeito, de acordo com seu histórico social e sua natureza fisiológica.

A seguir, você vai ler um trecho do segundo capítulo do romance *Casa de pensão*, de Aluísio Azevedo, que descreve o perfil dos pais e do professor de Amâncio, protagonista da narrativa, jovem que futuramente, no Rio de Janeiro, será enredado e explorado pelo trio Coqueiro/Madame Brizard/Amélia, donos da pensão em que Amâncio se hospeda para estudar Medicina naquela cidade.

Casa de pensão

Amâncio fora muito mal-educado pelo pai, português antigo e austero, desses que confundem o respeito com o terror. Em pequeno levou muita bordoada; tinha um medo horroroso de Vasconcelos; fugia dele como de um inimigo, e ficava todo frio e a tremer quando lhe ouvia a voz ou lhe sentia os passos. Se acaso algumas vezes se mostrava dócil e amoroso, era sempre por conveniência: habituou-se a fingir desde esse tempo.

Sua mãe, D. Ângela, uma santa de cabelos brancos e rosto de moça, não raro se voltava contra o marido e apadrinhava o filho. Amâncio agarrava-se-lhe às saias, fora de si, sufocado de soluços.

Aos sete anos entrou para a escola. Que horror!

O mestre, um tal de Antônio Pires, homem grosseiro, bruto, de cabelo duro e olhos de touro, batia nas crianças por gosto, por um hábito do ofício. Na aula só falava a berrar, como se dirigisse uma boiada. Tinha as mãos grossas, a voz áspera, a catadura selvagem; e, quando metia para dentro um pouco mais de vinho, ficava pior.

Amâncio, já na corte, só de pensar no bruto, ainda sentia os calafrios dos outros tempos, e com eles vagos desejos de vingança. Um malquerer doentio invadia-lhe o coração, sempre que se lembrava do mestre e do pai. Envolvia-os no mesmo ressentimento, no mesmo ódio surdo e inconfessável.

Todos os pequenos da aula tinham birra ao Pires. Nele enxergavam o carrasco, o tirano, o inimigo e não o mestre; mas, visto que qualquer manifestação de antipatia redundava fatalmente em castigo, as pobres crianças fingiam-se satisfeitas; riam muito quando o beberrão dizia alguma chalaça, e afinal, coitadas! iam-se habituando ao servilismo e à mentira.

Os pais ignorantes, viciados pelos costumes bárbaros do Brasil, atrofiados pelo hábito de lidar com escravos, entendiam que aquele animal era o único professor capaz de "endireitar os filhos".

Elogiavam-lhe a rispidez, recomendavam-lhe sempre que "não passasse a mão pela cabeça dos rapazes" e que, quando fosse preciso, "dobrasse por conta deles a dose de bolos".

Ângela, porém, não era dessa opinião: não podia admitir que seu querido filho, aquela criaturinha fraca, delicada, um mimo de inocência e de graça, um anjinho, que ela afagara com tanta ternura e com tanto amor, que ela podia dizer criada com os seus beijos – fosse lá apanhar palmatoadas de um brutalhão daquela ordem! "Ora! isso não tinha jeito!"

Mas o Vasconcelos saltava-lhe logo em cima: Que deixasse lá o pequeno com o mestre!... Mais tarde ele havia de agradecer aquelas palmatoadas!

Assim não sucedeu. Amâncio alimentou sempre contra o Pires o mesmo ódio e a mesma repugnância. [...]

AZEVEDO, Aluísio. *Casa de pensão*. In: LEVIN, Orna Messer (Org.). *Ficção completa*. Rio de Janeiro: Nova Aguilar, 2005. v. 1. p. 760-763.

Sobre o texto

1. Logo no início do fragmento acima, o narrador afirma ter sido Amâncio "muito mal-educado pelo pai".

   a) Nos dias de hoje, o termo *mal-educado* possui, dentre outros, um sentido de permissividade, de falta de limites. Qual o significado que esse termo assume no contexto da narrativa?

   b) Com base na descrição de cada uma das quatro personagens citadas pelo narrador – Amâncio, seu pai, sua mãe e seu professor Antônio Pires –, elabore, no caderno, uma tabela comparativa das características psicológicas de cada uma delas. Compare suas respostas às dos colegas de classe.

2. Segundo a definição de Thomas Nagel, o determinismo considera experiência social e leis da natureza como os fatores que condicionam e explicam as atitudes humanas. Explique de que forma o determinismo aparece na passagem reproduzida a seguir.

   > Os pais ignorantes, viciados pelos costumes bárbaros do Brasil, atrofiados pelo hábito de lidar com escravos, entendiam que aquele animal era o único professor capaz de "endireitar os filhos".

Vocabulário de apoio

catadura: aparência

chalaça: gracejo de mau gosto

palmatoada: pancada com palmatória (instrumento de punição)

servilismo: propensão a obedecer

Entre textos

A perspectiva determinista, pressuposto básico da escola naturalista em sua observação da realidade e de suas personagens, não é exclusiva dessa tendência literária. A influência do meio sobre o comportamento do ser humano aparece em obras anteriores e posteriores ao determinismo, em maior ou menor grau, e tem papel fundamental na caracterização das personagens. Veja a seguir um exemplo com o qual o Naturalismo, mesmo que indiretamente, dialoga sob esse ponto de vista.

TEXTO

Cidade de Deus

A segunda-feira ardia por entre as vielas. Barbantinho e Busca-Pé saíram da escola mais cedo por falta de professor. Ficaram jogando bola com os amigos no Rala Coco. Faziam as balizas com duas pedras e chamavam de gol pequeno. Tiraram a camisa da escola, jogaram bola até às onze e meia, hora do Speed Racer na televisão.

Tutuca, Cleide e Marcelo foram para a Cachoeirinha passar uns tempos na casa do compadre do Tutuca. Pretendiam ficar por lá até as coisas esfriarem.

Inferninho acordou tarde, pensando em assaltar o caminhão de gás. Foi Lá Embaixo propor a Pará e Pelé seu plano. O assalto ficou marcado para o dia seguinte no Lazer, porque nem Cabeça de Nós Todo nem Belzebu estariam de serviço. Ficaram juntos até o cair da tarde, compraram maconha na Madalena, jogaram sinuca, beberam cerveja.

O dia de terça-feira nasceu com sol forte. Inferninho, Pelé e Pará se encontraram por volta das oito horas no Lazer. Esperaram o caminhão de gás por quarenta minutos. [...]

No Batman, Manguinha e Acerola faziam a intera do bagulho. Estava faltando dinheiro. Eles esperavam que aparecesse Laranjinha ou Jaquinha para completar o rateio. O leiteiro batia o ferro, os padeiros: "Olha o pão, olha o pão...". As donas de casa molhavam as plantas. Acerola havia saído cedo de casa; tomou café com seu irmão mais novo, arrumou-se como quem ia para a escola, mas estava ali, batendo gazeta, a fim de fumar um baseado para rir conforme a manhã. [...]

Lá no São Carlos, Inferninho desde criança vivia nas rodas de bandidos, gostava de ouvir as histórias de assalto, roubo e assassinato. Podia passar distante dos bichos-soltos, mas mesmo assim fazia questão de cumprimentá-los. Nunca lhes negava favores, fazia questão de matar aula para ajudar a rapaziada que botava pra frente: limpava as armas; endolava a maconha; às vezes, comprava o querosene da limpeza dos revólveres com seu próprio dinheiro para subir no conceito com os bandidos. Quando ganhasse mais corpo, arrumaria um berro para ficar rico no asfalto, mas enquanto fosse criança continuaria a roubar os trocados do pai, ele não percebia mesmo, estava sempre ligadão de goró.

Lins, Paulo. *Cidade de Deus*. São Paulo: Companhia das Letras, 2007. p. 41-45.

O romance *Cidade de Deus* (1997), de Paulo Lins (1958-), é um exemplo de abordagem contemporânea do modo como a inserção em certo contexto condiciona a vida das personagens. *O cortiço*, de Aluísio Azevedo, se transforma em outro cenário, atual, da pobreza carioca: a favela. O romance de Lins também trabalha com um grande grupo de personagens, todas afetadas por uma demanda permanente que o meio lhes impõe, o que eleva o espaço (a Cidade de Deus) à condição de protagonista. Afetada de modo distinto pelo contexto, cada personagem representa uma maneira específica de responder às exigências da vida na Cidade de Deus.

Vocabulário de apoio

baliza: objeto que delimita (como a trave do gol)
bater gazeta: gazetear, faltar à aula ou ao trabalho
berro: revólver
bicho-solto: bandido, criminoso
endolar: embrulhar, envolver
goró: bebida alcoólica destilada, cachaça
intera: do verbo *inteirar* (ato de completar)
rateio: divisão
Speed Racer: desenho animado dos anos 1960 sobre piloto de corrida

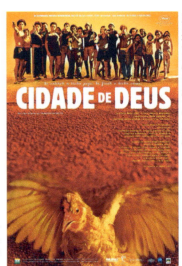

Cartaz do filme *Cidade de Deus* (2002), dirigido por Fernando Meirelles, adaptado do romance escrito por Paulo Lins.

Cidade de Deus. Direção: Fernando Meirelles. Globo Filmes, O2 Filmes, Video Filmes, 2002

Vestibular e Enem

1. **(Unicamp-SP)** Pensando nos pares amorosos, já se afirmou que "há n'*O cortiço* um pouco de *Iracema* coada pelo Naturalismo". (Antonio Candido, "De cortiço em cortiço", em *O discurso e a cidade*. São Paulo: Duas Cidades, 1993, p. 142.)

Partindo desse comentário, leia o trecho abaixo e responda às questões.

> O chorado arrastava-os a todos, despoticamente, desesperando aos que não sabiam dançar. Mas, ninguém como a Rita; só ela, só aquele demônio, tinha o mágico segredo daqueles movimentos de cobra amaldiçoada; aqueles requebros que não podiam ser sem o cheiro que a mulata soltava de si e sem aquela voz doce, quebrada, harmoniosa, arrogante, meiga e suplicante. [...] Naquela mulata estava o grande mistério, a síntese das impressões que ele recebeu chegando aqui: ela era a luz ardente do meio-dia; ela era o calor vermelho das sestas da fazenda; era o aroma quente dos trevos e das baunilhas, que o atordoara nas matas brasileiras; era a palmeira virginal e esquiva que se não torce a nenhuma outra planta; era o veneno e era o açúcar gostoso; era o sapoti mais doce que o mel e era a castanha do caju, que abre feridas com o seu azeite de fogo; ela era a cobra verde e traiçoeira, a lagarta viscosa, a muriçoca doida, que esvoaçava havia muito tempo em torno do corpo dele, assanhando-lhe os desejos, acordando-lhe as fibras embambecidas pela saudade da terra, picando-lhe as artérias, para lhe cuspir dentro do sangue uma centelha daquele amor setentrional, uma nota daquela música feita de gemidos de prazer, uma larva daquela nuvem de cantáridas que zumbiam em torno da Rita Baiana e espalhavam-se pelo ar numa fosforescência afrodisíaca. Isto era o que Jerônimo sentia, mas o que o tonto não podia conceber. De todas as impressões daquele resto de domingo só lhe ficou no espírito o entorpecimento de uma desconhecida embriaguez, não de vinho, mas de mel chuchurreado no cálice de flores americanas, dessas muito alvas, cheirosas e úmidas, que ele na fazenda via debruçadas confidencialmente sobre os limosos pântanos sombrios, onde as oiticicas trescalam um aroma que entristece de saudade. [...] E ela só foi ter com ele, levando-lhe a chávena fumegante da perfumosa bebida que tinha sido a mensageira dos seus amores; assentou-se ao rebordo da cama e, segurando com uma das mãos o pires, e com a outra a xícara, ajudava-o a beber, gole por gole, enquanto seus olhos o acarinhavam, cintilantes de impaciência no antegozo daquele primeiro enlace.
>
> Depois, atirou fora a saia e, só de camisa, lançou-se contra o seu amado, num frenesi de desejo doido.
>
> Azevedo, A. *O cortiço. Ficção completa*. Rio de Janeiro: Nova Aguilar, 2005. p. 498 e 581.

a) Na descrição acima, identifique dois aspectos que permitem aproximar Rita Baiana de Iracema, mostrando os limites dessa semelhança.

b) Identifique uma semelhança e uma diferença entre Jerônimo e Martim.

2. **(Enem)**

> Abatidos pelo fadinho harmonioso e nostálgico dos desterrados, iam todos, até mesmo os brasileiros, se concentrando e caindo em tristeza; mas, de repente, o cavaquinho de Porfiro, acompanhado pelo violão do Firmo, romperam vibrantemente com um chorado baiano. Nada mais que os primeiros acordes da música crioula para que o sangue de toda aquela gente despertasse logo, como se alguém lhe fustigasse o corpo com urtigas bravas. E seguiram-se outras notas, e outras, cada vez mais ardentes e mais delirantes. Já não eram dois instrumentos que soavam, eram lúbricos gemidos e suspiros soltos em torrente, a correrem serpenteando, como cobras numa floresta incendiada; eram ais convulsos, chorados em frenesi de amor: música feita de beijos e soluços gostosos; carícia de fera, carícia de doer, fazendo estalar de gozo.
>
> Azevedo, A. *O cortiço*. São Paulo: Ática, 1983. Fragmento.

No romance *O cortiço* (1890), de Aluízio Azevedo, as personagens são observadas como elementos coletivos caracterizados por condicionantes de origem social, sexo e etnia. Na passagem transcrita, o confronto entre brasileiros e portugueses revela prevalência do elemento brasileiro, pois:

a) destaca o nome de personagens brasileiras e omite o de personagens portuguesas.

b) exalta a força do cenário natural brasileiro e considera o do português inexpressivo.

c) mostra o poder envolvente da música brasileira, que cala o fado português.

d) destaca o sentimentalismo brasileiro, contrário à tristeza dos portugueses.

e) atribui aos brasileiros uma habilidade maior com instrumentos musicais.

315

UNIDADE 11

O Parnasianismo

Nesta unidade

31 O Parnasianismo – a "arte pela arte"

32 O Parnasianismo no Brasil

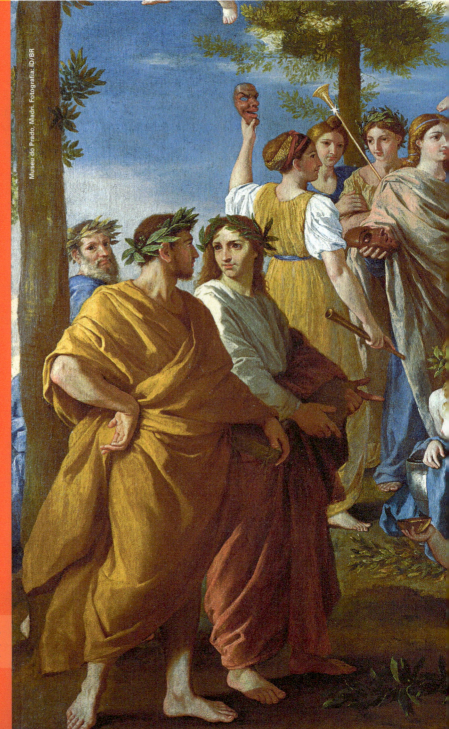

Poussin, Nicolas. *O Parnaso*, 1630. Óleo sobre tela, 145 cm × 197 cm. Museu do Prado, Madri, Espanha.

A pintura abaixo – do artista Nicolas Poussin (1594-1665), um dos expoentes do Classicismo francês no século XVII – representa o Monte Parnaso, local da Grécia dedicado às musas e a Apolo. De acordo com a mitologia da Antiguidade clássica, era no Monte Parnaso que se reuniam os poetas em busca de inspiração.

A preocupação estética e o equilíbrio presentes nas obras do Renascimento, do Classicismo e do Neoclassicismo foram retomados, no final do século XIX, por um grupo de poetas que se reuniu sob o nome Parnasianismo, em homenagem ao Monte Parnaso.

A influência da literatura clássica é um dos aspectos mais marcantes do Parnasianismo, que será estudado nesta unidade. Outro aspecto é o gosto acentuado pela forma, com o aparecimento nas artes plásticas da *Art Nouveau* ("arte nova").

CAPÍTULO 31

O Parnasianismo – a "arte pela arte"

O que você vai estudar

- *Belle Époque*: o gosto pela ornamentação.
- A poesia como resultado do esforço do artista.
- Valorização da Antiguidade clássica.

Os poetas parnasianos cultivaram a prática da "arte pela arte", ou seja, defenderam a autonomia da arte, recusando-se a atribuir a ela qualquer finalidade prática, pedagógica ou moral. O culto absoluto do trabalho formal, realizado com a máxima disciplina, foi entendido como a primeira medida de valor do poema.

Sua leitura

Você vai ler dois textos. O primeiro é uma escultura representando o busto de Proserpina, deusa romana ligada à agricultura e à primavera. Filha de Júpiter e Ceres, Proserpina foi raptada por Plutão, que a levou para seus domínios (o submundo, reino dos mortos) e fez dela sua esposa. Ceres procurou sua filha durante muito tempo; quando finalmente descobriu onde ela estava, pediu a Plutão que a libertasse. Plutão disse que atenderia o pedido, desde que Proserpina não tivesse comido nada durante o período em que esteve com ele. Mas, como ela tinha comido uma romã, Plutão e Ceres fizeram um acordo: Proserpina voltaria para a superfície e ficaria ali metade do ano e, na outra metade, permaneceria com Plutão, no submundo. Para mostrar essa dualidade, o escultor Hiram Powers (1805-1873) representou Proserpina com uma coroa fúnebre na cabeça e emergindo de uma flor, que simboliza a imortalidade.

O segundo texto é um poema de Théophile Gautier (1811-1872) em que o eu lírico fala do trabalho dos escultores e pintores, dando-lhes recomendações para a elaboração de suas obras. Ele está reproduzido no original em francês e na tradução para o português.

Proserpina

POWERS, Hiram. *Proserpina*, 1844. Mármore, 63,5 cm × 48,9 cm × 25,4 cm. Museu de Arte de Milwaukee, EUA.

L'art

Oui, l'oeuvre sort plus belle
D'une forme au travail
          Rebelle,
Vers, marbre, onyx, émail.

Point de contraintes fausses!
Mais que pour marcher droit
          Tu chausses,
Muse, un cothurne étroit.

Fi du rythme commode,
Comme un soulier trop grand,
          Du mode
Que tout pied quitte et prend!

Statuaire, repousse
L'argile que pétrit
          Le pouce
Quand flotte ailleurs l'esprit;

Lutte avec le carrare,
Avec le paros dur
          Et rare,
Gardiens du contour pur;

Emprunte à Syracuse
Son bronze où fermement
          S'accuse
Le trait fier et charmant;

D'une main délicate
Poursuis dans un filon
          D'agate
Le profil d'Apollon.

Peintre, fuis l'aquarelle,
Et fixe la couleur
          Trop frêle
Au four de l'émailleur.

Fais les sirènes bleues,
Tordant de cent façons
          Leurs queues,
Les monstres des blasons,

Dans son nimbe trilobe
La Vierge et son Jésus,
          Le globe
Avec la croix dessus.

Tout passe. — L'art robuste
Seul a l'éternité,
          Le buste
Survit à la cité.

Et la médaille austère
Que trouve un laboureur
          Sous terre
Révèle un empereur.

Les dieux eux-mêmes meurent,
Mais les vers souverains
          Demeurent
Plus forts que les airains.

Sculpte, lime, cisèle;
Que ton rêve flottant
          Se scelle
Dans le bloc résistant!

A arte

Sim, a obra sai mais bela de uma forma rebelde ao lavor: verso, mármore, ônix, esmalte.
Nada de apertos forçados! Mas se queres marchar ereta, calça, Musa, um coturno estreito.
Abaixo o ritmo cômodo, calçado frouxo onde qualquer pé entra e sai!
Repele, escultor, a argila que o polegar amassa — enquanto o espírito paira ao longe;
Luta com o carrara, com o paros duro e raro, guardiães do puro contorno;
Usa de Siracusa o bronze onde se mostra firme o traço altivo, o traço encantador;
Com mão delicada pesquisa o perfil de Apolo num filão de ágata.
Pintor, evita a aquarela, fixa a cor demasiado frágil no forno do esmaltador.
Pinta de azul as sereias, retorce de mil maneiras as caudas desses monstros de brasão;
Com sua auréola trilobada pinta a Virgem e seu Jesus, a cruz encimando o globo.
Tudo passa. — Só a arte vigorosa é eterna. O busto sobrevive à cidade.
E a medalha austera, que o lavrador encontra sob a terra, revela um imperador.
Os próprios deuses morrem. Mas os versos soberanos permanecem, mais poderosos que os bronzes.
Esculpe, alisa, cinzela; fixa no bloco resistente teu sonho fugitivo!

GAUTIER, Théophile. In: FAUSTINO, Mário. *Artesanatos de poesia*: fontes e correntes da poesia ocidental. São Paulo: Companhia das Letras, 2004. p. 51-52.

> ### Vocabulário de apoio
>
> **ágata:** tipo de mineral usado na confecção de joias e ornamentos
>
> **austero:** severo, rígido
>
> **carrara:** tipo de mármore extraído da cidade italiana de Carrara
>
> **cinzelar:** trabalhar com cinzel, instrumento usado para esculpir
>
> **coturno:** espécie de calçado usado por atores e pessoas importantes nas sociedades grega e romana antigas
>
> **lavor:** trabalho
>
> **ônix:** variedade de ágata usada na confecção de adornos
>
> **paros:** tipo de mármore extraído da ilha de Paros, na Grécia
>
> **Siracusa:** principal cidade da Sicília (Itália)
>
> **trilobada:** que possui três segmentos

Sobre os textos

1. Explique com suas palavras as recomendações que o eu lírico faz ao escultor e ao pintor.

2. Compare o poema original e a tradução.
   a) Quais são as diferenças quanto à disposição gráfica e às rimas?
   b) Qual versão se aproxima mais dos princípios estéticos do Parnasianismo? Por quê?
   c) É correto afirmar que o tradutor abriu mão das características poéticas em sua versão do texto? Justifique.

3. Observe a imagem do busto de Proserpina. Descreva os princípios que orientam sua concepção estética, baseando-se nestes pares conceituais: objetividade × subjetividade; proporção × desproporção; racionalidade × irracionalidade.

4. Que pontos há em comum entre a escultura e o poema?

❯ O contexto de produção

O Parnasianismo é um movimento contemporâneo do Realismo e do Naturalismo. Surge no contexto da **Segunda Revolução Industrial**, que se consolida na Europa na segunda metade do século XIX.

› O contexto histórico

A Segunda Revolução Industrial foi o período em que ocorreu a formação de conglomerados empresariais e a aliança entre a indústria e a ciência. Houve um enorme crescimento da **urbanização** e dos **serviços públicos**; as cidades começaram a adquirir a face complexa que têm hoje.

Na Europa e nos Estados Unidos, o deslocamento da produção manual para a mecânica se acentuou, aumentando então o número de operários fabris nas cidades industriais em relação ao número de trabalhadores rurais. Aumentou também o número de burocratas do espaço urbano e acirrou-se a **luta de classes** entre patrões e operários, estes amparados pelos sindicatos em crescimento e pelos partidos socialistas de linhagem marxista.

No Brasil, a segunda metade do século XIX foi marcada pela abolição da escravidão, em 1888, e pela proclamação da República, em 1889.

› O contexto cultural

A prosperidade econômica que acompanhou a Segunda Revolução Industrial resultou, para uma parcela da burguesia, em uma era de otimismo e aumento do conforto material. O surgimento de **inovações tecnológicas**, como o telefone, o cinema e a eletricidade, contribuiu para essa sensação de conforto material. Essa era – que carregou em si um conjunto de transformações inimagináveis até então – recebeu o nome de ***Belle Époque*** ("bela época") e durou até o início da Primeira Guerra Mundial, em 1914.

Característica da *Belle Époque* foi também a ***Art Nouveau*** ("arte nova"), um estilo associado à vida cotidiana urbana que influenciou todas as artes plásticas, principalmente o *design* e a arquitetura. Móveis, fachadas, vitrais, murais, pôsteres, cartazes e mosaicos passaram a integrar ambientes requintados frequentados pela alta burguesia.

A difusão da *Art Nouveau* ocorreu por meio das revistas de arte e de moda, do comércio e da publicidade. A aceleração frenética da produção, um dos desdobramentos dos avanços da Segunda Revolução Industrial, implicou a necessidade de mais consumo, o que determinava uma renovação constante de tendências da moda.

Outro aspecto significativo da "arte nova" foi, na contramão da arte e da literatura realista e naturalista que predominavam naquele momento, seu distanciamento das discussões ideológicas e dos debates sobre a decadência dos valores. Para os representantes dessa estética, a arte era um organismo autônomo, fruto de um processo de racionalização industrial, o que permitiu aos artistas representar a realidade segundo os ideais de uma **lógica industrial**. Nesse sentido, rejeitavam também o lirismo e a subjetividade dos românticos.

Compartilhando com a *Art Nouveau* o desejo por uma arte que importasse somente por sua qualidade formal, surgiu o Parnasianismo. Contudo, ao contrário da "arte nova", que combatia o historicismo da arte acadêmica e defendia a adaptação da arte à vida cotidiana, o **Parnasianismo** propunha o retorno a um modelo estético de teor clássico, a busca pela expressão da beleza como algo eterno e imutável e uma arte sem finalidades práticas: a **"arte pela arte"**.

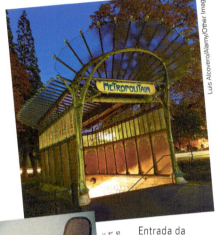

Móvel em estilo *Art Nouveau*.

Entrada da estação de metrô Porte Dauphine, em Paris. A obra, construída em 1899, é assinada por Hector Guimard (1867-1942), um dos mais representativos arquitetos da *Art Nouveau* na França. Fotografia de 2008.

Cartaz *Art Nouveau* anunciando a peça teatral *Medeia*.

MUCHA, Alphonse. *Medeia*, 1898. Litografia, 200 cm × 68,4 cm. Galeria Moravská, Brünn, Alemanha.

> O contexto literário

O Parnasianismo foi uma **tendência exclusivamente poética** situada na segunda metade do século XIX. Isso fez com que o contexto literário dessa escola dividisse espaço com outras manifestações artísticas, como foi o caso dos movimentos realista e naturalista, que apresentavam narrativas em prosa. Embora fosse historicamente simultâneo a essas duas estéticas, o Parnasianismo não foi a vertente poética delas: a poesia parnasiana não compartilhava um desejo de intervenção sobre a realidade, como acontecia com os realistas e naturalistas, que pretendiam fazer da arte um mecanismo objetivo e agudo de interpretação do funcionamento da sociedade.

O sistema literário do Parnasianismo

O **acentuado esteticismo** que resultou do ideal da "arte pela arte" foi, para os poetas, uma maneira aristocrática de resistir ao materialismo da sociedade capitalista, na qual, segundo Karl Marx, "tudo é mercadoria". Ao tirar da obra de arte qualquer dimensão utilitarista que ela pudesse ter, o artista a transformava em símbolo de sofisticação e superioridade, a ser escrito e consumido por um grupo de poucos eleitos.

No entanto, o **culto extremado à forma** não deixava de ser uma maneira indireta de aderir à sofisticação material e cultural da sociedade da época. A literatura, sobretudo a poesia parnasiana, passou a ser entendida como **artigo de luxo**, e a sofisticação de seus meios de expressão distinguia os artistas do restante da população, considerada como despreparada para sua apreciação.

Isenta de pretensões críticas, a poesia parnasiana descrevia seu objeto por fora, empregando ornamentos linguísticos que procuravam estar à altura de seu tema invariavelmente "elevado", já que, para os parnasianos, assuntos corriqueiros ou ordinários jamais seriam dignos de uma linguagem sublime como a poética.

Assim, a princípio pode-se supor que os parnasianos faziam o oposto da *Art Nouveau*: ornamentavam um objeto para o qual evitavam atribuir uma finalidade prática, enquanto a *Art Nouveau* ornamentava objetos que tinham utilidade prática no cotidiano, com a intenção de transformá-los em objetos artísticos. Mas essa oposição era apenas aparente, já que ambos os movimentos praticavam, sobretudo, o **gosto pela ornamentação**.

Mulher trajando roupas e acessórios corriqueiros do período da *Belle Époque*: gosto pela ornamentação. Fotografia do final do século XIX.

O papel da tradição

O diálogo do Parnasianismo com a tradição ocorria em duas vias: na recuperação da Antiguidade clássica e na ruptura com o egocentrismo ultrarromântico.

Os parnasianos apropriaram-se do ideal clássico da "arte pela arte" e dos temas da cultura greco-romana. Por temas, entendem-se aqui os mais elevados e os mais prosaicos, por exemplo, um poema podia tanto ser dedicado a um deus, entidade mitológica, quanto a uma taça de vinho e, às vezes, acontecia no mesmo poema a fusão entre esses dois níveis de temas: o poema falava da taça de vinho e, ao mesmo tempo, da personalidade ilustre a quem ela teria servido.

O apego aos temas da Antiguidade servia aos poetas parnasianos como uma forma de **combate ao egocentrismo ultrarromântico**. Isso se evidenciava nitidamente no "culto aos objetos" praticado pelos parnasianos, marcado frequentemente pela neutralidade e pela impassibilidade do eu lírico em relação àquilo que descrevia. A devoção com que tais poetas se dedicam à descrição minuciosa de um objeto correspondia justamente à anulação da dimensão subjetivista da expressão poética. Isso não significava, porém, que os poemas parnasianos não tratassem de temas como o amor ou o sofrimento; pelo contrário, são inúmeros os exemplos de textos que ultrapassam o descritivismo. No entanto, mesmo quando havia a expressão de uma paixão, o poeta jamais se permitia cair no derramamento sentimentalista romântico, contra o qual lutava.

Uma leitura

Leia um soneto bastante conhecido de Alberto de Oliveira (1859-1937), um dos principais poetas do Parnasianismo brasileiro, e responda às questões propostas.

> Observe como o poema é construído de maneira estritamente obediente aos moldes clássicos de um soneto: 14 versos decassílabos, divididos em dois quartetos e dois tercetos, com esquema regular de rimas.

1. Por que a atenção voltada sobre a imagem de um objeto como o vaso grego exemplifica a tendência antirromântica do Parnasianismo?

A imagem do vaso grego serve ao poeta como motivo e pretexto para a retomada da mitologia clássica.

Vaso grego

Esta de áureos relevos, trabalhada
De divas mãos, brilhante copa, um dia,
Já de aos deuses servir como cansada,
Vinda do Olimpo, a um novo deus servia.

Era o poeta de Teos que a suspendia
Então, e, ora repleta ora esvazada,
A taça amiga aos dedos seus tinia,
Toda de roxas pétalas colmada.

Depois... Mas o lavor da taça admira,
Toca-a, e, do ouvido aproximando-a, às bordas
Finas hás de lhe ouvir, canora e doce,

Ignota voz, qual se da antiga lira
Fosse a encantada música das cordas,
Qual se essa voz de Anacreonte fosse.

OLIVEIRA, Alberto de. In: MOISÉS, Massaud. *A literatura brasileira através dos textos*. 22. ed. São Paulo: Cultrix, 2006. p. 241.

Há uma grande quantidade de inversões sintáticas, como nesses versos. O poeta parece se empenhar em obter uma construção difícil, transformando as inversões em ornamentos do poema.

Ao final do texto, o eu lírico faz uma aproximação metalinguística entre a imagem do vaso grego, com toda sua distinção, e o poema, pela rara melodia que emanaria de ambos.

2. O vaso grego pode ser considerado uma metonímia. A que pode ser estendido o elogio feito a ele?

Vaso grego feito de terracota (cerâmica que resulta do cozimento em forno de argila manufaturada) com figuras que representam as musas Urânia, Calíope e Melpomene. Pintura de Methyse (c. 455-440 a.C.). Museu do Louvre, Paris, França.

Vocabulário de apoio

canoro: sonoro, harmonioso, melodioso
colmado: repleto, coberto
esvazado: esvaziado, vazio
ignoto: desconhecido
Olimpo: morada dos deuses, de acordo com a mitologia grega
Teos: cidade em que nasceu o poeta grego Anacreonte (século VI a.C.)

Capítulo 31 ■ O Parnasianismo – a "arte pela arte"

Ler o Parnasianismo

Você vai ler um dos mais célebres poemas de Olavo Bilac, considerado o "príncipe" dos poetas parnasianos brasileiros. Note como o título "Profissão de fé" se ajusta bem à dimensão metalinguística do texto.

Profissão de fé

Le poète est ciseleur,
Le ciseleur est poète.
Victor Hugo

[...]
Quero que a estrofe cristalina,
    Dobrada ao jeito
Do ourives, saia da oficina
    Sem um defeito:

E que o lavor do verso, acaso,
    Por tão sutil,
Possa o lavor lembrar de um vaso
    De Becerril.

E horas sem conto passo, mudo,
    O olhar atento,
A trabalhar, longe de tudo
    O pensamento.

Porque o escrever — tanta perícia,
    Tanta requer,
Que ofício tal... nem há notícia
    De outro qualquer.

Assim procedo. Minha pena
    Segue esta norma,
Por te servir, Deusa serena,
    Serena Forma!
[...]

Que a minha dor nem a um amigo
    Inspire dó...
Mas, ah! que eu fique só contigo,
    Contigo só!

Vive! que eu viverei servindo
    Teu culto, e, obscuro,
Tuas custódias esculpindo
    No ouro mais puro.

Celebrarei o teu ofício
    No altar: porém,
Se inda é pequeno o sacrifício,
    Morra eu também!

Caia eu também, sem esperança,
    Porém tranquilo,
Inda, ao cair, vibrando a lança,
    Em prol do Estilo!

BILAC, Olavo. In: MOISÉS, Massaud. *A literatura brasileira através dos textos*. 22. ed. São Paulo: Cultrix, 2006. p. 224-227.

Vocabulário de apoio

Becerril: nome de um célebre artesão

custódia: recipiente, geralmente de ouro ou de prata, no qual se deposita a hóstia para expô-la à adoração dos fiéis

Le poète est ciseleur, / Le ciseleur est poète: O poeta é cinzelador, / O cinzelador é poeta (cinzelador é aquele que manuseia o cinzel, instrumento usado por escultores)

ourives: pessoa que trabalha com metais preciosos, como ouro, prata, etc.

Sobre o texto

1. A "profissão de fé" é uma declaração pública de um posicionamento (fé religiosa, opinião política, etc.). Qual é a "profissão de fé" a que se refere o título do poema?
2. De que maneira a epígrafe de Victor Hugo se relaciona à temática do poema?
3. Tendo em vista os princípios da "arte pela arte", como deve ser entendida a expressão *longe de tudo*, no verso 11?
4. Qual é a relação que se pode fazer entre o ideal da "arte pela arte", tão próprio da poesia parnasiana, e a última estrofe do poema, sobretudo seus versos derradeiros ("Inda, ao cair, vibrando a lança,/ Em prol do Estilo!")?
5. Explique de que forma o final do poema contrasta com o egocentrismo romântico.

O que você pensa disto?

Neste capítulo, tratou-se da *Art Nouveau*, corrente artística estreitamente associada à moda e à publicidade. A moda "desvaloriza" objetos que ainda poderiam manter-se em utilização, como roupas, móveis e utensílios domésticos. Na intenção de "seguir a moda", muitas pessoas se desfazem desses objetos.

- Qual é sua opinião: a moda está a serviço da indústria ou das pessoas? Serve apenas para diminuir a vida útil dos produtos fabricados ou desempenha a função de renovar o aspecto das pessoas e dos ambientes, contribuindo para o bem-estar psicológico?

Jovens em fotografias de 1895 e 2012.

CAPÍTULO 32

O Parnasianismo no Brasil

O que você vai estudar

- A sociedade brasileira do final do século XIX.
- Olavo Bilac: poesia e civismo.
- O sistema literário brasileiro: coexistência de estéticas diferentes.

Sala no Petit Trianon, primeira sede própria da Academia Brasileira de Letras (ABL) e até hoje o local de suas reuniões regulares. Tendo por modelo a Academia Francesa, a ABL foi fundada em 1897 e reunia a elite dos escritores brasileiros para debates sobre arte e apresentações de suas produções. Fotografia de 2010.

❯ O contexto de produção

A segunda metade do século XIX foi marcada por profundas transformações na história brasileira. A plantação de café – alternativa para escapar da baixa dos preços de produtos como o açúcar, o algodão e o fumo – acabou se tornando um investimento bem-sucedido e gerou uma melhoria nas condições socioeconômicas do país.

O capital acumulado pela produção de café também se refletiu em uma transformação mais ampla do espaço urbano: o lucro obtido pelos cafeicultores permitiu o investimento em outras áreas, diversificando as atividades econômicas do país, intensificando a concentração do poder na Região Sudeste e acelerando o desenvolvimento da infraestrutura das cidades.

Esse contexto econômico abriu as portas para uma época de opulência e riqueza da aristocracia brasileira. O **culto ao luxo e ao requinte** fez dos grandes cafeicultores os principais consumidores de obras de arte do período. Estas, por sua vez, assumiram o papel de objeto raro, precioso, produzido para poucos privilegiados, únicos capazes de realmente desfrutá-las. Nessa categoria, enquadrou-se a própria poesia parnasiana e sua proposta preciosista.

A literatura adquiriu *status* de artigo de luxo e de objeto a ser publicamente levado a sério. Discussões entre escritores foram vivamente acompanhadas pelo jornal, e a importância dada por um indivíduo à literatura podia demonstrar sua posição na sociedade.

Surgiu, então, a necessidade de **institucionalizar a obra de arte**. Uma das iniciativas para atender a esse objetivo foi a criação, em 1897, da Academia Brasileira de Letras, composta de membros da elite dos escritores do período.

> A "Batalha do Parnaso": guerra ao Romantismo

As doutrinas republicanas, positivistas e deterministas que circulavam na Europa difundiram-se no Brasil por meio dos inúmeros jornais então existentes no Rio de Janeiro, centro da vida intelectual, política e econômica do Brasil Império. Foi nas páginas de um desses jornais – o *Diário do Rio de Janeiro* – que, no final da década de 1870, travou-se a "Batalha do Parnaso". Apesar de a expressão aludir à vida militar, os combates ocorreram, na realidade, no plano intelectual. Tratava-se de uma polêmica que opôs os adeptos do Romantismo, de um lado, e os seguidores do Realismo/Naturalismo e do Parnasianismo, de outro.

No entanto, a recusa do sentimentalismo e da subjetividade uniu todos na luta contra o Romantismo e na divulgação de uma arte ligada ao **espírito cientificista**, marcada pela objetividade, pela impessoalidade e pelo rigor.

Ornamentação, gramática e lirismo

A obsessão pela **forma** e pela **ornamentação** levou os poetas a estudar em profundidade a língua portuguesa, para se tornarem aptos a empregar **construções diferentes** das usuais, como as frequentes inversões sintáticas, e a dominar um **vocabulário culto** e até preciosista, também distante do vocabulário corrente.

A indiferença ao sofrimento, porém, foi muitas vezes abandonada pelos parnasianos brasileiros. Assim, Olavo Bilac abraça os ideais parnasianos típicos em "Profissão de fé" e "A um poeta", mas se entrega a um lirismo quase passional em vários outros sonetos, como no famoso "Ora (direis) ouvir estrelas". A explicação para esse contraste pode estar no fato de que, na época, o sistema literário brasileiro acolhia várias correntes de origem estrangeira. Assim sendo, o Romantismo e o Simbolismo provavelmente influenciaram a obra dos poetas parnasianos.

A **coexistência de estéticas** está documentada em uma crônica do parnasiano Olavo Bilac altamente elogiosa a Émile Zola, o criador da literatura naturalista. Leia um trecho.

> Desde o começo de sua vida literária, Zola se acostumara ao sacrifício "de engolir todas as manhãs um sapo vivo". Não houve injúria que lhe não fosse assacada. Ele era o explorador da bestialidade humana, o remexedor dos mais ignóbeis detritos da vida, transformando a arte em servidora dos mais baixos instintos da plebe, profanando a vida, rebaixando o amor, amaldiçoando Deus, amassando com a lama dos alcouces livres que pervertiam a humanidade...
> [...]
> Quando a obra esplendeu, quase acabada, viu-se que aquele homem, tão acusado de ser o instigador das baixezas viciosas e o sacerdote da animalidade — era apenas um poeta, um grande poeta, cuja alma de criança sonhara pôr o céu ao alcance da terra, e que, dia e noite, via sorrir sobre as tristezas da vida contemporânea o prenúncio de uma vida melhor, o primeiro rubor de uma aurora fecunda, toda de paz e igualdade, de amor e fartura.
>
> BILAC, Olavo. Zola. In: DIMAS, Antônio (Org.). *Vossa insolência*: crônicas. São Paulo: Companhia das Letras, 1996. p. 82-83.

Lembre-se

Não havia homogeneidade entre os escritores realistas/naturalistas e os poetas parnasianos. Enquanto aqueles tinham como meta uma ficção baseada na análise objetiva da realidade social e humana, estes pregavam o culto da forma, a "arte pela arte", sem uma adesão direta aos problemas sociais do período.

Fotografia pertencente a Olavo Bilac, assinada pelo poeta, a qual retrata uma brincadeira feita por ele e seus colegas acadêmicos: a imitação da obra do pintor holandês Rembrandt, *A lição de anatomia do dr. Tulp*, com Bilac à esquerda e o dramaturgo Artur Azevedo no papel de autopsiado. A fotografia relativiza a austeridade com que é vista a elite intelectual do período.

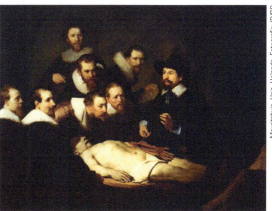

REMBRANDT. *A lição de anatomia do dr. Tulp*, 1632. Óleo sobre tela, 216,5 cm × 169,5 cm. Museu Mauritshuis, Haia, Holanda.

O quadro de Rembrandt (1606-1669), *A lição de anatomia do dr. Tulp*, serviu de inspiração à brincadeira retratada por Olavo Bilac, acima.

Vocabulário de apoio

alcouce: prostíbulo
assacar: atribuir, acusar
esplender: resplandecer, brilhar
fecundo: fértil
ignóbil: vil, deplorável
injúria: insulto, ofensa
prenúncio: anúncio de evento futuro
rubor: nuance avermelhada que colore o céu no início do amanhecer

> Olavo Bilac: um artista consagrado

Olavo Bilac (1865-1918) é o mais conhecido poeta parnasiano brasileiro. Dedicou-se desde jovem ao jornalismo e à literatura, após abandonar os cursos de Medicina, no Rio de Janeiro, e de Direito, em São Paulo. Boêmio e contestador, nos primeiros anos aderiu à causa abolicionista junto a José do Patrocínio, colaborando no jornal *Cidade do Rio*, e se refugiou em Minas Gerais, em 1893, perseguido pelo governo de Floriano Peixoto, contra o qual se posicionava publicamente. É dessa época sua intensa atividade como jornalista político, quando escreveu também sua obra *Crônicas e novelas* (1894).

Em 1888, Bilac lançou seu primeiro livro poético, intitulado *Poesias*. Nele, desapareceu o jornalista com pretensões de agitador político e entrou em seu lugar um equilibrado poeta parnasiano, que abraçou o ideal da "arte pela arte", obedeceu a regras fixas de composição e praticou um rigoroso culto à forma. O livro é aberto com o poema "Profissão de fé", visto no capítulo anterior (p. 323), em que a comparação do poeta ao ourives remete ao ideal da perfeição formal.

Na seção intitulada "Panóplias", os poemas têm sua temática esvaziada de qualquer sinal de subjetividade; o elogio ao "belo" estético é uma constante; o apuro formalista se dá de maneira impecável; e a cultura greco-latina é abertamente resgatada. São exemplos os poemas cujos títulos já confirmam esse resgate: "Lendo a Ilíada", "O incêndio de Roma", "O sonho de Marco Antônio" ou, ainda, "A sesta de Nero".

Nos trinta e cinco sonetos de "Via Láctea", contudo, desenvolve-se a temática amorosa, um dos mais recorrentes motivos da obra de Bilac. Neles, o cuidado com a forma controla o transbordamento emocional, sem impedir que certa passionalidade conduza a expressão dos sentimentos. Observe que o poeta retoma um antigo tema: a oposição entre a mulher idealizada e o poeta posto no mundo terreno e, portanto, rebaixado.

> Tu, mãe sagrada! Vós também, formosas
> Ilusões! Sonhos meus! Íeis por ela
> Como um bando de sombras vaporosas.
>
> E, ó meu amor! Eu te buscava, quando
> Vi que no alto surgias, calma e bela,
> O olhar celeste para o meu baixando...
>
> BILAC, Olavo. Via Láctea. In: COHN, Sergio (Org.). *Poesia.br*: do Romantismo ao Pós-romantismo. Rio de Janeiro: Beco do Azougue, 2012. p. 108.

Posteriormente, republicano e nacionalista convicto, Bilac, já consagrado como o maior poeta brasileiro vivo de então, foi honrado com missões oficiais pelo país e pelo exterior e se tornou ardoroso defensor da pátria, assumindo o papel de poeta cívico. Entrou em campanhas em prol da causa militar, trabalhou como inspetor de ensino, ajudou a fundar a Academia Brasileira de Letras, escreveu poemas infantis de fundo moralista e pedagógico, bem como obras exaltando os valores da língua portuguesa e as virtudes do país, como se vê no primeiro quarteto do soneto "Pátria".

PANNINI, Giovanni Paolo. *Capricho romano*, 1734. Óleo sobre tela, 97,2 cm × 134,6 cm. Museu e Galeria de Arte Maidstone, Londres, Inglaterra.

Nesse quadro, o pintor selecionou e agrupou no mesmo cenário monumentos romanos que, originalmente, estavam distantes uns dos outros. Recriou, assim, uma cidade de Roma ideal. Em certa medida, assim também faziam os parnasianos: celebravam objetos e personagens da Antiguidade greco-romana para recriar na poesia uma cultura que já não existia mais e que, provavelmente, tinha mais marcas do século XIX do que da Antiguidade.

> Pátria, latejo em ti, no teu lenho, por onde
> Circulo! E sou perfume, e sombra, e sol, e orvalho!
> E, em seiva, ao teu clamor, a minha voz responde,
> E subo do teu cerne ao céu de galho em galho!
> [...]
>
> BILAC, Olavo. Pátria. In: SILVA, Antonio M. S.; SANT'ANNA, Romildo. *Literaturas de língua portuguesa*: marcos e marcas. São Paulo: Arte & Ciência, 2007. p. 149.

Sua leitura

Leia dois poemas de Olavo Bilac e faça as atividades propostas.

Texto 1

A um poeta

Longe do estéril turbilhão da rua,
Beneditino, escreve! No aconchego
Do claustro, na paciência e no sossego,
Trabalha, e teima, e lima, e sofre, e sua!

Mas que na forma se disfarce o emprego
Do esforço; e a trama viva se construa
De tal modo, que a imagem fique nua,
Rica mas sóbria, como um templo grego.

Não se mostre na fábrica o suplício
Do mestre. E, natural, o efeito agrade,
Sem lembrar os andaimes do edifício:

Porque a Beleza, gêmea da Verdade,
Arte pura, inimiga do artifício,
É a força e a graça na simplicidade.

BILAC, Olavo. In: MOISÉS, Massaud. *A literatura brasileira através dos textos*. 25. ed. São Paulo: Cultrix, 2006. p. 232.

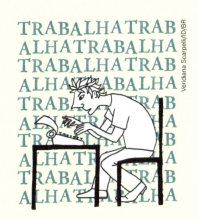

Vocabulário de apoio

Beneditino: no sentido figurado, aquele que se devota incansavelmente a um trabalho meticuloso
claustro: ambiente de mosteiro ou convento, isolamento
estéril: infértil, improdutivo, sem criatividade
limar: aperfeiçoar, aprimorar
suplício: sofrimento
turbilhão: agitação intensa, confusão

Texto 2

Soneto XIII, "Via láctea"

"Ora (direis) ouvir estrelas! Certo
Perdeste o senso!" E eu vos direi, no entanto,
Que, para ouvi-las, muita vez desperto
E abro as janelas, pálido de espanto...

E conversamos toda a noite, enquanto
A via láctea, como um pálio aberto,
Cintila. E, ao vir do sol, saudoso e em pranto,
Inda as procuro pelo céu deserto.

Direis agora: "Tresloucado amigo!
Que conversas com elas? Que sentido
Tem o que dizem, quando estão contigo?"

E eu vos direi: "Amai para entendê-las!
Pois só quem ama pode ter ouvido
Capaz de ouvir e de entender estrelas".

BILAC, Olavo. *Poesia*. Rio de Janeiro: Livraria Agir Editora, 1957. p. 47.

Vocabulário de apoio

inda: redução de *ainda*
pálio: manto amplo, capa
tresloucado: louco, desvairado

Sobre os textos

1. Qual é a temática do texto 1? Como a ideia de "arte pela arte" se manifesta no tratamento dado a essa temática?
2. Explique de que forma o tema do poema "A um poeta" se expressa nos aspectos formais tanto do texto 1 quanto do texto 2.
3. Qual é a temática central do texto 2?
4. Alguns críticos costumam apontar, como consequência do culto excessivo da forma, certa frieza e ausência de sensibilidade nos poemas parnasianos. Os sonetos lidos nesta seção confirmam esse ponto de vista? Justifique sua resposta.

> Outros autores

Embora Olavo Bilac tenha sido o poeta mais popular do Parnasianismo brasileiro, o movimento conta ainda com outros nomes importantes, como Raimundo Correia, Alberto de Oliveira e Vicente de Carvalho.

> Raimundo Correia: um artista em três estilos

O maranhense Raimundo Correia (1859-1911) teve uma trajetória artística peculiar. Embora seja reconhecido como um dos mais importantes autores do Parnasianismo brasileiro, pode-se dizer que o escritor foi influenciado, ainda que discretamente, por três estilos distintos.

Iniciou sua carreira literária como um poeta romântico decadente, lançando *Primeiros sonhos* (1879), coleção de seus versos de adolescência; tornou-se posteriormente um exímio sonetista parnasiano, em sua obra mais famosa, *Sinfonias* (1883); e chegou a flertar com o Simbolismo, em livros como *Aleluias* (1891).

O diálogo travado com os variados autores que lhe serviam de referência confere ao parnasianismo de Raimundo Correia alguns matizes diferentes, como a sensibilidade e o tom sombrio que o poeta acrescentou ao objetivismo típico dos parnasianos. Resultam disso versos reflexivos e melancólicos, que lançam mão de sinestesias para a descrição sensível de um cenário.

> Alberto de Oliveira: a busca da perfeição

Olavo Bilac foi o poeta mais popular do Parnasianismo brasileiro, mas o fluminense Alberto de Oliveira (1859-1937) foi quem melhor encarnou os pressupostos dessa escola poética. Assim como ocorreu com Raimundo Correia, a estreia de Alberto de Oliveira na poesia ainda apresentou ecos do Romantismo; contudo, seu segundo livro, intitulado *Meridionais* (1884), inseriu o autor definitivamente na estética parnasiana.

Buscando a perfeição com base em um rigoroso culto da forma, Alberto de Oliveira resgatou moldes e temas da poesia clássica. Além disso, como forma de recusa à subjetividade romântica, o poeta se esmerou na impessoalização de sua obra, trabalhando a descrição preciosista de objetos como um vaso grego (em poema visto no capítulo anterior), um vaso chinês, uma taça de coral e uma estátua de mármore, artefatos cujas manufaturas encerrariam o exemplo do que deveria ser sua própria obra. Assim, Alberto de Oliveira é o mais formalista dos poetas parnasianos e o mais estrito seguidor do ideal da "arte pela arte".

> Vicente de Carvalho: sensibilidade e forma

Além da famosa "tríade parnasiana" (Alberto de Oliveira, Olavo Bilac e Raimundo Correia), a poesia do período conheceu ainda outros poetas importantes, como Francisca Júlia, Artur Azevedo e Augusto de Lima. Entre eles, encontramos também o paulista Vicente de Carvalho (1866-1924), que, depois de Olavo Bilac, talvez seja o poeta mais popular do período, com leitores e admiradores até os dias atuais.

Parnasiano ferrenho, Vicente de Carvalho acreditava que a preocupação com o apuro formal era condição imprescindível para o ato criador. Buscando abordar a temática da natureza (sobretudo o mar) de modo objetivo, o poeta revelou, porém, uma faceta sensível às impressões que a realidade opera sobre o eu, deixando entrever resquícios de um perfil romântico em sua obra e certa influência da poesia simbolista, que já dava sinais de vida.

Caricaturas de membros da Academia Brasileira de Letras criadas por Cássio Loredano, em 2002. Na primeira de cima para baixo, o poeta Raimundo Correia, em primeiro plano, fundador da cadeira 5, cujo patrono era Bernardo Guimarães, representado a seu lado. Na segunda, Alberto de Oliveira, fundador da cadeira 8, diante do quadro de Cláudio Manuel da Costa.

O que você pensa disto?

Neste capítulo, conhecemos Olavo Bilac, que foi eleito "príncipe dos poetas brasileiros" e recebeu muitas honrarias do governo.

Atualmente, há leis de incentivo à cultura que canalizam o investimento para produções culturais, concedendo isenção de impostos às empresas que as financiam. Artistas famosos têm se beneficiado e, por isso, alguns críticos dizem que há um desvirtuamento dessas leis, já que elas deveriam patrocinar, como forma de incentivo, artistas em formação, ainda desconhecidos em âmbito nacional.

- Você concorda com esses críticos? Por quê?

Ferramenta de leitura

Literatura × linguagem popular

Você viu ao longo desta unidade que o movimento poético chamado de Parnasianismo reage aos excessos sentimentais dos escritores românticos por meio de uma proposta de impessoalização da obra de arte e também de um obstinado culto do trabalho formal, abraçando o lema da "arte pela arte", divulgado pelos poetas franceses da época.

Desse lema resulta não apenas a obediência a modelos clássicos de composição, mas, da mesma maneira, um tratamento preciosista da linguagem: para os poetas parnasianos, o manuseio virtuosístico da língua culta, dentro de limites propostos por uma métrica ou uma forma poética fixas, determinava a qualidade do artista.

A partir do século XX, tal preciosismo parnasiano passará a ser veementemente criticado pelos poetas modernistas, que pretendiam aproximar a literatura da linguagem popular. Em fins desse século, o debate acabou por ultrapassar o âmbito literário e se estendeu ao meio acadêmico, fomentando uma discussão entre uma vertente de linguistas, que acreditam ser a língua um reflexo da dinâmica discursiva de seus falantes, e certo grupo de gramáticos, que defendem a superioridade da norma-padrão sobre as variedades não padrão, sobretudo aquelas faladas por pessoas de baixa escolaridade.

Leia um verbete escrito pelo polêmico professor e gramático Napoleão Mendes de Almeida, extraído de seu *Dicionário de questões vernáculas*.

Napoleão Mendes de Almeida (1911-1998). Professor e gramático, foi uma figura polêmica, acusado de preconceito linguístico ao defender uma posição tradicionalista no ensino da língua portuguesa e contestar as conquistas formais da escola modernista. Fotografia de 1993.

> **Vernáculo** – Os delinquentes da língua portuguesa fazem do princípio histórico "quem faz a língua é o povo" verdadeiro moto para justificar o desprezo de seu estudo, de sua gramática, de seu vocabulário, esquecidos de que a falta de escola é que ocasiona a transformação, a deterioração, o apodrecimento de uma língua. Cozinheiras, babás, engraxates, trombadinhas, vagabundos, criminosos é que devem figurar, segundo esses derrotistas, como verdadeiros mestres de nossa sintaxe e legítimos conhecedores de nosso vocabulário.
>
> ALMEIDA, Napoleão Mendes de. *Dicionário de questões vernáculas*. 4. ed. São Paulo: Ática, 1998. p. 589.

Agora você lerá um poema de Olavo Bilac a respeito da língua portuguesa. Leia atentamente o texto, releia o verbete de Napoleão Mendes de Almeida e, na sequência, responda às questões.

Língua portuguesa

Última flor do Lácio, inculta e bela,
És, a um tempo, esplendor e sepultura:
Ouro nativo, que na ganga impura
A bruta mina entre os cascalhos vela...

Amo-te assim, desconhecida e obscura.
Tuba de alto clangor, lira singela,
Que tens o trom e o silvo da procela,
E o arrolo da saudade e da ternura!

Amo o teu viço agreste e o teu aroma
De virgens selvas e de oceano largo!
Amo-te, ó rude e doloroso idioma,

Em que da voz materna ouvi: "meu filho!",
E em que Camões chorou, no exílio amargo,
O gênio sem ventura e o amor sem brilho!

BILAC, Olavo. *Poesias*. Rio de Janeiro: Livraria Francisco Alves, 1964. p. 262.

Vocabulário de apoio

arrolo: cantiga de ninar
clangor: som forte
ganga: parte não aproveitável de uma jazida
Lácio: região da Itália que originou o idioma latino
procela: forte tempestade
silvo: assobio
trom: estrondo provocado por tempestade

Sobre os textos

1. Que elementos do poema de Bilac parecem de acordo com o posicionamento de Napoleão Mendes de Almeida em relação à língua portuguesa?
2. Quais outros aparentemente se distanciam da posição do gramático?

Entre textos

A poesia parnasiana entrou para a História como uma arte excessivamente formalista, tematicamente sem vida e estruturalmente refém da influência dos modelos clássicos. Porém, há textos pertencentes ao período que parecem fugir à regra. Veja a seguir algumas relações intertextuais que podem ser estabelecidas com um poema de Olavo Bilac.

TEXTO 1

Inferno – A divina comédia (trecho do canto 1)

A meio caminhar de nossa vida
fui me encontrar em uma selva escura:
estava a reta minha via perdida.

Ah! que a tarefa de narrar é dura
essa selva selvagem, rude e forte,
que volve o medo à mente que a figura.

De tão amarga, pouco mais lhe é a morte,
mas, pra tratar do bem que enfim lá achei,
direi do mais que me guardava a sorte.

Como lá fui parar dizer não sei;
tão tolhido de sono me encontrava,
que a verdadeira via abandonei.
[...]

ALIGHIERI, Dante. *A divina comédia*: inferno. Trad. Ítalo Eugenio Mauro. São Paulo: Ed. 34, 2005. p. 25.

TEXTO 2

Nel mezzo del camin...

Cheguei. Chegaste. Vinhas fatigada
E triste, e triste e fatigado eu vinha.
Tinhas a alma de sonhos povoada,
E a alma de sonhos povoada eu tinha...

E paramos de súbito na estrada
Da vida: longos anos, presa à minha
A tua mão, a vista deslumbrada
Tive da luz que teu olhar continha.

Hoje, segues de novo... Na partida
Nem o pranto os teus olhos umedece
Nem te comove a dor da despedida.

E eu, solitário, volto a face, e tremo,
Vendo o teu vulto que desaparece
Na extrema curva do caminho extremo.

BILAC, Olavo. In: MOISÉS, Massaud. *A literatura brasileira através dos textos*. São Paulo: Cultrix, 2006. p. 228.

O poema de Bilac retoma *A divina comédia*, de Dante Alighieri (1265-1321), o maior poeta da Idade Média italiana (período entre a Antiguidade clássica e o Renascimento).

Além de citar no título de seu poema o primeiro verso da obra de Dante em italiano, Olavo Bilac recupera uma atmosfera de amargura, cansaço e desorientação, que no texto-base tanto define a travessia feita por Dante e Virgílio pelo Inferno quanto caracteriza o ato de narrar esse percurso. No poema de Bilac, essa atmosfera serve à abordagem da temática de um desencontro amoroso.

TEXTO 3

No meio do caminho

No meio do caminho tinha uma pedra
tinha uma pedra no meio do caminho
tinha uma pedra
no meio do caminho tinha uma pedra

Nunca me esquecerei desse acontecimento
na vida de minhas retinas tão fatigadas.
Nunca me esquecerei que no meio do caminho
tinha uma pedra
tinha uma pedra no meio do caminho
no meio do caminho tinha uma pedra.

ANDRADE, Carlos Drummond de. *Alguma poesia*. Rio de Janeiro: Record, 2002.

Assim como Bilac em seu soneto, o poeta mineiro Carlos Drummond de Andrade (1901-1987) propõe no título de "No meio do caminho" uma intertextualidade com a obra de Dante.

Considerando a natureza modernista da obra em que "No meio do caminho" foi lançado (*Alguma poesia*, de 1930, o primeiro livro de Drummond), é possível dizer que o poeta dialoga criticamente também com o texto de Olavo Bilac e com a tradição parnasiana, com a qual os modernistas desejavam romper.

A repetição da expressão do título nos versos parece apontar para um impasse existencial, para a ausência de saída diante de um obstáculo insistente. Além disso, a impossibilidade de fugir à repetição sugere também um impasse expressivo, indicando talvez uma crítica ao ensimesmamento da linguagem próprio do formalismo parnasiano.

Vestibular

1. (Ufam) Coloque V para afirmativas verdadeiras e F para as falsas. Assinale a sequência correta.

Pode-se descrever o Parnasianismo como um movimento:

( ) cujo conteúdo é mais importante que a forma de seus textos.

( ) que trabalha com temas greco-latinos e prefere formas fixas, como o soneto.

( ) que legou obras de cunho social, preocupado com a situação do país em seu tempo.

( ) cujo descritivismo dos poemas se iguala ao Romantismo, ambos preocupados com o ambiente político de seus respectivos momentos históricos.

( ) em que a mulher é apresentada como a musa inspiradora, situada em meio à natureza brasileira.

a) F – V – F – V – F.

b) V – V – F – F – V.

c) F – V – F – F – F.

d) F – F – F – V – V.

e) V – F – F – F – V.

2. (Uespi) Olavo Bilac foi o poeta parnasiano mais divulgado no Brasil, mas, em alguns poemas, abandonou a estética parnasiana. Foi também o poeta do amor e o poeta da pátria. Assinale, nas alternativas abaixo, qual dos versos transcritos ocupa-se com o preceito parnasiano da arte pela arte.

a) "Amai, para entendê-las,/ Pois só quem ama pode ter ouvidos/ Capaz de ouvir e entender estrelas"

b) "Pátria, latejo em ti, em teu lenho, por onde circulo! E sou perfume e sombra, e sol e orvalho!"

c) "Ama com fé e orgulho a terra em que nasceste Criança! Não verás nenhum país como este!"

d) "Nunca morrer assim! Nunca morrer num dia assim! De um sol assim!/ Tu, desgrenhada e fria. Fria! Postos nos meus os teus olhos molhados, E apertando nos teus os meus dedos gelados..."

e) "Invejo o ourives quando escrevo/ Imito o amor Com que ele em alto relevo/ Faz de uma flor."

3. (Vunesp)

Arte suprema

Tal como Pigmalião, a minha ideia
Visto na pedra: talho-a, domo-a, bato-a;
E ante os meus olhos e a vaidade fátua
Surge, formosa e nua, Galateia.

Mais um retoque, uns golpes... e remato-a;
Digo-lhe: "Fala!", ao ver em cada veia
Sangue rubro, que a cora e aformoseia...
E a estátua não falou, porque era estátua.

Bem haja o verso, em cuja enorme escala
Falam todas as vozes do universo,
E ao qual também arte nenhuma iguala:

Quer mesquinho e sem cor, quer amplo e terso,
Em vão não é que eu digo ao verso: "Fala!"
E ele fala-me sempre, porque é verso.

SILVA, Júlio César da. *Arte de amar*. São Paulo: Companhia Editora Nacional, 1961.

O soneto "Arte suprema" apresenta as características comuns da poesia parnasiana. Assinale a alternativa em que as características descritas se referem ao parnasianismo.

a) Busca da objetividade, preocupação acentuada com o apuro formal, com a rima, o ritmo, a escolha dos vocábulos, a composição e a técnica do poema.

b) Tendência para a humanização do sobrenatural, com a oposição entre o homem voltado para Deus e o homem voltado para a terra.

c) Poesia caracterizada pelo escapismo, ou seja, pela fuga do mundo real para um mundo ideal caracterizado pelo sonho, pela solidão, pelas emoções pessoais.

d) Predomínio dos sentimentos sobre a razão, gosto pelas ruínas e pela atmosfera de mistério.

e) Poesia impregnada de religiosidade e que faz uso recorrente de sinestesias.

(FGV-SP) Texto para a questão 4.

Vila Rica

O ouro fulvo[1] do ocaso as velhas casas cobre;
Sangram, em laivos[2] de ouro, as minas, que ambição
Na torturada entranha abriu da terra nobre:
E cada cicatriz brilha como um brasão.

O ângelus plange ao longe em doloroso dobre,
O último ouro de sol morre na cerração.
E, austero, amortalhando a urbe gloriosa e pobre,
O crepúsculo cai como uma extrema-unção.

Agora, para além do cerro, o céu parece
Feito de um ouro ancião, que o tempo enegreceu...
A neblina, roçando o chão, cicia, em prece,

Como uma procissão espectral que se move...
Dobra o sino... Soluça um verso de Dirceu...
Sobre a triste Ouro Preto o ouro dos astros chove.

Olavo Bilac
[1]fulvo: de cor alaranjada.
[2]laivos: marcas; manchas; desenhos estreitos e coloridos nas pedras; restos ou vestígios.

4. Das características abaixo, todas presentes no texto, a que ocorre mais raramente na poesia parnasiana é:

a) o rigor formal na estruturação dos versos.

b) o emprego de forma fixa, por exemplo, o soneto.

c) a sujeição às normas da língua culta.

d) o gosto pela rima rica (rima entre palavras de classes gramaticais diferentes).

e) a visão subjetiva da realidade, embora desprovida de sentimentalismo.

331

UNIDADE

12

O Simbolismo

Nesta unidade

33 O Simbolismo – a arte *fin-de-siècle*

34 O Simbolismo em Portugal

35 O Simbolismo no Brasil

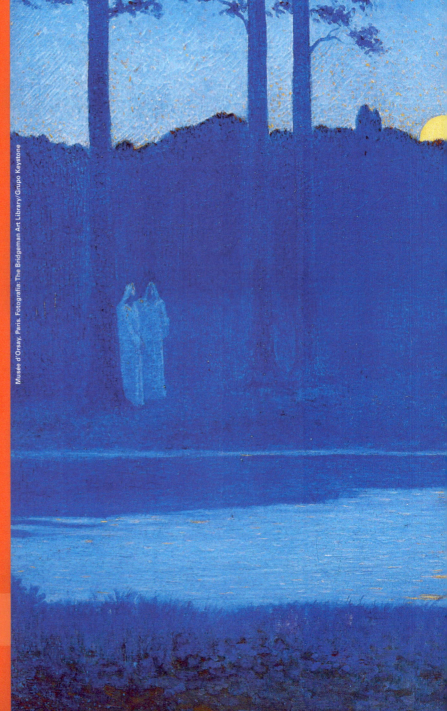

OSBERT, Alphonse. *As canções da noite*, 1896. Óleo sobre tela, 77 cm × 124 cm. Museu d'Orsay, Paris, França.

Na tela reproduzida abaixo, o pintor francês Alphonse Osbert (1857-1939) compôs um cenário que lembra um sonho. A paisagem, com poucos traços, é pano de fundo para figuras femininas de contorno impreciso e aspecto fantasmagórico. Algumas delas seguram instrumentos semelhantes a uma cítara. A música sugerida pela cena é repousante e silenciosa. Dissolvidas por uma misteriosa luz azulada, as imagens evocam um mundo ideal, evidenciando uma estética que privilegia a expressão simbólica dos estados de alma.

No final do século XIX, em um contexto de questionamento do pensamento materialista e racional, um grupo de artistas buscava uma expressão mais subjetiva e espiritual. Para eles, as relações simbólicas eram uma forma de aproximação entre os sentidos e uma essência abstrata, absoluta. Ganhava corpo a chamada "teoria das correspondências" (os elementos do plano espiritual e do plano natural eram recíprocos e se correspondiam). Nos textos, os poetas procuravam expressar essas relações simbólicas utilizando procedimentos formais específicos – trata-se da estética simbolista, assunto desta unidade.

CAPÍTULO

33
O Simbolismo – a arte *fin-de-siècle*

O que você vai estudar

- A Europa na passagem do século XIX para o século XX.
- Os poetas simbolistas franceses.
- A sugestão como representação artística.
- A importância da música e das cores.

No final do século XIX, surgiu na França um movimento artístico que se opunha ao pensamento materialista, positivista e cientificista do Realismo-Naturalismo então vigente. Iniciado por poetas, esse movimento – chamado Simbolismo – recolocou a ênfase nas emoções do sujeito e desenvolveu novos horizontes formais e temáticos para representar seus ideais estéticos, abrindo caminho para grandes transformações na linguagem poética moderna.

Sua leitura

A seguir, você lerá dois exemplos da arte simbolista: uma pintura do francês Gustave Moreau (1826-1898) e um poema de Charles Baudelaire (1821-1867) extraído de *As flores do mal*, obra considerada o marco fundador do Simbolismo. Em ambos, você observará as relações entre o real e o imaginário que pautam a arte simbolista.

A aparição

MOREAU, Gustave. *A aparição*, c. 1874-1876. Óleo sobre tela, 142 cm × 103 cm. Museu Gustave Moreau, Paris, França.

Essa pintura de Gustave Moreau destaca a personagem Salomé, responsável pela execução do profeta João Batista. Segundo os evangelistas, ela apresentou uma dança sensual a seu tio, o governador Herodes Antipas, que, entusiasmado, prometeu recompensá-la. Orientada pela mãe, a jovem pediu a cabeça do profeta, que estava preso no calabouço do palácio. Assim como outras personagens religiosas, Salomé foi uma figura recorrente no Simbolismo; muitos escritores e pintores usaram sua imagem para representar a dualidade entre pureza e traição da mulher.

Obsessão

Grandes bosques, de vós, como das catedrais,
Sinto pavor; uivais como órgãos; e em meu peito,
Câmara-ardente onde retumbam velhos ais,
De vossos *De profundis* ouço o eco perfeito.

Te odeio, oceano! teus espasmos e tumultos,
Em si minha alma os tem; e este sorriso amargo
Do homem vencido, imerso em lágrimas e insultos,
Também os ouço quando o mar gargalha ao largo.

Me agradarias tanto, ó noite, sem estrelas
Cuja linguagem é por todos tão falada!
O que procuro é a escuridão, o nu, o nada!

Mas eis que as trevas afinal são como telas,
Onde, jorrando de meus olhos aos milhares,
Vejo a me olharem mortas faces familiares.

BAUDELAIRE, Charles. *As flores do mal*. Trad. Ivan Junqueira.
Rio de Janeiro: Nova Fronteira, 1985. p. 299.

Vocabulário de apoio

ao largo: a distância
câmara-ardente: recinto onde se vela o defunto
De profundis: palavras iniciais, em latim, de salmo dito em um funeral
órgão: instrumento musical
retumbar: ecoar; repercutir

Sobre os textos

1. Considerando a versão que os evangelistas deram para a morte de João Batista, apresentada na legenda do quadro de Gustave Moreau (página 334, ao lado), como você interpreta a aparição da cabeça em destaque no centro do quadro?

2. Observe a maneira como o artista pintou o cenário. Você diria que existe uma representação realista e, por isso, conflitante com a ação pintada? Por quê?

3. No soneto "Obsessão", Charles Baudelaire estabelece uma relação subjetiva do eu lírico com o ambiente externo. A respeito desse poema, considere a seguinte afirmação: A maneira como o eu lírico lê o ambiente externo decorre inteiramente de seu estado de alma.
   a) A primeira estrofe do poema está de acordo com essa afirmação? Por quê?
   b) De que modo o eu lírico explica o pavor que sente dos "grandes bosques" e das "catedrais"?
   c) Ainda na primeira estrofe, qual elemento está presente tanto nas imagens referentes ao ambiente externo quanto naquelas que exprimem o estado de alma do eu lírico?

4. Um dos principais recursos desse soneto é a sugestão sensorial. No primeiro terceto, o eu lírico anuncia o desejo de escuridão, mas não se trata de uma referência exclusiva ao sentido da visão. Explique por quê.

5. Em um soneto, convencionalmente, o último terceto apresenta uma conclusão, explicitando o sentido global do poema.
   a) Explique a comparação feita entre as trevas e as telas para evidenciar o motivo de rejeição das trevas.
   b) De que maneira a conclusão apresentada nesse terceto retoma o que foi sugerido nas estrofes anteriores?

6. Observe os temas selecionados por Gustave Moreau e Baudelaire para compor suas obras e a maneira como foram representados. Aponte aspectos comuns entre as obras.

Livro aberto

As flores do mal,
de Charles Baudelaire
Nova Fronteira, 1985

Charles Baudelaire é considerado o último grande poeta romântico da França e, simultaneamente, o iniciador de uma poética original, da qual nasceu o Simbolismo. Sua principal obra, *As flores do mal* (1857), reúne poemas que questionam as convenções morais da sociedade francesa e tratam liricamente de assuntos que vão do sublime ao sórdido, do sonho ao pesadelo, descobrindo o belo em temas e imagens insólitos. Baudelaire recusou tanto os princípios clássicos de beleza quanto a concepção romântica de poesia como confissão.

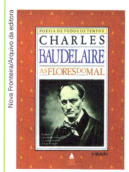

Capa de edição brasileira do livro *As flores do mal*, do poeta francês Charles Baudelaire.

❯ O contexto de produção

A transição do século XIX para o século XX corresponde, em termos históricos, a um período de questionamento do modelo social e econômico vigente, que ficou conhecido como **"fim de século"**, do francês *fin-de-siècle* – expressão associada ao pessimismo e à frustração diante do mundo material e racionalista da sociedade burguesa e industrial.

❯ O contexto histórico

Nas últimas décadas do século XIX, a concepção de mundo centrada no positivismo, que valorizava o conhecimento racionalista, entrou em crise. O otimismo da sociedade burguesa com a industrialização diluiu-se diante de seus efeitos colaterais: a disputa por mercados consumidores tinha resultado em competição militar entre as grandes potências e fragmentação de território, a exemplo da África; os centros urbanos, inchados, evidenciavam a miséria de vários grupos sociais; o movimento operário avançava, questionando o modelo econômico e as condições de trabalho.

❯ O contexto cultural

Refletindo o **pessimismo** do período, alguns jovens artistas e intelectuais passaram a desprezar o mundo burguês e a expressar sua época como fruto da ruína cultural. Eram os decadentistas, grupo seguidor de Baudelaire, cuja poesia, célebre a partir da publicação de *As flores do mal*, de 1857, mostrava o horror da realidade banal e fazia do poeta um solitário orgulhoso. O **Decadentismo**, como ficou conhecido esse conjunto de manifestações, apresentava a tendência ao mórbido, o apreço pelo artificial e pelo extravagante e o culto à dor.

A temática da dor pode ser percebida nos versos do poeta francês Paul Verlaine no século XIX, a seguir.

MOREAU, Gustave. *Anjo mensageiro*, c. 1890. Aquarela, 30 cm × 23 cm. Museu Gustave Moreau, Paris, França.

A pintura de Gustave Moreau coloca, em primeiro plano, um anjo melancólico, recostado na parede de uma catedral. Ao fundo, está sugerida a existência de uma cidade. A expressão de desalento e tristeza do anjo remete à leitura feita pelos simbolistas da época em que viviam.

> Chora no meu coração
> Como chove na cidade;
> Qual será tal lassidão
> Entrando em meu coração?
>
> Ó doce rumor da chuva
> Pela terra e sobre os tetos!
> Coração que se enviúva,
> Ó, a cantiga da chuva!
>
> VERLAINE, Paul. Cantigas esquecidas – III. In: GRÜNEWALD, José Lino (Org. e Trad.). *Poetas franceses do século XIX*. Rio de Janeiro: Nova Fronteira, 1991. p. 123.

■ **Margens do texto**

De que modo a ação da chuva cria a impressão de passividade do sujeito diante da dor?

No poema, o eu lírico reflete sobre o sofrimento que sente e cuja origem não sabe identificar. Esse culto da dor, recorrente no Simbolismo, surgiu do pensamento do filósofo alemão Arthur Schopenhauer (1788-1860), que entendia a realidade como uma ilusão criada por nossos sentidos e que não podia ser conhecida de fato, resultando, portanto, no sofrimento dos seres humanos. Tal pensamento foi complementado por Eduard von Hartmann (1842-1906), que criou a teoria do inconsciente, segundo a qual há uma espécie de entidade oculta atrás de todos os fenômenos, capaz de explicá-los, mas inacessível e indiferente aos indivíduos.

O pensamento dos dois filósofos reforçou o sentimento de impotência diante do enigma do universo, confrontando os procedimentos racionais supervalorizados pela civilização industrial e oferecendo subsídios à causa simbolista. Como decorrência desses questionamentos, surgiram outras correntes de pensamento, dentre as quais o **Irracionalismo**, que enfatizou o papel do instinto na apreensão do universo, e o **Intuicionismo**, que propôs a superioridade da intuição sobre a razão como método para alcançar a realidade.

› O contexto literário

Os simbolistas valorizavam a **subjetividade**, como antes fizeram os românticos. No entanto, diferentemente destes, que privilegiavam uma confissão direta das emoções do escritor, a arte simbolista pressupunha uma operação intelectual e introspectiva do leitor. Densa e obscura, a poesia simbolista não tinha a intenção de atender a uma demanda preexistente do leitor, mas sim de despertar nele o desejo de entender a poesia.

O sistema literário do Simbolismo

A concepção do Simbolismo deve muito às tertúlias – reuniões dedicadas à leitura e a debates sobre literatura e arte – na casa do poeta Stéphane Mallarmé (1842-1898), considerado o líder do movimento. Paul Verlaine (1844-1896), Arthur Rimbaud (1854-1891) e Paul Valéry (1871-1945), alguns dos principais nomes da literatura simbolista, participavam desses encontros e neles apresentavam suas criações.

Fora desses círculos, porém, muitas obras simbolistas sofriam rejeição da crítica e do mercado editorial. Essa recepção era de certa forma esperada pelos simbolistas, como se observa nesta afirmação de Paul Valéry.

> [Os simbolistas] substituem progressivamente a noção das obras que solicitam o público, que o tomam por seus hábitos ou por seus pontos fracos, por aquela das obras que criam seu público. Longe de escrever para satisfazer um desejo ou uma necessidade preexistentes, escrevem com a esperança de criar esse desejo e essa necessidade; e nada recusam que possa repugnar ou chocar cem leitores se calcularem que, desse modo, conquistarão um único de qualidade superior.
>
> VALÉRY, Paul. Citado por BARBOSA, João Alexandre. *Alguma crítica*. São Paulo: Ateliê Editorial, 2002. p. 18.

A arte simbolista, de fato, afastava-se dos padrões da época, pautados pela busca da precisão objetiva na representação do real. No sentido oposto, procurava apreender um mundo impalpável. Para isso, buscou símbolos, metáforas capazes de evocar o **inefável** (indizível, indescritível), com o estímulo da **intuição** e dos **sentidos**. Daí a valorização da **musicalidade** – tanto na forma (com aliterações, assonâncias, por exemplo) quanto na temática, com referências a instrumentos musicais, vozes e sons – e o uso constante da **sinestesia** (figura de linguagem que aproxima campos sensoriais diferentes, como a visão e o tato ou a audição e o paladar).

Ao se voltar para o subjetivismo, os poetas simbolistas investiam na valorização do inconsciente e do subconsciente. A realidade dava lugar à essência humana, à alma – que deveria se desligar da matéria por meio da **sublimação** (ou seja, da purificação). Daí os simbolistas se valerem de temáticas **religiosas** e **místicas** e fazerem constantes referências à morte, capaz de libertar a alma do âmbito terreno.

O papel da tradição

Em 1886, o poeta Jean Moréas (1856-1910) apresentou, no jornal *Le Figaro*, o manifesto do Simbolismo, cujos pressupostos eram o antinaturalismo e o antiparnasianismo, ancorados em uma orientação irracionalista, no espiritualismo e na linguagem inovadora e misteriosa, capaz de transmitir a essência humana. Com isso, ao mesmo tempo, de certo modo, recuperava o subjetivismo romântico, um contraponto explícito à estética contemporânea da época, o Parnasianismo, que valorizava o positivismo.

Nesse sentido, Edgar Allan Poe (1808-1849), com sua poesia sugestiva, que cria uma atmosfera de terror, foi uma espécie de precursor dos decadentistas e dos "poetas malditos" e um referencial para os simbolistas.

MAURIN, Charles. *Maternidade*, 1893. Óleo sobre tela, 80 cm × 100 cm. Museu Crozatier, Le Puy-en-Velay, França.

Charles Maurin, como os demais simbolistas, preferia transcender a realidade visível e expressar as essências. Nessa tela, ele pinta várias facetas da relação entre mães e filhos para configurar a magnitude da maternidade, que não pode ser expressa em uma única imagem realista.

■ **Margens do texto**

Em sua opinião, o que aconteceria se todos os artistas buscassem satisfazer os desejos do público?

Sétima arte

Eclipse de uma paixão
(EUA, 1995)
Direção de Agnieszka Holland

O drama *Eclipse de uma paixão*, dirigido pela polonesa Agnieszka Holland, mostra o relacionamento entre dois importantes nomes do Simbolismo, Arthur Rimbaud e Paul Verlaine. Os poetas tiveram um relacionamento amoroso e viveram uma vida de boêmia. Por seu comportamento e por sua poesia, também à margem das convenções sociais da época, eram chamados "poetas malditos".

David Thewlis e Leonardo DiCaprio em cena do filme *Eclipse de uma paixão*.

Uma leitura

Camilo Pessanha, considerado o mais importante poeta simbolista de Portugal, é o autor de "Ao longe os barcos de flores", poema em que a música está em destaque. Nos boxes laterais, você encontrará a análise de alguns aspectos do poema. Responda no caderno às questões que o ajudarão a concluir a leitura interpretativa.

Para obter mais musicalidade, o poeta se valeu de uma **aliteração**, a repetição marcante de fonemas consonantais, no caso, do som /s/. Esse recurso, que neste poema sugere fluidez, imitando a maneira como o som viaja do barco até o eu lírico, é valorizado na poesia simbolista.

Esta breve referência ao batom que some dos lábios sugere que o eu lírico imagina uma musicista a tocar o instrumento.

Ao longe os barcos de flores

Só, incessante, um som de flauta chora,
Viúva, grácil, na escuridão tranquila,
— Perdida voz que de entre as mais se exila,
— Festões de som dissimulando a hora.

Na orgia, ao longe, que em clarões cintila
E os lábios, branca, do carmim desflora...
Só, incessante, um som de flauta chora,
Viúva, grácil, na escuridão tranquila.

E a orquestra? E os beijos? Tudo a noite, fora,
Cauta, detém. Só modulada trila
A flauta flébil... Quem há-de remi-la?
Quem sabe a dor que sem razão deplora?

Só, incessante, um som de flauta chora.

PESSANHA, Camilo. *Clepsidra*. São Paulo: Princípio, 1989. p. 59.

O Simbolismo valoriza os estímulos sensoriais, que despertam emoções indefinidas. Observe que, ao longo do poema, as referências objetivas vão desaparecendo, restando apenas o som da flauta e o quadro de sonho e devaneio que se instaura.

1. Aponte as antíteses criadas pelo eu lírico para opor a cena festiva à presença da flauta.

2. Este verso aparece outras duas vezes no poema, em diferentes posições na estrofe. Como você interpreta esta última colocação?

Vocabulário de apoio

carmim: substância corante em vermelho vivo
cauto: cauteloso
deplorar: lamentar
festão: ramalhete
flébil: choroso, frágil
grácil: delicado, leve
orgia: festividade na qual se sobressaem atos de euforia e desregramento
remir: libertar
trilar: cantar, gorjear

Não existem referências diretas ao eu lírico no poema, mas é possível deduzir seu estado de alma. A leitura que o eu lírico faz do som da flauta, um choro lamentativo, revela um estado de espírito melancólico.

Repertório

O Simbolismo na música

Além de enfatizar a musicalidade em seus poemas, os simbolistas tiveram afinidade estética com alguns compositores de vanguarda da época, como os franceses Claude Debussy (1862-1918) e Maurice Ravel (1875-1937). Debussy participava das reuniões dos poetas simbolistas em Paris e também buscava produzir estímulos sensoriais e explorar a subjetividade e a transcendência. Assim como alguns artistas impressionistas e simbolistas receberam influência da pintura japonesa, sua música possui marcadas referências orientais. Debussy se inspirou no poema "A tarde de um fauno", de Stéphane Mallarmé, para compor o famoso *Prelúdio à tarde de um fauno*, poema sinfônico, que, mais tarde, daria origem ao balé *A tarde de um fauno*, do russo Vaslav Nijinski (1889-1950). Ao expandir os limites formais de diferentes expressões artísticas, essas obras ajudariam a abrir caminho para o Modernismo.

KLIMT, Gustav. *Música I*, 1895. Óleo sobre tela, 37 cm × 44,5 cm. Neue Pinakothek, Munique, Alemanha.

O austríaco Gustav Klimt (1862-1918) utiliza referências simbolistas em suas obras, como a evocação dos sentidos, o caráter etéreo e o uso de cores que remetem a um universo ideal.

Ler o Simbolismo

Ao compor "Siderações", o poeta brasileiro Cruz e Sousa (1861-1898) empregou traços estilísticos e imagéticos recorrentes no Simbolismo. Leia o poema e responda às questões.

Siderações

Para as Estrelas de cristais gelados
As ânsias e os desejos vão subindo,
Galgando azuis e siderais noivados
De nuvens brancas a amplidão vestindo...

Num cortejo de cânticos alados
Os arcanjos, as cítaras ferindo,
Passam, das vestes nos troféus prateados,
As asas de ouro finamente abrindo...

Dos etéreos turíbulos de neve
Claro incenso aromal, límpido e leve,
Ondas nevoentas de Visões levanta...

E as ânsias e os desejos infinitos
Vão com os arcanjos formulando ritos
Da Eternidade que nos Astros canta...

CRUZ E SOUSA, João da. *Missal e broquéis*. São Paulo: Martins Fontes, 1993. p. 139.

Vocabulário de apoio

alado: dotado de asas
aromal: aromático
cântico: canto, geralmente em louvor a uma divindade
cítara: instrumento de cordas parecido com a lira
cortejo: procissão
etéreo: sublime, divino
galgar: subir, elevar-se
rito: prática realizada durante cerimônias religiosas
sideração: influência de um astro sobre a vida de alguém
sideral: relativo aos astros ou às estrelas; celeste
turíbulo: vaso em que se queima incenso, usado na celebração de missas

Sobre o texto

1. O poema põe em destaque estímulos visuais. Elenque os trechos que trazem sugestões cromáticas (referentes a cores) e explique por que elas reforçam a ideia de espiritualidade.

2. Estímulos sonoros também recebem destaque no poema.
   a) Quais são as imagens relativas ao campo musical?
   b) Uma aliteração percorre todo o poema, estando mais evidente na primeira estrofe. Identifique o som que se repete e a imagem que ele sugere.

3. Releia: "Claro incenso aromal, límpido e leve". Nesse verso, ocorre uma figura de linguagem típica do Simbolismo. Que figura é essa e de que modo ela foi utilizada?

4. Os poetas simbolistas costumam empregar iniciais maiúsculas em palavras no meio dos versos para enfatizar aspectos simbólicos dos vocábulos. Que efeito é produzido por esse procedimento poético no poema "Siderações"?

5. Os simbolistas desejam a sublimação, isto é, a elevação de algo para purificá-lo. Ao expressar a sublimação das "ânsias" e dos "desejos", a que valores o eu lírico se contrapõe?

O que você pensa disto?

Como você viu neste capítulo, a arte simbolista foi uma resposta ao mal-estar que tomou a civilização no final do século XIX. Os artistas opunham-se aos valores predominantes, rejeitando a superioridade dos produtos industriais sobre o indivíduo e a obsessão pela ciência, vista como solução para todas as questões humanas.

O início do século XXI também vem sendo visto como uma época de crise de valores, e nosso modelo de existência tem sido bastante criticado.

- Que críticas têm sido feitas? Você concorda com elas? Existem valores ou hábitos que devem ser alterados? Justifique.

Existe hoje uma preocupação cada vez maior com as consequências que a industrialização pode trazer para o ambiente e para a humanidade. É possível estabelecer um paralelo entre essa situação e a do mal-estar do *fin-de-siècle* vivenciado após a Revolução Industrial?

339

CAPÍTULO 34

O Simbolismo em Portugal

O que você vai estudar

- A crise nacional e a produção simbolista.
- Eugênio de Castro e Antônio Nobre: o Simbolismo em formação.
- Camilo Pessanha: a poesia da dor.

CARNEIRO, António. *A vida* (tríptico), 1899-1901. Óleo sobre tela, 238 cm × 140 cm (painel central "O amor"), 209 cm × 111 cm (painéis laterais "A esperança" e "A saudade"). Fundação Cupertino de Miranda, Vila Nova de Famalicão, Portugal.

Os três painéis que compõem a obra *A vida*, de António Carneiro (1872-1930), retratam elementos condizentes com os subtítulos "A esperança", "O amor" e "A saudade". A obra simboliza as idades da vida e, portanto, expressa a busca do sentido da existência. Quando exposta pela primeira vez, em 1901, surpreendeu por destoar da pintura naturalista, hegemônica em Portugal no período e caracterizada por procurar representar fielmente a realidade, sem recorrer a abstrações.

❯ O contexto de produção

Como você estudou no capítulo 33, o Simbolismo surgiu em um momento de crise do materialismo e do racionalismo que marcou o pensamento pós-romântico. Em Portugal, esse contexto foi reforçado por uma **grave crise política e econômica**, que resultou em pessimismo e frustração.

Na década de 1890, a crise econômica da Europa prejudicou a nascente indústria portuguesa e o sistema financeiro nacional. Como agravante, a campanha expansionista de Portugal na África, uma das esperanças do governo monárquico para amenizar essa crise, sofreu um grande revés. A proposta portuguesa de dominar o território africano situado entre Angola e Moçambique, apresentada aos outros países europeus com interesses na África, foi veementemente vetada pela Inglaterra, no documento conhecido como Ultimato Inglês. Por meio desse ultimato, o governo inglês exigia que Portugal retirasse todas as forças militares que mantinha no território em disputa. Para os ingleses, permitir que essa região caísse sob domínio português significava renunciar ao ambicioso projeto de construir uma ferrovia que atravessaria o continente africano de norte a sul, ligando o Cairo à Cidade do Cabo.

Portugal cedeu ao ultimato e retirou suas tropas da região. Essa humilhante submissão marcou negativamente o estado de espírito dos portugueses e intensificou as críticas do Partido Republicano à Monarquia portuguesa. O país enfrentaria anos de turbulência política – com episódios dramáticos como o assassinato do rei dom Carlos, em 1908, até a queda definitiva da Monarquia, em 1910.

O Simbolismo português refletiu, com **obras negativistas e saudosistas**, essa crise instaurada no país desde o final do século XIX.

❯ Eugênio de Castro e Antônio Nobre

A origem do Simbolismo em Portugal vincula-se à publicação, em Coimbra, de duas revistas acadêmicas que divulgavam produções simbolistas francesas e textos portugueses inspirados por elas. *A Boêmia nova* e *Os insubmissos*, de 1889, rivalizavam em alguns assuntos, mas convergiam na proposta de renovação de Portugal. Seus colaboradores rejeitavam a crítica social aberta e a linguagem científica que inspirava o estilo realista-naturalista e adotavam uma literatura com ideais espiritualizantes.

Nessas revistas, foram publicados poemas de Eugênio de Castro e de Antônio Nobre, considerados – juntamente com Camilo Pessanha – os principais nomes da poesia simbolista portuguesa.

Eugênio de Castro (1869-1944) é autor da coletânea de poemas *Oaristos*, de 1890. Marco inicial do movimento, a publicação explicitou em seu prefácio as bases da nova estética, teve grande repercussão, provocou polêmica, estimulou poetas iniciantes e atraiu escritores de outras formações.

Apesar da publicação de *Oaristos,* Eugênio de Castro não aderiu completamente ao Simbolismo. Identificam-se, na obra desse autor, os elementos formais desse movimento – variedade na métrica, uso alegorizante das letras maiúsculas, temas litúrgicos, sugestões sensoriais, etc. –, mas não as inquietações humanas na busca pelo mundo das essências.

Antônio Nobre (1867-1900), por sua vez, produziu uma poesia mais autenticamente simbolista, com o gosto pelo oculto e pelo mistério, e voltada a revelar um mundo em ruínas. Sua sensibilidade, porém, retoma o saudosismo típico do Romantismo, como mostram as estrofes iniciais de "Viagens na minha terra", a seguir.

MALHOA, José. *Outono*, 1919. Óleo sobre madeira, 46 cm × 38 cm. Museu Nacional de Arte Contemporânea – Museu do Chiado, Lisboa, Portugal.

José Malhoa (1855-1933) é considerado um dos maiores pintores portugueses da virada do século XIX para o século XX. Celebrizou-se por suas pinturas realistas, como *O fado*, mas também pintou telas impressionistas, como essa.

Às vezes, passo horas inteiras
Olhos fitos nestas braseiras,
Sonhando o tempo que lá vai;
E jornadeio em fantasia
Essas jornadas que eu fazia
Ao velho Douro, mais meu Pai.

Que pitoresca era a jornada!
Logo, ao subir da madrugada,
Prontos os dois para partir:
Adeus! adeus! É curta a ausência,
— Adeus! — rodava a diligência
Com campainhas a tinir!

E, dia e noite, aurora a aurora,
Por essa doida terra fora,
Cheia de Cor, de Luz, de Som,
Habituado à minha alcova
Em tudo eu via coisa nova,
Que bom era, meu Deus! Que bom!

Moinhos ao vento! Eiras! Solares!
Antepassados! Rios! Luares!
Tudo isso eu guardo, *aqui* ficou:
Ó paisagem etérea e doce,
Depois do Ventre que me trouxe,
A ti devo eu tudo que sou!

[...]

NOBRE, Antônio. Viagens na minha terra. In: MOISÉS, Massaud. *A literatura portuguesa através dos textos*. 17. ed. São Paulo: Cultrix, 1995. p. 358.

■ Margens do texto

1. Que informação sobre o eu lírico os três primeiros versos trazem?
2. Qual palavra da quarta estrofe evidencia a intersecção de passado e presente? Explique.

Vocabulário de apoio

alcova: quarto
braseira: fogareiro
diligência: carruagem
Douro: rio de Portugal
eira: local reservado para secar, debulhar e limpar cereais e legumes
jornadear: viajar
solar: casarão

Nesse poema, Antônio Nobre retoma o passado, celebrando-o de modo ingênuo, em busca de recuperar na infância a pátria idealizada.

Embora tenha publicado em vida apenas o livro *Só*, em 1892, o poeta legou uma obra complexa, que resiste às classificações simplistas. Além da evocação do passado romântico e da participação no Simbolismo de sua época, seus poemas anteciparam aspectos da poesia moderna, por utilizar linguagem mais coloquial e tom narrativo, rompendo com concepções tradicionalistas da poesia portuguesa.

❯ Camilo Pessanha: sem artificialismos

O único livro de Camilo Pessanha (1867-1926), *Clepsidra*, publicado em 1920, é considerado o melhor exemplo de poesia simbolista em Portugal. Seus poemas imprimiram grande renovação na linguagem da poesia portuguesa, superando o convencionalismo vigente.

Dentro da linguagem do Simbolismo, Pessanha privilegiou a musicalidade, obtida por combinações sonoras sutis e alusivas. Esse uso especial da sonoridade pode ser visto nos versos de "Violoncelo", a seguir, em que imagens e sensações são despertadas pelo som de um violoncelo.

Vocabulário de apoio

alabastro: pedra de cor branca, muito usada como ornamento
arcada: movimento do arco em um instrumento de cordas; conjunto de arcos de alvenaria dispostos em sequência
balaústre: pequena coluna ligada a outras por corrimão ou parapeito
caudal: o que ocorre em abundância
lacustre: relativo a lago
sorvedouro: redemoinho

Chorai arcadas
Do violoncelo!
Convulsionadas,
Pontes aladas
De pesadelo...

De que esvoaçam,
Brancos, os arcos...
Por baixo passam,
Se despedaçam,
No rio, os barcos.

Fundas, soluçam
Caudais de choro...
Que ruínas (ouçam)!
Se se debruçam,
Que sorvedouro!...

Trêmulos astros...
Solidões lacustres...
— Lemes e mastros...
E os alabastros
Dos balaústres!

Urnas quebradas!
Blocos de gelo...
— Chorai arcadas,
Despedaçadas,
Do violoncelo.

PESSANHA, Camilo. *Clepsidra*. São Paulo: Princípio, 1989. p. 57.

■ Margens do texto

Que aliterações podem ser identificadas na penúltima estrofe?

O quadro de pesadelo apresentado no poema é composto pela associação de várias imagens, dentre as quais as relativas a naufrágios e ruínas, muito usadas pelo poeta para exprimir as ideias de desconsolo e de abatimento. A origem das associações está na música proveniente dos movimentos do arco do violoncelo, que enchem o ar de soluços e choros e se convertem em pontes imaginárias, abrindo caminho para as imagens relativas ao rio e aos barcos. As imagens aquáticas remetem, na lírica de Camilo Pessanha, à passagem do tempo. A própria palavra *clepsidra* significa "relógio de água".

A lírica de Pessanha revela um sujeito que não adere à realidade. Nela alternam-se, de maneira fragmentada, instantes de consciência e de inconsciência, formando um quadro de estranhamento e caos. O poeta mergulha em um mundo decadente, em que a dor é a experiência mais vital, como revelam estes versos de "Branco e vermelho".

A dor, forte e imprevista,
Ferindo-me, imprevista,
De branca e de imprevista
Foi um deslumbramento,
Que me endoidou a vista,
Fez-me perder a vista,
Fez-me fugir a vista,
Num doce esvaimento.

Como um deserto imenso,
Branco deserto imenso,
Resplandecente e imenso,
Fez-se em redor de mim.
Todo o meu ser suspenso,
Não sinto já, não penso,
Pairo na luz, suspenso...
Que delícia sem fim!

PESSANHA, Camilo. *Clepsidra*. São Paulo: Princípio, 1989. p. 68.

SCHWABE, Carlos. *Dor*, 1893. Óleo sobre tela, 155 cm × 104 cm. Museu de Arte e de História, Genebra, Suíça.

Nessa tela de Carlos Schwabe (1877-1927), a cor escura do traje da mulher que caminha entre jazigos estende-se às flores a sua volta. Assim, a realidade objetiva é interpenetrada pelo luto do mundo subjetivo. Nos poemas de Camilo Pessanha, observa-se uma ênfase na dor existencial, independentemente das experiências concretas do eu lírico.

Vocabulário de apoio

esvaimento: desmaio, vertigem

A dor tematizada no poema – e enfatizada pela persistente repetição de determinadas palavras – não nasce de uma experiência específica, como uma frustração amorosa; é existencial, de causa desconhecida, expressa por uma inusitada sensação de luz. A abordagem é complexa: pela experiência da dor, o sujeito alcança o êxtase. Essa relação entre dor e êxtase foi uma constante na lírica de Camilo Pessanha, que tratou obsessivamente do desgosto de viver e do desejo do aniquilamento.

Sua leitura

A água é um símbolo constante na obra de Camilo Pessanha. No poema a seguir, que dialoga com um poema também simbolista de Paul Verlaine, já visto no capítulo 33 (p. 336), essa temática está presente. Leia-o com atenção e responda às questões.

Vocabulário de apoio

morrente: que está morrendo

Água morrente

Il pleure dans mon coeur
Comme il pleut sur la ville
Verlaine

Meus olhos apagados,
Vede a água a cair.
Das beiras dos telhados,
Cair, sempre cair.

Das beiras dos telhados,
Cair, quase morrer...
Meus olhos apagados,
E cansados de ver.

Meus olhos, afogai-vos
Na vã tristeza ambiente.
Caí e derramai-vos
Como a água morrente.

PESSANHA, Camilo. *Clepsidra*. São Paulo: Princípio, 1989. p. 61.

Sobre o texto

1. O título do poema é um jogo de palavras que faz referência a uma expressão muito comum na língua portuguesa.
   a) Qual é essa expressão?
   b) Esse jogo de palavras contraria uma ideia frequentemente associada à água. Qual seria essa ideia e por que o título a contraria?
   c) A que aspecto do Simbolismo esse título pode ser associado? Explique.

2. Entre o título e o corpo do poema, Pessanha inseriu, como epígrafe, dois versos de Verlaine, um dos poetas que mais o influenciou. A tradução de José Lino Grünewald para esses versos é: "Chora no meu coração/ Como chove na cidade".
   a) Há dois elementos comuns à epígrafe e ao poema de Pessanha. Quais são eles?
   b) Compare a relação entre esses dois elementos tal como apresentada na epígrafe e no poema. Qual é a semelhança?
   c) E o que há de diferente? Justifique com elementos do texto.

3. A repetição de palavras e versos inteiros é um traço característico do estilo simbolista. Esse recurso formal está presente no poema "Água morrente".
   a) Quais são os versos repetidos nas duas primeiras estrofes?
   b) Que efeito expressivo decorre da repetição desses versos?

4. Considerando o contexto do Simbolismo, aponte um sentido que pode ser atribuído à expressão "Na vã tristeza ambiente".

O que você pensa disto?

Os simbolistas portugueses responderam ao momento histórico do país sem fazer referência direta a questões políticas, econômicas e sociais. Imagens enigmáticas e representações simbólicas de dilaceramento e angústia representavam o sentimento coletivo. Sua intenção era inquietar o espectador, para fazê-lo abandonar a postura passiva diante da obra e se lançar a uma experiência de leitura mais intensa, que despertaria sua sensibilidade e seu sentido crítico.

Algumas obras contemporâneas também dispensam a alusão ao contexto histórico em que são produzidas; outras, no entanto, fazem exatamente o oposto. A brasileira Néle Azevedo, por exemplo, criou esculturas de gelo para alertar sobre as consequências do aquecimento global na região ártica.

- Em sua opinião, esse tipo de arte é eficaz para sensibilizar o espectador? Ou o público contemporâneo só dá atenção ao discurso da ciência?

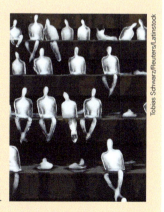

Esculturas de gelo da artista Néle Azevedo, expostas numa praça em Berlim, em setembro de 2009.

CAPÍTULO 35

O Simbolismo no Brasil

O que você vai estudar

- A difícil inserção do Simbolismo no cenário artístico brasileiro.
- Cruz e Sousa: a poética do excluído.
- Alphonsus de Guimaraens: melancolia e nostalgia.

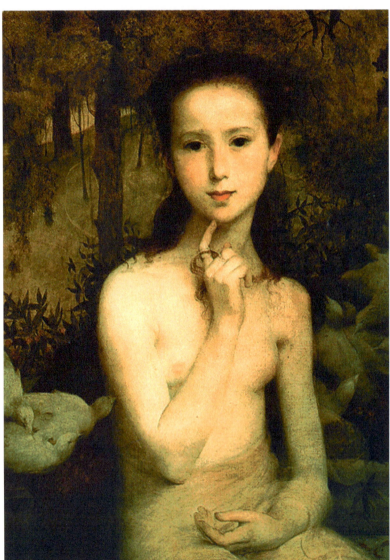

A menina de sorriso enigmático, com o corpo seminu e ainda em formação, colocada em frente de uma paisagem natural, simboliza a ideia de juventude, palavra que traduz o título dessa tela. Expoente do Impressionismo brasileiro, o pintor Eliseu Visconti sofreu grande influência do Simbolismo, bem como de outras correntes, como o Classicismo. Alguns estudiosos, inclusive, veem semelhanças entre a figura do quadro e a *Mona Lisa*, de Leonardo da Vinci.

VISCONTI, Eliseu d'Angelo. *Gioventú*, 1898. Óleo sobre tela, 65 cm × 49 cm. Museu Nacional de Belas Artes, Rio de Janeiro.

❯ O contexto de produção

O Simbolismo surgiu no Brasil nos primeiros anos da República. Era um momento de euforia para a elite, encantada com o progresso do país e indiferente às reais condições de vida da população, sobretudo dos negros, que, após a abolição da escravatura, lutavam pela inserção social.

Prestigiava-se, na época, a poesia ornamental do Parnasianismo, composta segundo regras consagradas pelo bom gosto. A concepção parnasiana de arte – voltada para a beleza formal – coincidia com o desejo de "civilização" e sofisticação da elite e da classe média, dispostas a reafirmar o avanço do país em termos materiais e técnicos.

No entanto, na década de 1890, um grupo de artistas enveredou por uma nova forma de esteticismo, concebendo a construção poética como meio de ampliar a **percepção da essência humana**. O Simbolismo surgiu no país pelas mãos de artistas que partilharam com os parnasianos o apreço pelo formalismo e a rejeição do sentimentalismo romântico, mas resistiram à exaltação da objetividade, do materialismo e do progresso.

A inserção dos simbolistas no cenário nacional

Apesar de cativar bom número de poetas, o Simbolismo não conseguiu rivalizar com o Parnasianismo em termos de popularidade. De modo geral, o movimento não conquistou nem a crítica consagrada nem o público leitor de sua época. No poema a seguir, o poeta Emiliano Perneta (1866-1921) trata dessa condição isolada dos artistas simbolistas.

Vencidos

Nós ficaremos, como os menestréis da rua,
Uns infames reais, mendigos por incúria,
Agoureiros da Treva, adivinhos da Lua,
Desferindo ao luar cantigas de penúria?

Nossa cantiga irá conduzir-nos à tua
Maldição, ó Roland?... E, mortos pela injúria,
Mortos, bem mortos, e, mudos, a fronte nua,
Dormiremos ouvindo uma estranha lamúria?

Seja. Os grandes um dia hão de cair de bruço...
Hão de os grandes rolar dos palácios infetos!
E glória à fome dos vermes concupiscentes!

Embora, nós também, nós, num rouco soluço,
Corda a corda, o violão dos nervos inquietos
Partamos! inquietando as estrelas dormentes!

PERNETA, Emiliano. In: JUNKES, L. (Org.). *Roteiro da poesia brasileira*: Simbolismo. São Paulo: Global, 2006. p. 40.

O soneto faz referência à **marginalização** dos poetas simbolistas, que se sentiam incompreendidos. Nota-se, porém, que mesmo a certeza da queda futura da ordem burguesa, sugerida pela referência aos "grandes" que rolarão "dos palácios infetos", não é suficiente para amenizar a angústia do eu lírico, pois essa é intrínseca à existência. Daí o desejo simbolista de transcender, libertando o espírito da matéria.

Tal forma de ver o mundo e a literatura remeteu à concepção de poeta maldito, portanto, ao Simbolismo francês. Os autores brasileiros estabeleceram uma intensa intertextualidade com obras dos poetas Baudelaire, Mallarmé, Rimbaud e Verlaine e do compositor Debussy, por exemplo, evidenciando uma proposta de literatura que buscava se distanciar da realidade provinciana do Brasil.

Contudo, a temática do poeta isolado, que se comunicava apenas pela arte, não deve levar à conclusão de que inexistiu contato real entre os artistas do período. Por sua rica musicalidade e imagens inovadoras, os poemas simbolistas foram apreciados e recitados com frequência nos círculos literários. O movimento contou com adeptos em todo o país, alguns deles com grande fama local. Esteve presente, principalmente, no Rio de Janeiro, Rio Grande do Sul, Paraná, Bahia e Minas Gerais, estado onde viveu Alphonsus de Guimaraens, um expoente do movimento. Sabe-se também que algumas editoras, como a Magalhães e Companhia, deram espaço à literatura simbolista, e que surgiram revistas com essa orientação, como a *Cenáculo* (1895), de Curitiba, e a *Fon-Fon* (1908), do Rio de Janeiro.

Aliás, foi no Rio de Janeiro – para onde migraram muitos escritores – que o Simbolismo alcançou maior visibilidade. Já em 1889, um grupo de jovens, que incluía Emiliano Perneta, valeu-se do jornal carioca *Folha Popular* para divulgar artigos defendendo inovações na literatura brasileira. Posteriormente, Cruz e Sousa se uniu ao grupo. Coube às suas obras *Missal* e *Broquéis*, publicadas em fevereiro e em novembro de 1893, inaugurar formalmente o Simbolismo no Brasil.

Vale saber

A posição de isolamento do poeta simbolista refletia um conflito entre duas **ideologias**: a da sociedade burguesa e industrial, voltada ao cientificismo e ao materialismo, e a dos simbolistas, defensores da recuperação da subjetividade e da espiritualidade.

Margens do texto

Interprete o sentido da frase "Seja." (verso 9). De que modo ela se relaciona com o título do poema?

Vocabulário de apoio

agoureiro: aquele que anuncia desgraças
concupiscente: aquele que cobiça bens materiais ou prazeres sexuais
desferir: lançar
incúria: negligência, inércia
infame: aquele que é desprezível
infeto: pestilento
injúria: ofensa
lamúria: lamento
menestrel: cantor ou poeta medieval
penúria: miséria
Roland: personagem de um poema épico composto no século XI. Roland comandava a retaguarda do exército de Carlos Magno, quando se viu em perigo e tocou uma corneta para alertar o comandante. Carlos Magno foi distraído pelo traidor Ganelon e, quando chegou, já encontrou Roland e os demais soldados mortos.

A tela do pintor belga Fernand Khnopff (1858-1921) remete ao mito de Édipo, desafiado pela Esfinge a resolver um enigma. O jovem aparece com olhar distante e resistente, enquanto a figura híbrida o acaricia e seduz. A cena denota a dualidade entre o prazer e a dor, em uma concepção típica do período simbolista.

KHNOPFF, Fernand. *Arte*, ou *A Esfinge*, ou *A carícia*, 1896. Óleo sobre tela, 50 cm × 150 cm. Museu Real de Belas Artes, Bruxelas, Bélgica.

❯ Cruz e Sousa: a tragédia da existência

Exceto por um pequeno grupo de admiradores, João da Cruz e Sousa (1861-1898) era praticamente desconhecido em sua época. Atualmente, porém, é considerado o maior simbolista brasileiro e um dos principais responsáveis por introduzir a concepção de que a expressão poética deve se apoiar na consciência formal, ou seja, no domínio da forma.

Seu gosto pelo soneto e pela métrica rigorosa revela a influência parnasiana em sua poesia. Ao mesmo tempo, sua obra também explora o subjetivo, o vago, o espiritual e o sinestésico, em versos cuja construção sintática foge do comum, principalmente por causa da justaposição de adjetivos e de frases nominais (frases construídas sem verbos).

Sua obra centra-se no conflito entre a prisão do ser no plano material e o desejo de ascensão para o plano transcendental. Essa dualidade percorrerá o conjunto de seus temas, entre os quais estão a incompatibilidade com o mundo, a morte, a adoração religiosa, a concepção contemplativa ou erótica do amor e a própria construção poética.

A tensão entre o sofrimento e a satisfação pode ser vista neste poema.

Von Stuck, Franz. *O beijo da Esfinge*, c. 1895. Óleo sobre tela, 160 cm × 149 cm. Museu Szépművészeti, Budapeste, Hungria.

Assim como fizeram muitos pintores simbolistas, o alemão Franz von Stuck (1863-1928) inspirou-se na literatura. A tela mostra um de seus temas preferidos – a mulher "perigosa" – por meio de metáfora construída com base na imagem da Esfinge. O Simbolismo vale-se dos opostos femininos: os perfis da ninfa e da mulher fatal.

Braços

Braços nervosos, brancas opulências,
Brumais brancuras, fúlgidas brancuras,
Alvuras castas, virginais alvuras,
Lactescências das raras lactescências.

As fascinantes, mórbidas dormências
Dos teus braços de letais flexuras,
Produzem sensações de agres torturas,
Dos desejos as mornas florescências.

Braços nervosos, tentadoras serpes
Que prendem, tetanizam como os herpes,
Dos delírios na trêmula coorte...

Pompa de carnes tépidas e flóreas,
Braços de estranhas correções marmóreas,
Abertos para o Amor e para a Morte!

Cruz e Sousa, João da. *Missal e Broquéis*. São Paulo: Martins Fontes, 1993. p. 147.

■ Margens do texto

1. Identifique, na segunda estrofe, as sensações contraditórias provocadas pelos braços.
2. A imagem dos braços também possui aspectos contrastantes. Como isso se revela?

O poema retoma a perspectiva da mulher anjo-demônio típica do Decadentismo. O conflito representado no soneto origina-se da brancura da moça, que sinestesicamente evoca a pureza e abre caminho para a sublimação da natureza terrena, ao mesmo tempo que provoca o desejo.

A ênfase da cor branca é um recurso tipicamente simbolista. Contudo, muitos críticos entenderam que tal emprego resultaria igualmente da condição social do poeta, filho de ex-escravizados, impedido de avançar em uma carreira pública por conta do preconceito racial. As dificuldades financeiras e a pequena receptividade às obras de Cruz e Sousa teriam aprofundado seu drama pessoal e se refletido no pessimismo que caracteriza sua poesia.

No entanto, o poeta operou em um universo complexo, em que o ato de vivenciar dificuldades é instrumento para o alcance do celestial – solução que ele estendeu para marginalizados de toda ordem, como os miseráveis e ex-escravizados, que também contemplava em seus textos.

A ênfase no branco deixa, portanto, de ser apenas expressão de inconformismo ou desejo de pertencimento para representar um esforço de superação de dificuldades.

Vocabulário de apoio

agre: azedo, ácido
brumal: relativo à bruma, névoa; melancólico
coorte: multidão; força armada
flexura: gesto, movimento
florescência: florescimento, crescimento vigoroso
fúlgido: brilhante
herpes: doença inflamatória da pele
lactescência: aquilo que tem a cor ou a consistência do leite
letal: fatal, que acarreta a morte
marmóreo: feito de mármore ou que tem aparência similar à do mármore
opulência: luxo, riqueza
serpe: serpente
tépido: morno
tetanizar: transmitir tétano, doença que provoca contrações musculares

Sua leitura

O soneto "O Assinalado" retoma uma temática recorrente na obra de Cruz e Sousa: a reflexão sobre a condição trágica do poeta na modernidade, que ora aponta frustrações e constrangimentos, ora destaca triunfos. Leia o poema e responda às questões.

O Assinalado

Tu és o louco da imortal loucura,
O louco da loucura mais suprema.
A terra é sempre a tua negra algema,
Prende-te nela a extrema Desventura.

Mas essa mesma algema de amargura,
Mas essa mesma Desventura extrema
Faz que tu'alma suplicando gema
E rebente em estrelas de ternura.

Tu és o Poeta, o grande Assinalado
Que povoas o mundo despovoado,
De belezas eternas, pouco a pouco.

Na Natureza prodigiosa e rica
Toda a audácia dos nervos justifica
Os teus espasmos imortais de louco!

CRUZ E SOUSA, João da. In: JUNKES, L. (Org.). *Roteiro da poesia brasileira*: Simbolismo. São Paulo: Global, 2006. p. 31.

Vocabulário de apoio

desventura: infortúnio, desgraça
prodigioso: miraculoso, fantástico
supremo: extraordinário, superior, divino

Sobre o texto

1. O soneto tem o objetivo de caracterizar "O Assinalado", posto como interlocutor do eu lírico.
   a) A identificação do "Assinalado" como "louco", proposta nos dois primeiros versos, é necessariamente negativa? Justifique.
   b) Quem é o "Assinalado" a que se refere o eu lírico?

2. Cruz e Souza vale-se de importantes procedimentos estilísticos para desenvolver a temática do poema.
   a) Explique por que a rima *suprema/ algema* aproxima palavras que adquirem valores semânticos opostos no contexto do poema.
   b) Explique as duas metonímias presentes em "A terra é sempre a tua negra algema".

3. A segunda estrofe traz uma releitura da primeira. Que ponderações o eu lírico faz em relação ao que foi dito anteriormente?

4. O poema apresenta uma visão pessoal da atividade poética. Por que se pode afirmar que ele retoma o conceito decadentista-simbolista do "poeta maldito"?

5. Ao comentar "O Assinalado", a crítica literária Ivone Daré Rabelo afirmou que "Cruz e Sousa, emparedado, acredita na promessa de felicidade que a arte, e não a carreira, poderá lhe trazer" (*Um canto à margem*: uma leitura da poética de Cruz e Sousa. São Paulo: Nankin/Edusp, 2006. p. 126). Explique essa afirmação.

A tela do pintor Jan Toorop (1858-1928), de origem javanesa, representa o mergulho do indivíduo em sua interioridade, um dos pressupostos da arte simbolista. A vela é o instrumento que ilumina essa jornada. As pinturas de Toorop misturam motivos oriundos da cultura de Java e do Simbolismo europeu em padrões complexos e sinuosos.

TOOROP, Jan. *Virando-se para dentro de si*, 1893. Tinta, lápis e aquarela sobre papel, 16,5 cm × 18 cm. Museu Kröller-Müller, Otterlo, Holanda.

347

Alphonsus de Guimaraens: memória e melancolia

Alphonsus Henrique de Guimaraens (1870-1921) não se deslocou para o Rio de Janeiro, como fizeram vários poetas simbolistas. Após estudar em São Paulo, estabeleceu-se em Mariana, Minas Gerais, onde manteve produção solitária e privada da atenção pública.

Em sua poesia, estão presentes elementos característicos do Simbolismo, do vocabulário ao manejo dos versos para obter musicalidade. Seu tema principal é a **morte da amada**, que receberá tratamentos variados. Em "Hão de chorar por ela os cinamomos", a seguir, observa-se o impacto da morte da amada sobre os seres da natureza.

> Hão de chorar por ela os cinamomos,
> Murchando as flores ao tombar do dia.
> Dos laranjais hão de cair os pomos,
> Lembrando-se daquela que os colhia.
>
> As estrelas dirão: — "Ai! nada somos,
> Pois ela se morreu, silente e fria..."
> E pondo os olhos nela como pomos,
> Hão de chorar a irmã que lhes sorria.
>
> A lua, que lhe foi mãe carinhosa,
> Que a viu nascer e amar, há de envolvê-la
> Entre lírios e pétalas de rosa.
>
> Os meus sonhos de amor serão defuntos...
> E os arcanjos dirão no azul ao vê-la,
> Pensando em mim: — "Por que não vieram juntos?"
>
> GUIMARAENS, Alphonsus de. In: JUNKES, L. (Org.). *Roteiro da poesia brasileira*: Simbolismo. São Paulo: Global, 2006. p. 63.

Margens do texto

1. Por que se pode afirmar que o poema retoma características românticas?
2. Explique a pergunta que encerra o soneto.

Vocabulário de apoio

cinamomo: canela; denominação de outras espécies de árvore cuja casca é utilizada para extração de essências e substâncias medicinais
pomo: fruto
silente: silencioso

O tom melancólico perpassa o poema. A imagem corpórea da jovem desmaterializa-se à medida que os versos descrevem o modo como a Lua e os arcanjos a receberão no céu. Tal abordagem delicada torna-se sombria em outros poemas do autor, devido à recuperação da imagem do corpo morto, do velório, do luto e do sepultamento, em uma atmosfera macabra. Chega-se a evocar o gótico romântico e as imagens medievais, bem como os limites do subconsciente, em revelações de desejos reprimidos e medos infantis.

A recorrência do tema revela que o sujeito está sempre diante da morte irremediável, uma obsessão cuja origem pode estar vinculada, segundo muitos estudiosos, à morte da noiva do poeta ainda adolescente. Independentemente do peso que se atribua a esse dado biográfico, o fato é que, na poesia de Alphonsus de Guimaraens, opera um sujeito depressivo e inadaptado ao mundo, que procura sua evasão na **espiritualidade**.

Pelo **misticismo**, o poeta se aproximará do **plano das essências**, alvo da arte simbolista. É importante perceber, contudo, que o cenário efetivamente ocupado por Alphonsus de Guimaraens, a cidade de Mariana, mistura-se com sua poesia, que ecoa o Barroco mineiro, católico, solitário e triste, em conformidade com os sentimentos do eu lírico.

REDON, Odilon. *Cristo em silêncio*, c. 1895-1899. Carvão e pastel sobre papel, 58 cm × 46 cm. Museu Petit Palais, Paris, França.

Na década de 1890, Cristo foi uma das imagens mais recorrentes na obra do principal pintor simbolista francês, Odilon Redon (1840-1916). Os simbolistas costumavam recorrer ao universo espiritual para restaurar o sagrado no mundo decadente e materialista.

Sua leitura

O discurso sobre a morte da amada recebe um tom mórbido nessa composição de Alphonsus de Guimaraens. Leia com atenção o soneto e responda às questões no caderno.

Hirta e branca... Repousa a sua áurea cabeça
Numa almofada de cetim bordada em lírios.
Ei-la morta afinal como quem adormeça
Aqui para sofrer Além novos martírios.

De mãos postas, num sonho ausente, a sombra espessa
Do seu corpo escurece a luz dos quatro círios:
Ela faz-me pensar numa ancestral Condessa
Da Idade Média, morta em sagrados delírios.

Os poentes sepulcrais do extremo desengano
Vão enchendo de luto as paredes vazias,
E velam para sempre o seu olhar humano.

Expira, ao longe, o vento, e o luar, longinquamente,
Alveja, embalsamando as brancas agonias
Na sonolenta paz desta Câmara-ardente...

GUIMARAENS, Alphonsus de. In: RICIERI, F. (Org.). *Antologia da poesia simbolista e decadente brasileira*. São Paulo: Companhia Editora Nacional/Lazuli, 2007. p. 97.

Vocabulário de apoio

alvejar: branquear
áureo: de ouro
câmara-ardente: recinto em que se faz um velório
círio: vela grande
embalsamar: submeter o cadáver a processo de conservação; perfumar
hirto: imóvel
poente: pôr do sol
sepulcral: relativo à morte, ao sombrio

Sobre o texto

1. O soneto retrata um velório. Descreva a cena usando suas próprias palavras.
2. Como a figura do eu lírico atua na cena descrita?
3. O tratamento da morte não é excessivamente sentimental, mas o soneto permite ao leitor entrever o impacto dela sobre o eu lírico.
   a) O que se pode deduzir a respeito dos últimos momentos da mulher falecida? Explique.
   b) Para descrever a morte, são empregados eufemismos. Transcreva-os e explique a razão de seu uso.

A perspectiva criada pelo pintor italiano Giuseppe Pellizza da Volpedo (1868-1907) nesta tela faz do espectador um dos participantes do cortejo fúnebre. O artista explorou efeitos de luz para criar a atmosfera de luto e espiritualização.

VOLPEDO, Giuseppe Pellizza da. *Flor quebrada*, c. 1896-1902. Óleo sobre tela, 79,5 cm × 107 cm. Museu d'Orsay, Paris, França.

O que você pensa disto?

Neste capítulo, você conheceu a história de um dos autores do Simbolismo brasileiro, Cruz e Sousa, cujo talento não foi reconhecido em sua época, principalmente devido ao racismo que vigorava na sociedade do século XIX.

Atualmente, existe mais tolerância racial, mas a diferença social entre brancos e afrodescendentes continua mantendo grande parte destes em posições inferiores no mercado de trabalho, por conta da dificuldade de acesso ao ensino superior. Diante disso, as universidades públicas do país têm adotado o sistema de cotas raciais, que reserva vagas para afrodescendentes.

- Você acredita que essa medida trará impactos positivos para a educação no país? E para erradicar o preconceito racial? Discuta o assunto com os colegas.

Público durante sessão do dia 26 de abril de 2012, no Supremo Tribunal Federal, na qual os ministros consideraram constitucional o sistema que reserva vagas para afrodescendentes nas universidades públicas.

Ferramenta de leitura

A imensidão interior sugerida pela poesia

Para Gaston Bachelard, nenhum tipo de conhecimento – nem mesmo o científico – é absolutamente racional, o que deve levar a ciência a dialogar com todas as formas de conhecimento, inclusive com a religião e a arte. Fotografia de 1961.

O filósofo Gaston Bachelard (1884-1962) propôs uma abordagem da literatura a partir da investigação do que chamou de "imaginação poética". Para ele, a poesia nasce de uma "explosão da imagem" que faz com que o leitor estabeleça um significado muitas vezes inesperado para o que lê. Bachelard escreve:

> Embora pareça paradoxal, muitas vezes é essa *imensidão interior* que dá seu verdadeiro significado a certas expressões referentes ao mundo que vemos. Para discutirmos sobre um exemplo preciso, vejamos a que corresponde a *imensidão da Floresta*. Essa "imensidão" nasce de um corpo de impressões que não derivam realmente de ensinamentos de geografia. Não é preciso permanecer muito tempo nos bosques para conhecer a impressão sempre um pouco ansiosa de que "mergulhamos" num mundo sem limites. [...] Como dizer melhor, se queremos "viver a floresta", que nos achamos diante de *uma imensidão local*, diante da imensidão local de sua profundidade? [...] A floresta é um estado de alma.
>
> BACHELARD, Gaston. *A poética do espaço*. Trad. Antonio de Pádua Danesi. São Paulo: Martins Fontes, 1993. p. 191-192.

Para Bachelard, o sentido das imagens em um poema não está previamente estabelecido. Seus significados nascem da relação com aquilo que se encontra na subjetividade de cada leitor em um determinado momento e da percepção da novidade expressiva que o texto literário contém.

Leia agora um poema do simbolista Eduardo Guimarães (1892-1928).

Novilúnio

Novilúnio de outubro. É primavera. Sente!
Que silêncio! Não move uma só brisa. Odor
a jasmins. Larga e verde, a água-morta jazente.
Nela ao fundo azulado o céu. Nenhum rumor.

São como aparições as árvores. Que mágoa,
a destes salgueiros! Ó vastas solidões!
Pânica encenação da sombra à beira d´água
que reflete ao luar a copa dos chorões!

Desfaz-se a mancha azul do cerro que se obumbra.
E eis que, a espátula, a treva o quadro singular
pinta: e por tudo cria efeitos de penumbra...
ouve-se o coração das cousas palpitar.

Nada turba entretanto a música divina
do silêncio, nem mesmo a orvalhada a cair
da altura e a marejar duma geada fina
e límpida os botões das rosas por abrir.

Novilúnio de outubro. É primavera. Sente:
que aroma, o dos jasmins! Dorme tudo ao redor.
Nenhum rumor que se ouça — o dos sapos somente
que faz mais calma a noite e o silêncio maior.

GUIMARÃES, Eduardo. In: JUNKES, L. (Org.). *Roteiro da poesia brasileira*: Simbolismo. São Paulo: Global, 2006. p. 142-143.

Vocabulário de apoio

cerro: colina
jazente: que está ou parece morto
marejar: gotejar
novilúnio: período da lua nova
obumbrar: ocultar, escurecer
pânico: assustador (no caso, é um adjetivo)
turbar: perturbar

Sobre o texto

1. O eu lírico do poema "Novilúnio" cria evocações sinestésicas.
   a) Algumas imagens do poema expressam a ideia de silêncio. Explique como isso ocorre nas referências à paisagem.
   b) A imagem final do soneto exprime o silêncio por um paradoxo. Explique.

2. O quadro descrito no poema contribui para a produção de um efeito único. Analise a progressão narrativa construída pela sequência das estrofes.

3. O eu lírico faz um convite ao leitor. Identifique a palavra que expressa isso e relacione-a ao efeito geral pretendido.

4. Leia no boxe *Vocabulário de apoio* a definição de *novilúnio* dada pela geografia. Por que o efeito produzido pelo poema vai além dessa definição?

Entre textos

No estudo do Simbolismo, você pôde perceber como essa corrente literária faz referências à realidade objetiva de forma nebulosa, quase indecifrável. Isso ocorria porque os poetas simbolistas valorizavam o poder da sugestão; procuravam aludir a um quadro psicológico por meio de evocações sensoriais totalmente subjetivas. A nebulosidade e as sugestões sensoriais também estão presentes nos dois textos a seguir. O primeiro é datado de 2005, e o segundo, de 2008.

TEXTO 1

Dois barcos

quem bater primeiro a dobra do mar
dá de lá bandeira qualquer, aponta pra fé
e rema

é, pode ser que a maré não vire
pode ser do vento vir contra o cais
e se já não sinto teus sinais
pode ser da vida acostumar
será morena?
sobre estar só eu sei
nos mares por onde andei
devagar
dedicou-se mais o acaso a se esconder
e agora o amanhã, cadê?

doce o mar perdeu no meu cantar

CAMELO, Marcelo. Intérprete: Los Hermanos. In: 4. BMG, 2005. Faixa 1.

> Qual é o tema dessa letra de canção? O eu lírico faz, primeiro, referência a um cenário marítimo, que subitamente (no verso "será morena?") parece se deslocar para a vida amorosa. Nesse caso, é possível entender que o eu lírico está falando da separação de um par amoroso ("Dois barcos"), como é frequente em letras de canção. Talvez a nebulosidade da letra se deva ao fato de que o eu lírico ainda não "digeriu" a separação, por isso só consegue expressá-la em termos totalmente subjetivos, pouco acessíveis a terceiros.

TEXTO 2

Calendário

Maio, de hábito, demora-se à porta,
como o vizinho, o carteiro, o cachorro.
Das três imagens, porém, nenhuma diz
do que houve, para meu susto, àquele ano.
O quinto mês pulou o muro alto do dia
como só fazem os rapazes, mas logo
pelos quartos e sala convertia o ar em águas
definitivamente femininas. Eu
tentava decifrar. Mas
deitou-se comigo e, então, já não era isso
nem seu avesso: a camisa azul despia
azuis formas que eu não sabia, recém-saídas
de si mesmas, eu diria, e não sei ter
em conta senão que eram o que eram. Partiu
do mesmo modo, em bruto, coisa sem causa.
Maio, maravilha sem entendimento,
demora-se à porta, como o vizinho,
o carteiro, o cachorro. Porém,
nenhuma das três imagens, tampouco
este poema, diz do que houve, para meu susto,
àquele ano.

FERRAZ, Eucanaã. Cinemateca. São Paulo: Companhia das Letras, 2008. p. 25.

> Assim como no texto 1, é difícil determinar objetivamente sobre o que fala o eu lírico. Primeiro, ele diz que nenhuma das três imagens (vizinho, carteiro, cachorro) explica os eventos daquele maio e tenta então explicá-los com outras imagens. O poema traz, em seguida, inúmeros termos relacionados à realidade objetiva (muro, rapazes, quartos, sala, camisa), mas trabalhados de tal modo que essa realidade se dilui, torna-se impalpável. No final, o eu lírico percebe que as outras imagens – e, consequentemente, o próprio poema – também não foram capazes de capturar aquele maio: "[...] tampouco/ este poema, diz do que houve,/ para meu susto,/ àquele ano".

351

Vestibular e Enem

1. (Enem)

> ### Cárcere das almas
>
> Ah! Toda a alma num cárcere anda presa,
> Soluçando nas trevas, entre as grades
> Do calabouço olhando imensidades,
> Mares, estrelas, tardes, natureza.
>
> Tudo se veste de uma igual grandeza
> Quando a alma entre grilhões as liberdades
> Sonha e, sonhando, as imortalidades
> Rasga no etéreo o Espaço da Pureza.
>
> Ó almas presas, mudas e fechadas
> Nas prisões colossais e abandonadas,
> Da Dor no calabouço, atroz, funéreo!
>
> Nesses silêncios solitários, graves,
> que chaveiro do Céu possui as chaves
> para abrir-vos as portas do Mistério?!
>
> CRUZ E SOUSA, J. *Poesia completa*. Florianópolis: Fundação
> Catarinense de Cultura/Fundação Banco do Brasil, 1993.

Os elementos formais e temáticos relacionados ao contexto cultural do Simbolismo encontrados no poema "Cárcere das almas", de Cruz e Sousa, são:

a) a opção pela abordagem, em linguagem simples e direta, de temas filosóficos.

b) a prevalência do lirismo amoroso e intimista em relação à temática nacionalista.

c) o refinamento estético da forma poética e o tratamento metafísico de temas universais.

d) a evidente preocupação do eu lírico com a realidade social expressa em imagens poéticas inovadoras.

e) a liberdade formal da estrutura poética que dispensa a rima e a métrica tradicionais em favor de temas do cotidiano.

2. (Uepa) Leia o texto e responda à questão.

> ### Água morrente
>
> Meus olhos apagados,
> Vede a água cair.
> Das beiras dos telhados,
> Cair, sempre cair.
> Das beiras dos telhados,
> Cair, quase morrer...
> Meus olhos apagados,
> E cansados de ver.
> Meus olhos, afogai-vos
> Na vã tristeza ambiente.
> Caí e derramai-vos
> Como a água morrente.

No conhecido poema de Camilo Pessanha, o Sujeito reserva a si uma atitude passiva diante do mundo, fazendo sentir sobre si os efeitos da paisagem natural; desse modo, há um desequilíbrio existencial sugerido através de uma metáfora. A esse propósito marque a opção correta.

a) A imagem do Homem que emerge do caos sugere a resistência ao tempo, o desejo de sobreviver a ele.

b) A submersão sugere que, existencialmente, o Homem vê-se desgastado e empurrado para o Fim.

c) O navegar por entre águas insinua a busca humana por novos desafios que lhe deem sentido à vida.

d) O desejo de emergir em meio a águas agitadas sugere a vontade humana de acompanhar as mudanças socioeconômicas do início do século XX.

e) Todo o ambiente criado no poema impressiona pelo misticismo vaporoso que sugere o mistério para além da materialidade.

3. (Ufam) Considere o poema abaixo, de Alphonsus de Guimaraens.

> Quando Ismália enlouqueceu,
> Pôs-se na torre a sonhar...
> Viu uma lua no céu,
> Viu outra lua no mar.
>
> No sonho em que se perdeu,
> Banhou-se toda em luar...
> Queria subir ao céu,
> Queria descer ao mar...
>
> E, no desvario seu,
> Na torre pôs-se a cantar...
> Estava perto do céu,
> Estava longe do mar...
>
> E como um anjo pendeu
> As asas para voar...
> Queria a lua do céu,
> Queria a lua do mar...
>
> As asas que Deus lhe deu
> Ruflaram de par em par...
> Sua alma subiu ao céu,
> Seu corpo desceu ao mar...

Sobre ele é incorreto afirmar que:

a) é um texto que caracteriza a essência do Simbolismo ao usar a loucura e a torre como alegorias do distanciamento do mundo terreno.

b) a presença da música, da cor prateada, da loucura, do mar e do céu confirma a inserção do texto no Simbolismo.

c) a dualidade corpo e alma está presente no poema, nas imagens do mar e do céu, unidas pelo objeto de desejo: a lua.

d) é um poema que traz como tema o suicídio religioso.

e) Ismália recebeu um par de asas para o corpo e outro para a alma, conduzindo a alma ao céu e o corpo ao mar, desfazendo a ideia de suicídio, que pressuporia queda.

352